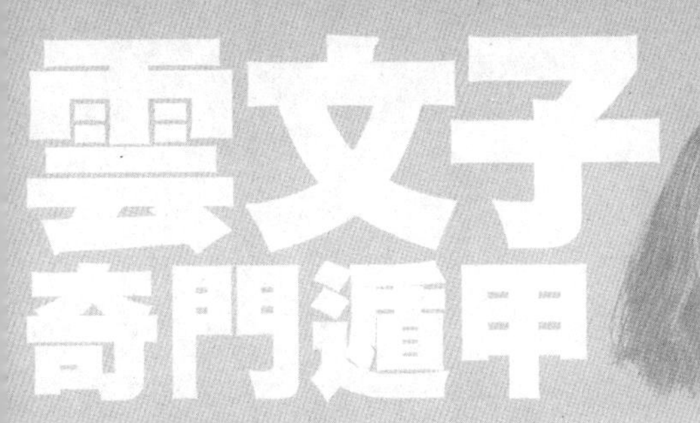

2024龍年
生肖運程

小人當道運蹉

停滯不前失良

顛簸不定心倦

豬 暗湧頻
運反

牛 迂迴曲
勢積

虎 陰霾待
情緣

蛇 風生水起
勢威猛

馬 桃花不絕
後勁強

猴 青雲直上
氣場盛

雞 財脈運轉家宅旺

鼠 貴人助力承契機

兔 魅力飆升愛昇華

- 165局奇門命盤推
  十二生肖流月運程
- 龍年十二生肖開運
- 龍年奇門遁甲風水
- 預測香港及世界地
  政經走勢
- 送催運卡及催運

目錄

奇門卦象：「休門」逢「玄武」臨格局為「太白退位，如金化水流」。「大吉」乘「太常」臨「擊刑」

香港兔年運勢浮沉不定，在大部份國家全面解禁的情況下。移民潮繼續成為熱話，多個國家同時降低門檻，香港人材及資金流失局面未見改善。2023年雖然看不到有突破性的躍進，始終是新人事新氣象，新任特首李家超大刀闊斧推行多方面改革，實行當然有一定難度，但整體偏向好的層面，有望在大局喘定後逐漸交出好成績，其中以「大灣區青年就業計劃」表現最為突出。

《明報》2023年6月7日

〈人才短缺調查2023〉七成企業稱員工流失因移民潮，勞動力缺口持續，總商會促引進各行業中低層員工。59%受訪企業反映最缺人手的工種年均底薪為20萬至50萬元，反映勞動市場尤其缺乏初級至中層職位。

《香港01》2023年5月17日

〈大灣區青年就業計劃接獲逾千入職通知，月薪最高49,200港元〉勞工及福利局局長孫玉菡透露，近九成入職青年的月薪介乎18,000港元至21,000港元，最高月薪為49,200港元。計劃反應也顯示安排對青年人有吸引力。勞工處會加強宣傳推廣，鼓勵更多合資格畢業生參與恆常計劃。

香港股市於兔年活躍度未減，國際金融中心地位未受疫情影響依然穩如泰山。需特別留意農曆6、7月份投資環境複雜，小心市場波幅較大。

《明報》2023年8月21日

〈七連跌 恒指跌327點 見近9個月低位〉恒指裂口低開過百點，午後最多跌過363點，收市跌327點，報17623點，繼2021年11月以來再錄7連跌。

奇門卦象：「天芮星」逢「地盤白虎」

過去香港樓市經歷社會動盪、疫情爆發、直至近年出現的移民趨勢，令香港的房價停滯不前，但交投尚見活躍。兔年在這些因素的影響下，負面情況將逐漸浮現，一手市場雖然仍有追捧，但二手市場會明顯下滑，而且交投漸趨淡靜，有價無市，年內香港樓市也會愈見顛簸，投資環境模糊不清。

《東網》2023年9月25日

〈10大屋苑周末僅一宗成交，創14個月新低，新盤搶客，二手市場被冰封〉10大屋苑周末僅一宗成交 創14個月新低。中原地產表示，10大屋苑本周末僅錄1宗買賣，14個月新低，較上周錄6宗減少5宗或約83.3%，零成交屋苑達9個。部份買家觀望下月施政報告公布更有效的減辣措施，短期內二手交投相當膠着。

奇門卦象：「天沖星」逢「地盤騰蛇」臨格局「癸加丁，騰蛇夭矯，文書官司，火焚也難逃。」帶「擊刑」

中國運勢略為反覆，各方面起伏波幅較往年大，內需無大進展下生產活動有所放緩，預料國內生產總值將往下微調。此外，2023年內，中國作為世界第二大經濟體不論對內或對外的發展，要面臨的風險及各方面挑戰明顯增多：針對中國等衝擊影响下，出口貿易障礙重重，投資者持非常審慎態度，多重壓力對中國有一定打擊。在兔年亦有轉弱的趨勢，整體經濟恢復狀態緩慢。

《東方日報》2023年8月16日

〈內地經濟難救　殃及全球　通脹見負數　出口亦急瀉〉正當美國全力聯同盟友圍堵中國，並以「去風險化」旗幟推動「與中國脫鈎」之際，內地經濟「3大支柱」即消費、投資和出口的最新數據全面失速，進一步加大中國資產壓力，令債務危機急速惡化，中國人民銀行隨即下調多項關鍵政策利率。中國經濟瀕臨「爆雷」，零售總額按年倒退，通脹率相隔超過兩年半再度轉負，亦印證內需疲弱。民間投資按年下跌，7月份新增人民幣貸款亦創14年新低，已有投行因此呼籲投資者減持中資股。

奇門卦象：「傷門」逢「天柱星」臨「入墓」

2023年美國運勢滿途凶險，經濟政治化的手段將損人害己，多項政策失誤會導致難以控制的通脹惡果。借烏克蘭危機向俄羅斯打制裁戰、和中國的貿易戰情況持續，導致原油價格飛漲、物流供應鏈受阻，令全球經濟在新冠疫情下受挫仍未回復之際雪上加霜，通脹率急升。

《俄羅斯衛星訊社》2023年5月19日

〈美國借烏克蘭危機制裁俄羅斯加劇國際社會分裂〉西方國家因烏克蘭問題加大了對俄羅斯的制裁壓力，這導致歐洲和美國的電力、燃料和食品價格上漲。俄羅斯總統普京此前表示，遏制和削弱俄羅斯的政策是西方的長期戰略，而制裁對整個世界經濟造成了嚴重打擊。據他介紹，西方的主要目標是使數百萬人的生活變糟。

奇門卦象：「杜門」逢「天盤玄武」帶「空亡」臨格局「青龍逃走，人亡財破，奴僕拐帶，六畜皆傷」

朝鮮半島與南韓關係退步，反覆變動，美國和南韓聯合軍演次數增加，令朝鮮半島極度不安。美韓軍事合作會於年內推出各種招式，加劇亞洲特別是東北亞的緊張局勢，並進一步刺激北韓和平统一的基礎將再一次被連根拔起。

《匯港通訊》2023年9月25日

〈美韓海上聯合軍演　應對北韓威脅〉美國與南韓今天起，在朝鮮半島東部海域進行聯合海軍演習，應對北韓軍事威脅。

奇門卦象：「太冲」乘「太陰星」

日本運勢多年來處於低谷狀態，今年在經濟基本面沒有改觀的情況下削減社會支出，再加上日圓持續貶值的可能性引致物價飆升，對日本經濟造成負面影響，種種舉措將不時激起民怨，失去國民支持才是國運回勇之力的主要因素。

《FINN新聞網》2023年8月29日

〈日圓貶爆！創本年度新低　外媒：恐退化至30年前水準〉日美元兌日圓報價，已經跌到146.4的水平，而自年初至今，該數值也貶值整整10%，據外媒報導，若日本央行仍不改變，堅持鴿派立場，日圓兌美元會在半年內跌至155，成為33年以來最低點。

奇門卦象：「勝光」乘「騰蛇」臨「空亡」

印度運勢衰落，2023年這個人口即將超越中國的國家，人口增加在人力資本基礎低以及缺乏技術工人的條件下，技能發展步伐無相應增加，印度將無法利用相關機會而惠及經濟增長。農業處危機當中，勞工和土地改革也徒勞無功，公共財政和衛生成本負擔加劇，失業情況會是年內面臨的一個難以解決的重大議題。

《聯合報》2023年5月28日

《人口增長難就業 印度經濟奇蹟幻滅》印度人口飆漲究竟是經濟奇蹟還是危機？印度人口正式超越中國。印度因為就業機會不足，青年失業率甚至高達45%，且完全不見下降趨勢。人口增長也同時讓印度就學、考試壓力越發沉重，印度政府正面臨就業機會的挑戰。

奇門卦象：「天蓬星」逢「入墓」臨格局「入獄自刑，奴僕背主，有訴訟難伸。」

中澳關係隨著大選後將得到改善，換了新領導人和班子，針對中國的國家政策有所調整，雙邊貿易額有所提升，但大局仍被陰晴不定的大氣候所籠罩阻礙整個發展進程。

《東網》2023年9月25日

《中國與澳洲高級別對話 中斷3年後重啟》中國與澳洲關係持續回暖，內媒周四（7日）報道，第7次中澳高級別對話當日上午在北京舉行，這是2020年以來兩國的首次高級別對話。外界期望，這次中澳高級別對話重啟，意味中澳戰略對話全面恢復。

奇門卦象：「朱雀」逢「景門」臨「空亡」

英國對中國的經濟戰略降温，針對中國言論亦將變得克制，不時展示友好的一面，政策逐漸傾向保持雙方經貿往來。

《人民日報》2023年9月3日

〈英中服務貿易合作空間巨大〉「想不想與英超獎盃來張合影？」走進位於北京國家會議中心的2023年中國國際服務貿易交易會英國館，工作人員熱情地向觀眾介紹。倫敦塔橋、彼得兔、帕丁頓熊……中國民眾耳熟能詳的英倫元素隨處可見。

奇門卦象：「九地」逢「傷門」逢「門迫」帶「入墓」臨格局為「日奇入墓，被土暗昧，門凶事必凶」。「登明」乘「朱雀」

2024年踏入九運，香港龍年運勢稍有改善，但始終九運起首第一年，起伏變化也預料之內，然而全球各地處於或邁向經濟衰退。香港亦無可避免，必須經過重組秩序的過程，元氣才能慢慢回復。而香港在九運兼且得到「朱雀」輝照，屬火的行業，如演藝界、美容、醫美、化妝品及科技發展將會更加快速，在國際上名聲嶄露，即使並未能即時補償疫情所帶來的實際損失，但這股不斷增強的力量，將於可見的將來讓世界眼前一亮，令香港的國際地位更上一層樓。本年須特別留意地產樓房的運勢較弱，「九地」屬土逢「傷門」逢「門迫」臨凶象「入墓」，在各種不明朗因素的影響之下，隱憂於年內將未能徹底消除，整體也內藏暗湧，本港經濟亦有可能因而被受拖累減慢復甦速度。

龍送空小刑 戊 天丁戊 虎蓬休	勾從 癸 符壬癸 武任生	合河雀明 丙己 己 蛇乙丙 九沖傷 墓 刑 迫
白勝 乙 九庚乙 合心開 迫	陽四局 甲寅旬	蛇后 辛 陰戊辛 天輔杜
太乙玄罡 馬 壬 空 武辛壬 陰柱驚	陰沖 丁 空 己 虎丙丁 蛇芮死 迫	神大天功 庚 合癸庚 符英景 迫

奇門卦象：「河魁」逢「地盤騰蛇」

香港經濟處於平滯狀態，虛像較多。積極舉行的國際活動將為旅遊業、酒店業及航空業帶來短暫利益，但大企業對香港持保守的態度未有突破，整體發展依然比較緩慢。屬火的行業，互聯網、高科技相關的行業表現較為理想，此外，一些藝術性行業，如時裝設計、室內設計、歌舞藝術等都會受惠。甲辰年是教育培訓行業發展的大好時機，改革後的教育事業將會進入另一階段。離九宮屬火，一些靠腦袋、腦筋、創作、新思維的行業也會冒出頭來。但另一廂，踏入屬火的九運，軍火軍事武器也連帶興旺，全球發動戰爭的機會也隨之然增加，國際性經濟因素衝擊香港經濟，也難免受到負面的影響。

香港股市時弱時勇，困擾港股的主因是企業經營困難、實體經濟創傷並未得到真正回復。調整後反彈幅度雖然力度較弱，但也明顯擺脱了長期向下的壓力，然而醞釀多時的泡沫有機會在此時爆破，切勿漠視各種危機預警，投資時更應量力而為以防突變。需特別留意農曆6、7月份市場波幅會有大幅上落，投資者需額外小心，切忌盲目進行投機性活動。

奇門卦象：「玄武」逢「勾陳」

香港樓市在龍年開始呈現跌勢，新界地區、北大嶼山、東涌等情況較為嚴重，全年樓價整體表現趨勢下行。雖然港人移民潮勢頭今年將會放緩，但市民買樓的意欲減低，本土及內地投資者追捧的減退跡象未有起色，本港住宅供應亦將構成另一個重要的負面因素。按息持續上升將對買家負擔能力造成壓力，打算在今年安居樂業，必須量力而為。

奇門卦象：「景門」帶「門迫」臨格局為「太白入網，主以暴力爭訟，自羅纏罪責。」逢「功曹」

2024 年中國運勢起伏略為下調，國家面對許多棘手難題，中央加強專注反腐敗，對內清廉打貪，由改革醫療開始，為其中重點；對外受世界經濟不良影響困擾，形勢頗為嚴峻。企業破產增加，股票市場亦未完全恢復，但國家實力依然堅挺，著力推動疫後復甦、人文交往正在加快步伐、中國和東盟各國交流合作持續深化。

縱使國家經濟表面上會有減弱現象，但逢「功曹」吉將，經過吉爾吉斯斯坦到烏茲別克斯坦的中吉烏鐵路開始建設、尼泊爾和中國之間的中尼鐵路可研完成，進入建設階段，中國將史無前例的打通喜馬拉雅山。再加上中國與歐洲商貿關係改善、聯歐抗美邁向實踐階段，存在的分岐將隨著時間逐一解破，盟友圈不斷拉潤，預料不需太多時日便能化解這些沖擊，不利情況將逐漸改善邁進另一階段。

中國樓市未來一年不景氣，高企的樓價與經濟不符，房地產市場前景不明朗，出現窄幅上落的情況在所難免。一級城市上海、北京、深圳穩中向下，二、三線城市及偏遠地區的物業，與及二手住宅衝擊較大。

中國對台灣關係矛盾更大，龍年不但沒有降温跡像，面對中國崛起的情況，中國便是美國重返亞太戰略的最大勁敵，臺灣這個必爭之地遭受外勢力干擾，情況將更趨嚴重，亂象於年內未見改善。

中美貿易戰持續，錯綜複雜的局面難分難解，惡鬥令全球經濟在 2024 年造成嚴重的負面影響。世界兩大經濟體權力均衡形勢反覆，中美關係在甲辰年將會更加緊張。

美國運勢

奇門卦象：「白虎」逢「青龍」帶「擊刑」

2024 年美國經濟會繼續低迷，長期失業率颷升，衰退開始，負面因素將陸續浮現。美國國內政治左右極化，被選舉的不穩定政治氛圍下，美國人焦慮感與日俱增，出現經濟信心崩潰。加上通脹令民怨沸騰，內憂外患，危機四伏。國際盟友在自身難保的狀態下，再難為美國提供有力的支持，中國周邊國家對美國的態度將會有極大變化與調整，世界格局將朝向美國最不願意看到的方向發展，準備承受硬着陸的衝擊。

朝鮮半島運勢

奇門卦象：「騰蛇」逢「地盤太陰」臨格局為「青龍折足」

預料朝鮮半島將繼續致力改善外交關係，經濟目標更加明確。其擁有龐大殺傷力武器的威脅在未來將被越藏越深，以合作的公關手段從國際貿易中獲取更多利益。

南韓以出口為主的經濟，2024 年陰霾未散難有起色。擴大內需的政策下成效不如理想，民生問題嚴重，缺乏內地及外資投入，經濟重心與財富轉移，本年整體將進入轉變週期。

日本運勢

奇門卦象：「天芮星」臨「死門」逢「門迫」帶「空亡」

日本 2024 年臨病星，與其排放輻射水有密切關係，不但引起多個國家不滿，特別中國更將作出實際行動。日本此舉影響深遠，厄運自招將令國家進入技術性衰退，振興景氣的憧憬遙遙無期，年內有機會出現天災、民變等禍患。

印度運勢

奇門卦象：「開門」逢「門迫」臨格局「太白蓬星，退守吉，進攻凶，謀為不利。」

印度運勢略有改善，疫情後以高速發展加強國際上的競爭力，然而印度中國土地邊界問題持續，關係如箭在弦，互相對峙的小動作不時出現。國家穩定是發展的基礎，中印兩國在經濟互相依賴，2024年對印度來說，戰事危機依然是社會及經濟進步的最大阻礙。

菲律賓運勢

奇門卦象：「天柱星」逢「天罡」

龍年運勢弱，地理環境令菲律賓在全球氣象轉化下首當其衝，經濟重創，再加上受全球經濟萎縮拖累，整體明顯轉差，要打開新局面於年內恐怕都未能實現，而必須面對鄰近國家迎頭趕上的挑戰。

澳洲運勢

奇門卦象：「天任星」逢「從魁」

澳洲運勢稍為回升，經濟有復甦跡像，但龐大赤字依然存在。2024年與主要貿易夥伴中國緊張關係開始降溫，有望維持穩定性經濟增長局面。全球氣候變化對澳洲民生、社會、基建以至國家經濟存在著或多或少的威脅，這個情況在今年內亦難免會不時出現。

奇門卦象：「玄武」逢「驚門」臨「空亡」

英國運勢持續下滑，自立門戶後英國動盪不止，2024年問題更多，內憂外患處處碰壁，國內政策劃或對外貿易均無法擺脱混亂狀態。工黨不停策劃的大選遊行，脱歐協議也沒有徹底完善，政見令社會分裂迫在眉睫，英國將進入比預期之中更嚴峻難熬的經濟衰退期。

【第三章】

十二生肖龍年運程

肖龍者出生時間

（以西曆計算）

庚辰年二〇〇〇年二月四日二十時四十一分至二〇〇一年二月四日二時二十八分

戊辰年一九八八年二月四日二十二時四十三分至一九八九年二月四日四時二十六分

丙辰年一九七六年二月四日零時四十分至一九七七年二月四日六時三十三分

甲辰年一九六四年二月五日三時五分至一九六五年二月四日八時四十五分

壬辰年一九五二年二月五日四時五十四分至一九五三年二月四日十時四十六分

庚辰年一九四〇年二月五日七時八分至一九四一年二月四日十二時四十九分

戊辰年一九二八年二月五日九時三分至一九二九年二月四日十五時八分

丙辰年一九一六年二月五日十一時十四分至一九一七年二月四日十六時四十三分

肖龍開運錦囊

增運顏色：啡黃色、黑色

增運飾物：花形圖案或飾物

化解害太歲：雞、猴、鼠飾物

<table>
<tr><td>神后蛇明絕
丁
合輔驚迫
合辛辛刑
墓</td><td>天大
癸
虎英開
虎乙乙</td><td>陰功玄沖刑
戊
武芮休
武己己刑
壬壬</td></tr>
<tr><td>雀河
己壬
陰沖死
陰庚庚</td><td>陽一局
甲子旬</td><td>太罡
丙
九柱生
九丁丁</td></tr>
<tr><td>合從勾送
馬
乙
蛇任景
蛇丙丙</td><td>龍小
辛
符蓬杜
符戊戊</td><td>白乙空勝刑
庚
天心傷
天癸癸
空</td></tr>
</table>

運勢

今年是肖龍人士的「值太歲」之年，整體格局為：「蛇入地羅，外事纏繞，內事索索，吉門吉星免蹉跎，凶門則動蕩不安。」意味運勢偏弱，波折重重。所謂「太歲當頭坐，無喜必有禍」，加上在龍年「刑太歲」，「太沖」乘「玄武」，故此「立春」以後，運程將開始徘徊在低迷境況，阻滯難免，但運勢並非絕地谷底，所以不用過於擔心憂慮。想盡量化解，重點在於「情緒管理」，要將「小不忍則亂大謀」銘記在心，別為了逞一時之快，洩一時之忿，而令自己添加更多麻煩。

「值太歲」之年亦會令肖龍者容易頭頭碰著小人，容易招惹口舌是非，除留意在辦公室遭暗箭所傷外，並要帶眼識人，即使新相識的是因朋友介紹而結緣，也不宜太快相信別人。擴大社交圈和人脈雖是好事，操之過急卻可能會變成壞事。

雖然肖龍人士今年未能「出外靠朋友」，但家宅運卻明顯向好，和家人關係融洽。家庭成員當中，有人更會成為你的定位導航儀，助你在迷惘之時，朝正確人生方向前行。所以龍年應多爭取和家人相處的時間，加強溝通，多參詳他們的意見。

今年多到海邊走一趟，將有助強化運勢，因蔚藍色的海水能激發肖龍者的神經系統，安撫情緒，令頭腦變得清晰，處事時，可減少被情緒勒索的負面問題。

工作

受「值太歲」影響，肖龍者今年的事業運勢「荊棘滿途」，「天芮星」臨格局為「地户逢鬼，百事不利，暫不為謀，謀則為凶。」換言之，有意改變工作環境甚至轉型的肖龍人士上班族，今年的成功機率偏低。

由於公司縮減管理層級，在行政及人事編制方面，也出現頗大變化，一時之間，令人難以接受和適應。再加上「值太歲」本命年，肖龍之人的思緒較易傾向負面，不時心神恍惚，工作表現自然大受影響。

如繼續抗拒接受公司變革之事實，今年的事業前路恐怕會相當崎嶇，在壓力之下，做事更易出錯。故此，與其逃避改變後的不確定性，不如盡早適應這個全新的企業生態圈。

今年「刑太歲」，人緣運下行，稍微滿足不到上司、團隊的期望時，小人便會乘機將其變成代罪羔羊，將自己的責任卸得一乾二淨。因此，即使情緒多壞，工作時也事必要打醒精神，留意細節，以免小人有藉口諸多挑剔。

從事保險、物流等服務行業的龍人，今年工作壓力大，但別強迫自己做到一百分，否則只會適得其反，與目標愈拉愈遠。

感情

這一年愛情運平滯遲緩，「杜門」臨格局為「青龍伏吟，雙木成林，甲甲伏吟，凡事閉塞，以守為吉。」表示肖龍者因自信問題，有可能錯失良緣。

「值太歲」令龍男龍女想法較為負面，往往只會放大自己的缺點，不留意自己的優點，以致遇上喜歡的人時，並非踏前一步，爭取發展機會，反而選擇退縮。

這種無法相信和肯定自己的心魔，令肖龍者經常覺得「人家這麼高質、完美，又怎會看得上我？」但事實上，並不是對方的條件比你優勝千倍萬倍，而是「情人眼裡出西施」，肖龍者將人家的好，無限放大，因而自形慚穢。

猶幸今年的家宅運明顯轉好，在長輩緣的推動下，機緣巧合，有望能穿針引線，為你物色一些好對象。在長輩幫助之下，也令你明白到，在別人眼裡，你其實也是獨一無二的「西施」。面對所愛的人，自我形象變得低落，甚至自卑；因為害怕失敗，擔心失去對方，於是在不經不覺之間，啟動了防衛機制，以退為進。

經過親人的當頭棒喝，肖龍者的心鎖漸漸解開，亦開始找到了連繫緣分的接口。

正在談戀愛或已婚的肖龍之人，因工作、金錢、家庭、人際關係等問題引起各種煩惱，導致兩人溝通減少，甚至猜疑對方出軌。不想感情進一步轉淡，雙方必須作出坦誠溝通。

錢財

今年「值太歲」加「刑太歲」，財運一落千丈。「騰蛇」逢「天輔星」臨「擊刑」，代表欠缺冷靜及靈活頭腦來管理財富，頻頻投資失誤，作出不智決定。

此今年投資時，應以簡化個人理財組合為前提，絕不宜進取，並必須做好避險準備。

龍年因公司出現不少變動，直接影響肖龍者心緒，以致理財時，不論分析力及靈敏度，亦大不如前。在此情況下，切勿沾手自己不熟悉的投資項目，亦不宜將大量資金，投放在風險高的短線投資上。

今年落實資金流向前，「做功課」是很重要的一步，別只著眼於價格走勢變動，必須留意宏觀經濟前景，對不同行業、公司營運狀況等，均要加以分析。在思緒較紊亂的一年，還是多諮詢專業理財顧問意見，再作決定，盡量減低投資失利的破財風險。

在「犯太歲」之年，往往較易因錢銀影響人際關係。因此，有創業打算，而又不想單打獨鬥的龍人，如選擇在今年合夥經營生意，恐怕未是時機。雖然合夥創業有增加資本的優勢，然而萬一出現虧蝕，可能連友情「資本」也一併輸掉。

龍年除不宜合夥創業或投資，亦應避免親友之間的借貸，別隨便被情感綁架，最後引起不必要心病，互相怨懟。

健康

在「值太歲」、「刑太歲」之年，「天柱星」臨「地盤白虎」逢「擊刑」，刑指「刑傷」，意味可能有血光之災，肖龍者如果是職業車司機，或工作與物流有關，又或需要進出工地，甚至在廚房工作，切記對職安提高警覺，勿貪一時之快，招來損傷。

今年使用道路時，不論是駕駛者或行人，也需加倍留心，別將視線停留在手機，免生意外。尤其新手開車，要與前方車輛保持距離，駛至沒有交通燈的路口時，勿爭先起步。

要避免意外，另一重點是替車輛做「體檢」，以策安全。

今年做運動要格外留神。危險性較高的運動，如近年流行的「飛躍道」、街頭健身、攀岩、衝浪、低空跳傘滑翔等，最好暫停參與。

另外，今年心腦血管疾病會挑戰龍人「下戰書」，如經常要「勉強出勤」的上班族，即在精神健康欠佳的狀態下，仍要長期超時工作者，就要更加小心受到心血管問題狙擊。

奉行少鹽、少糖、少油的飲食原則，保持良好生活習慣，減少久坐不動。即使工作多忙，也要抽時間運動一下，快步行、游泳、踩單車這類有氧運動，對減低血壓水平，很有幫助。

健美修身催運小貼士：重點加強訓練手、腳。

初學者可由帶氧運動（Cardio）開始，居家有氧運動推薦例如開合跳，戶外可以選擇慢跑或每日健走 10000 步。日常有做運動的朋友，可以選擇 HIIT 作為熱身運動。

重點加強訓練手部，首先由二頭肌彎舉（Bicep curl）開始，例如槓鈴彎舉。另外做三頭肌（俗稱掰掰肉）下推（Triceps Pushdown），及加強上身肢體運動。在家可以背對桌椅做徒手支撐，在健身房可以做 Cable 機三頭肌下推。

訓練腳部運動，如弓箭步（Lunges）、深蹲（Squat），各項加強下身運動。

*健美運動強度及次數因人而異，詳情請向專業健身教練咨詢。

壬辰年 二〇一二年

踏入「前青春期」的龍仔龍女，心理變化頗大，加上今年是「值太歲」年，情緒更易因校園的人際關係，出現起伏，家長宜多加關注，孩子在未能成熟駕馭情商之齡，要作出適當引導。

然而，出手相助時，切記從旁「指點」而不是「指示」孩子該怎麼做，否則不但無助解窘，反而會激起龍少年的反叛意識。

庚辰年 二〇〇〇年

今年事業運多波折，加上在職場的經驗和歷練尚淺，故要特別謹言慎行，就算自覺年輕有為、有辦事能力，亦切忌高調展示自己如何了得，以免惹來辦公室小人妒嫉，借故生事，壓你氣焰。龍年的工作運雖強差人意，但只要訂立明確而貼地的目標，以謙虛態度到處取經，終可與目標愈拉愈近。

戊辰年 一九八八年

龍年事業運障礙重重，小心因此而變得自暴自棄，不願竭盡全，衝破難關，淪為別人眼中不思進取的「職場老人」。不想惡夢成真，今年宜加緊整合各種資源，循序漸進地擴展人脈，多與業界新星接觸，這樣才可溫故知新，從交流中學習，強化往後的事業底氣。

丙辰年 一九七六年

今年不論行車或橫過馬路時，也要份外留心，因在「刑太歲」之年，會增加意外出現之風險，引致血光之災。假如是車主的話，應定期替座駕做好「體檢」，以策安全。在雨季開車，更需格外注意車速，以及路面情況。使用道路時，謹記別將視線停留在手機，方可盡量將意外機率減至最低。

甲辰年 一九六四年

今年財運不順，投資時必須避開自己一知半解的產品，更不宜將資金投放在風險高項目上，如存在「富貴險中求」的投機心態，小心要付出不小代價。總而言之，今年進場之前，不能只聚焦回報，要同時衡量發生風險的機率和幅度，並應事先擬定好，一旦風險出現，該如何應對之策略。

壬辰年 一九五二年

龍年要留意心腦血管疾病發出訊號，如體重屬超標型，更要謹慎。高糖分、高鹽分和高脂肪的飲食，會加速血管硬化、積聚脂肪和令血壓升高，處於古稀之年的肖龍人士，必須養成健康飲食習慣，以應對上述疾病之挑戰，因萬一招來腦中風的話，後果可以相當嚴重。

流月運程
農曆一月
（西曆二月四日至三月四日）

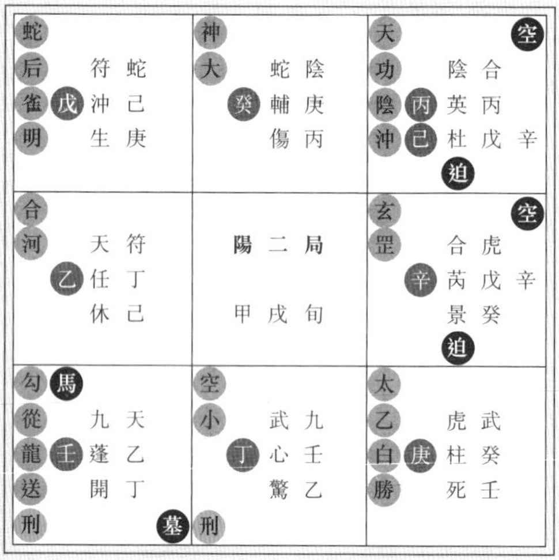

運勢

「天芮星」逢「從魁」，本月運勢浮沉，不宜輕舉妄動，作出重大抉擇。本月要特別防範小人唆擺，避免捲入是非，甚至惹上官非。

蛇己庚 符冲生 戊 蛇后雀明	陰庚丙 蛇輔傷 癸 神大	空 辛 合丙戊 陰英杜 迫 丙己 天功陰沖
符丁己 天任休 乙 合河	局旬 二戊 陽甲	空 辛 虎戊癸 合芮景 迫 辛 玄罡
天乙丁 九蓬開 馬 壬 墓 勾從龍送刑	九壬乙 武心驚 丁 空小刑	武癸壬 虎杜死 庚 太乙白勝

工作

事業運吉中藏凶，人緣運走下坡，易被公司上下針對，小人乘虛而入，增加犯錯機會。一旦被上司甚至老闆看見，當心會出現被削權的可能性。謹記：「小不忍則亂大謀」。

感情

桃花運反覆不穩，單身者遇上喜歡的人，但對方忽冷忽熱，讓人完全捉摸不到心意。也許只是一廂情願，對方完全沒有意思。宜控制自己情感，勿泥足深陷。在機緣巧合下，長輩緣能穿針引線，為你物色一些好對象。感情運起暗湧，要對另一半有信心，只要花多點心機、時間去關心對方，了解對方的生活模式和行蹤，所有麻煩自然會化解。

錢財

財運急速下滑，諸多暗湧不明，投資想法容易模糊不清而做錯決定，導致連番破財，還越輸越多。務必不要跟風投資新的項目，投資策略以保本為主。本月要小心財物，容易招惹盜賊。網上騙案層出不窮，勿因一時貪念，妄想不勞而獲，以小財換大收益，只會血本無歸。

健康

「刑太歲」，容易遇到交通意外，過馬路時要特別小心，切勿只顧看手機或隨意衝紅燈。駕駛人士要時刻專注路面情況，千萬別要分心，或貪一時之快，罔顧交通安全，並要定期為座駕作零件檢查，以策安全。

流月運程
農曆二月
(西曆三月五日至四月三日)

運勢

「天英星」逢「白虎」，會遇上倒霉之事，加上「值太歲」，情緒起伏較大，面對不如意境況時，壓力會將負面情緒推向臨界點，碰上小問題，也會情緒失控，暴跳如雷，嚇怕身邊的人。若不做好情商管理，運勢恐怕有跌無升。

<table>
<tr><td>蛇
明 九 九
雀 丁 輔 庚
河 生 庚</td><td>神
后 天 天
己 英 丙
傷 丙</td><td>天
大 符 符
陰 庚 芮 戊 辛
功 杜 戊 辛
迫 刑 墓</td></tr>
<tr><td>合
從 武 武
乙 沖 己
休 己</td><td>陽 二 局
甲 子 旬</td><td>玄
沖 蛇 蛇
丙 柱 癸
景 癸
刑 迫</td></tr>
<tr><td>勾 馬
送 虎 虎
龍 壬 任 丁
小 開 丁
墓</td><td>空
勝 合 合
癸 蓬 乙
驚 乙</td><td>太 空
罡 陰 陰
白 戊 心 壬
乙 辛 死 壬
刑 刑</td></tr>
</table>

工作

事業運動盪，本月工作諸多阻滯。情緒不穩，失卻客觀，顯得混亂不清。壓力帶來心理困擾，工作效果未如理想，人變得悲觀鬱悶。上司未能體諒，處處埋怨苛責，令人透不過氣。宜冷靜處理困難，切勿急躁，靜待運勢逆轉。

感情

桃花運平滯，交往對象對感情事不太緊張。即使心中著急，也是無從入手。處於被動，感情生活無大變化。與長輩介紹的異性約會，或進一步溝通，會有更好機緣。已婚者關係出現衝擊，另一半今年人緣旺，引致你的信心動搖。

錢財

財運走勢無力，加上「刑太歲」負面影響，容易被別人的誇大言辭所吸引，又或誤信身邊親友的小道消息，加上自己沒有做深入的市場分析，便把大筆資金投放下去，結果蝕本收場，欲哭無淚，慘不忍睹。

健康

「刑太歲」，容易有血光之災，運動時，尤其是水上活動，要加倍留神，勿任意挑戰自己；應適可而止，以免招致損傷。較高危的戶外活動如衝浪、跳傘、攀石、單車競賽等，可免則免。

流月運程

農曆三月

（西曆四月四日至五月四日）

運勢

「地盤玄武」臨「天沖星」，運勢有吉亦有凶。受「值太歲」影響，運程飄忽不定，易遭小人刁難，被閒言閒語所困。要有心理準備，需接受「功虧一簣」之事實，原已到了嘴邊的肥肉，最後還是要吐出來。想轉逆為順，可借助大自然能量，多到海邊走走，參與水上活動。

<table>
<tr><td>雀
河 符 符
合 丙 輔 戊
從 己 死 戊</td><td>蛇
明 蛇 蛇
辛 英 癸
驚 癸</td><td>神
后 陰 陰
天 庚 芮 丙 己
大 開 丙 己
絕 刑</td></tr>
<tr><td>勾
送 天 天
癸 沖 乙
景 乙</td><td>陽 四 局
甲 子 旬</td><td>陰
功 合 合
丁 杜 辛
休 辛
刑</td></tr>
<tr><td>龍 馬
小 九 九
空 戊 任 壬
勝 杜 壬
迫 刑</td><td>白
乙 武 武
乙 蓬 丁
傷 丁
刑</td><td>玄 空
沖 虎 虎
太 壬 心 庚
罡 生 庚
刑</td></tr>
</table>

工作

事業運阻力極大，難關重重，工作量與壓力同時增加。做事不小心，頻頻出錯，令到神經緊張，悶悶不樂。儘管未能事事如意，也應盡心盡力。打醒精神，調整好心情，保持心境開朗，前路便會日漸明朗。本月「文書不行」，所有合約契約務必再三覆核。

感情

愛情運有阻滯，單身者繼續在情路上尋尋覓覓，愛上不該愛的人。對你有意思的，你卻不放在眼內，最終苦了自己。擺脫心魔，否則每段感情到最後只有無疾而終。情侶或夫妻本月盡量安排私人時間相處，以化解分離危機。

錢財

財運弱勢，容易被內幕消息連累，以致投資失利，出現虧蝕。賺錢不能只靠運氣，回報愈高，風險也會愈高，不如腳踏實地，專心工作，令正財有可觀回報。

健康

腦血管長期病患者本月請注意身體，要準時食藥，否則有機會導致腦中風、血管栓塞、心臟病等嚴重病患。

流月運程
農曆四月
（西曆五月五日至六月四日）

運勢

「驚門」逢「擊刑」，運勢停滯，障礙重重。切忌高估自己能力，逞一時之勇，以為可獨力承擔後果，結果誤人誤己，為親友帶來不必要麻煩與憂慮。「清虛以自守，卑弱以自持」是這個月的座右銘。

九乙乙 九輔景 壬 合從勾送	天壬壬 天英死 刑 丁戊 雀河	墓 戊戊 符丁丁 符芮驚 庚 蛇明神后絕
武丙丙 武沖杜 乙 龍小	陽五局 甲子旬	蛇庚庚 蛇柱開 己 天大
虎辛辛 虎任傷 刑 迫 丙 馬 空勝白乙刑	合癸癸 合蓬生 迫 辛 太罡	空 陰己己 陰心休 癸 陰功玄沖刑

工作

本月事業陷於停滯狀態，做事徒勞無功，小人當道。上司對你有所不滿，同事之間無意互相支持，工作未如理想。宜加倍忍讓，萬事以和為貴；與人爭執，對事業會構成更多障礙。

感情

拍拖已久的朋友，愛侶近來的行蹤可疑，經常無故失蹤，或靜悄悄的傾電話，令你甚為憂疑，想質問又害怕知道事情的真相，誰知發現虛驚一場，無謂到極。單身者對初相識的異性缺乏安全感，無法全身投入有機會發展的關係，為怕一旦感情告終，難以承受情傷，寧願退縮。

錢財

財運持續欠佳，投資不濟，市場走勢難以估計。就算謹慎研究投資策略，找專業可靠的投資顧問，最後難免損失。頻頻出席親戚朋友喜慶晚宴，賀禮開銷劇增，月尾要好好節制消費。

健康

本月易有血光之災，處理家中剪刀利器要格外留神。避免高危的活動或工作，如攀岩、滑雪等。建議可借抽血驗身、捐血和洗牙等化解此劫。

流月運程
農曆五月
（西曆六月五日至七月五日）

運勢

「杜門」逢「天柱星」逢「入墓」，運勢處於低位，以為憑一股頑強鬥志，以及加倍努力，便可順利達標。然而人算不如天算，這個月恐怕只會空有雄心壯志，卻總難馬到功成。謹記保持正向思維，否則將每下愈況。視困難為考驗，才能成為大器。

天癸丁 九沖驚 乙 雀送蛇小 刑 迫	空 符丁庚 天輔開 辛 合從	空 丙 蛇庚壬 符英休 丙 勾河龍明 墓
九己癸 武任死 戊 神勝害	陽七局 甲申旬	丙 陰壬戊 蛇芮生 癸 空后
武辛己 虎蓬景 馬 壬 丙 天乙陰罡 墓	虎乙辛 合心杜 庚 玄沖 刑	合戊乙 陰柱傷 丁 白大太功 墓

工作

事業運艱辛困窘，障礙甚多，自身運勢和氣場偏弱，無法有任何發揮和突破。思緒容易處於混亂狀態，妄下判斷，導致連番出錯失誤。上司因此質疑辦事能力，令你失去應有自信，引發多方負面情緒和精神壓力，嚴重影響工作表現。

感情

桃花運起伏不定，有機會認識到一些心儀對象，但卻因為三心兩意和猶豫不決，令到機緣停滯不前，難以成事。不要心多，找個真心真意的對象，才能有幸福美滿的將來。不妨主動找年長的朋友推薦理想對象，會有較大發展機會。

錢財

財運無大進展，偏財不過不失，與其承受不必要的風險，何不選擇低風險的儲蓄定期，靜待運勢好轉再度出擊。不用急於求財。

健康

本年「刑太歲」，駕駛時務必小心，時刻留意道路安全和交通狀況，切勿掉以輕心，以免撞車。務須遵守交通規則，切忌不停講電話或傳送電話訊息，以防釀成交通意外。

流月運程

農曆六月
（西曆七月六日至八月六日）

運勢

「傳送」逢「朱雀」，運勢波動較大，做事頭頭碰著黑，令人感到無奈。本月須留意，別因一時衝動，得罪了心胸狹窄的小人，為自己添上更多麻煩。運程偏弱的時候，尤其要小心言行，緘口不語，將會帶來很多好處。

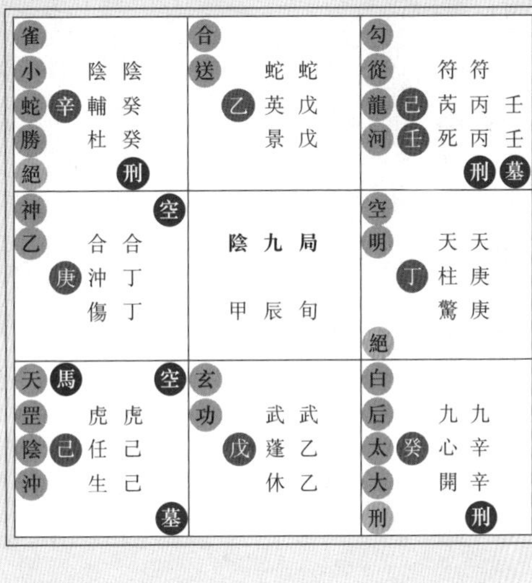

工作

事業運勢崎嶇不平，難望稱心。「值太歲」令工作橫生枝節，謀事遇上突然變卦，出現意料不到的阻滯，令你憂慮困擾。本已完成的計劃錯漏百出，需要不停修正。務要重複檢查一切合同文件，小心因錯誤而導致公司損失。會有削權降職，甚至被辭退的危機。

感情

桃花運薄多波多折，遇到心儀的對象，彼此有共同興趣或人生方向，也找到共鳴，令你興奮莫名，但無意之間發現對方原來已經有偶配或有穩定的愛侶，令你大感失望。請保持應有的距離，以免自己在這段關係難以抽身步。

錢財

財運下滑，難以聚財，遇上壓力時，情緒特別容易出現過大反應，因欠缺冷靜靈活的頭腦，對市場明確分析，以致投資理財時頻頻失誤。

健康

心臟功能減弱，會出現心律紊亂、氣促、出冷汗、暈眩和乏力等現象。好好保護心臟，更要培養良好的飲食習慣。

流月運程

農曆七月

（西曆八月七日至九月六日）

運勢

「傷門」逢「六合」臨「擊刑」，運勢急瀉，很多事情令你乾著急，無法實現，心情大受影響，不時拿身邊的人出氣，小事化大，漸漸鑽進牛角尖。如不設法排走污氣和負能量，只會造成惡性循環，苦了自己，也苦了親人。

蛇 勝 陰 合 神 丙 英 辛 乙 景 乙 墓	雀 小 蛇 陰 辛 芮 己 丙 死 辛 刑	合 送 符 蛇 勾 己 柱 癸 從 丙 驚 己 丙 刑 墓
天 罡 合 虎 戊 輔 乙 杜 戊 刑	陰 三 局 甲 寅 旬	龍 河 天 符 癸 心 丁 開 癸
陰 馬 空 沖 虎 武 玄 壬 沖 戊 功 傷 壬 迫	太 空 大 武 九 庚 任 壬 生 庚 刑 迫	空 明 九 天 白 丁 蓬 庚 后 休 丁 絕

工作

事業運下降，公司風雲變色，人事管理無架構可言，工作遇到不少挫折。變數太多，凡事無法掌握，逐漸對自己能力有所懷疑。同僚眼見勢頭逆轉，非但沒有加以援助，更倒戈相向，讓你受盡人情冷暖；認清敵友，未嘗不是好事。

感情

單身者不懼與自己生活背景有差距的對象發展，只要隨心而行，便有機會花開結果。本月感情運有欠和諧，已婚夫婦容易因子女學習問題，彼此堅持自己的教學方式，終日爭吵不休。小心小孩因家庭不和而情緒抑鬱。長此下去更會影響其心智發展，務必多加留意。

錢財

財運較薄弱，容易因財失義，應盡量避免合伙經營生意或投資買賣。亦要避免向親朋戚友提供借貸，因為當對方無力償還時，大家有可能反目成仇。

健康

身體質素下降，可從飲食方面改善，多吃蔬果，少吃肉類、肥膩及膽固醇高的食物；不吸煙，少喝酒，勤做帶氧運動，保持正常及有規律的生活。

流月運程
農曆八月
（西曆九月七日至十月七日）

運勢

本月「死門」逢「青龍」，運勢有如交通阻塞，寸步難移。加上在這「是非之月」，很易惹起小人妒火，到處說三道四，詆譭聲譽；本月不要讓自己站在最前線，成為眾人目光焦點，要盡量低調，否則徒添煩惱。

<table>
<tr>
<td>龍
乙 符 陰
勾 庚 芮 壬 己
罡 開 庚
害 刑 迫 刑 墓</td>
<td>空
勝 天 蛇
丁 柱 乙
休 丁
迫</td>
<td>白 空
小 九 符
太 壬 心 戊
送 己 生 壬 己
絕 刑 墓</td>
</tr>
<tr>
<td>合
沖 蛇 合
辛 英 丁
驚 辛
迫</td>
<td>陰 六 局
甲 戌 旬</td>
<td>玄 空
從 武 天
乙 蓬 癸
傷 乙</td>
</tr>
<tr>
<td>雀 馬
功 陰 虎
蛇 丙 輔 庚
大 死 丙
刑 墓</td>
<td>神
后 合 武
癸 沖 辛
景 癸
絕</td>
<td>陰
河 虎 九
天 戊 任 丙
明 杜 戊
害 刑 絕 墓</td>
</tr>
</table>

工作

事業運受到衝擊，本月工作上煩惱多多，做事常遇阻滯，容易招致各人的不滿。雖然對現職不甚滿意，但也不宜轉工，新的工作環境只會令人更為失望。開業做老闆更不適宜。宜保持樂觀積極心態，靜待時機，捲土重來。

感情

感情運波動不穩，另一半只顧每天忙碌工作，沒足夠時間陪伴自己。經常懷疑對方出軌，每次見面時也會無故發生爭執，彼此關係水火不容。應信任這段感情，一切只是自己多心，太過敏感。單身者今年有長輩緣，不妨主動請長輩安排相睇約會，可增加遇上理想對象機會。

錢財

本月財運出現困局，有不同層面的衝擊。暫不要急於拓展生意，有很大可能會招致損失。偏財運多波折，應只作比較熟悉和穩健的投資。加強風險管理，避免損失。

健康

「刑太歲」容易有血光之災，本月避免作劇烈運動，駕駛時宜減慢速度。也要留意腳部容易扭傷，骨刺痛症更加嚴重。氣功治療可阻止病情惡化。

流月運程

農曆九月

（西曆十月八日至十一月六日）

運勢

「天輔星」逢「景門」，運勢平穩無礙。本月出現的小風波，不會對整體運勢造成重大影響，反而能成為人生寶貴之一課。只要懂我放鬆心情，人生那些十常八九的不如意事，又何足掛齒。

勾 罡 陰 虎 合 丙 芮 癸 庚 沖 驚 辛 刑 迫 刑 墓	龍 乙 蛇 合 癸 杜 戊 庚 開 丙	龍 空 勝 符 陰 白 戊 心 己 小 休 癸 庚 絕 刑 墓
雀 功 合 武 辛 英 丙 死 壬	陰 七 局 甲 戌 旬	太 空 送 天 蛇 己 蓬 丁 生 戊 絕
蛇 馬 大 虎 九 神 壬 輔 辛 后 景 乙 絕	天 明 武 天 乙 沖 壬 杜 丁 刑	玄 從 九 符 陰 丁 任 乙 河 傷 己 害 絕 墓

工作

事業運平緩，本月有不同範疇的工作機會湧現，當中不乏爭取表現的良機。注意提升下屬或員工的士氣，加強彼此合作精神。

另一方面自我增值，待時機成熟，才全力出擊。小心當中有人玩弄辦公室政治，拖慢工作進度。

感情

桃花運平平，無甚驚喜，難有突破性發展。單身男女雖有機會因工作關係遇到喜歡的異性，但多屬假桃花，一閃即逝。

要有心理準備，對心儀對象多觀察一段日子，不要全情投入，以免感情易放難收，最後造成極大傷害。

錢財

財運平平，本月出門公幹或旅遊前，請預先購買旅遊保險。可能會遺失行李、被盜竊。「財不可以露眼」，出入人多的地方務必把貴重物品收好，以免賊人有機可乘。

健康

本月早上起床後鼻敏感易發作，引致打噴嚏、流鼻水、鼻塞痕癢。用中醫治療但效果不大顯著，要靠西藥改善。

流月運程

農曆十月

(西曆十一月七日至十二月五日)

合 沖 雀 功 戊 九 庚 癸 合 柱 開 迫 刑	勾 罡 丙 壬 武 辛 戊 陰 心 休 迫 刑	空 龍 乙 空 勝 庚 虎 乙 丙 蛇 蓬 生 壬 墓 害 刑 空
蛇 大 癸 天 丙 丁 虎 芮 驚 壬 迫	陰 九 局 甲 戊 旬	白 小 辛 合 己 庚 符 任 傷 絕
神 后 天 明 馬 丁 符 戊 己 武 英 死 墓 刑 絕	陰 河 己 蛇 癸 乙 九 輔 景 害 絕	太 送 玄 從 絕 乙 陰 丁 辛 天 沖 杜

運勢

「天蓬星」逢「登明」臨「擊刑」，運勢波幅較大，只要能堅持光明磊落的初心，總有辦法解決問題。今個月無論在公在私，也宜主動伸出橄欖枝，釋出善意，他日必定有好的回報。凡事斤斤計較，將流失更多好運。

工作

事業運風起雲湧，一些磋商得八八九九的生意項目，卻因為各種無法預計的變數而被擱置，或是無限延遲。也會遇到一些諸多刁難的客戶，令人感到十分氣餒。

感情

桃花運反覆，遇到理想對象，卻無勇氣展開追求，只有默默做其知心好友。看見其他異性借故親近，令人非常難受。何不勇敢示愛，真誠或能感動對方。即使被拒也得個明白，不用痴痴地等。

錢財

本月偏財運欠佳，慣常的投資也有失誤。不宜作中高風險的投資，以免焦頭爛額。有效控制開銷，財運回復平穩。

健康

中年及長者要特別注意，本月做任何事切勿太過操勞操心，心情要平穩，切忌情緒過度高漲，以免心腦血管發生問題。

流月運程 農曆十一月

（西曆十二月六日至一月四日）

運勢

「河魁」乘「太陰」逢「害絕」，運勢如天氣一般，變幻莫測，難以預料，加上人際關係轉差，讓你百感交集，自信低落，容易為一些小事而產生負面情緒。不想運勢再走下坡，一定要令心境回復平靜，輕音樂、頌鉢都有助紓緩身心、加強自癒能力。

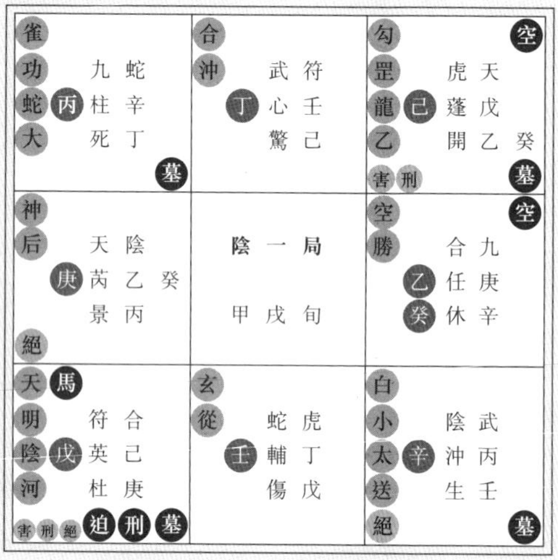

雀 功 九 蛇 蛇 丙 柱 辛 大 死 丁 墓	合 沖 武 符 丁 心 壬 驚 己	勾 空 罡 虎 天 龍 己 蓬 戊 乙 開 乙 癸 害 刑 墓
神 后 天 陰 庚 芮 乙 癸 景 丙 絕	陰 一 局 甲 戌 旬	空 空 勝 合 九 乙 任 庚 癸 休 辛
天 馬 明 符 合 陰 戊 英 己 河 杜 庚 害 刑 絕 迫 刑 墓	玄 從 蛇 虎 壬 輔 丁 傷 戊	白 小 陰 武 太 辛 沖 丙 送 生 壬 絕 墓

工作

事業運下跌。本月有機會遇到吹毛求疵的無理客户，容易得失他們。凡事以客為先，無論對方如何橫蠻無理，也應保持親切笑容，態度有禮，多加忍讓。小心妥善處理她們的要求，以免對方作出無理投訴。

感情

桃花運難有突破。本月遇到心儀異性，但關係若即若離，只因心中對愛情存著恐懼，不敢付出太多，畏懼再入情關。對方或因此誤會你沒有意思而退避，讓大好機會白白溜走。本月不妨主動開口，請長輩家人安排認識一些適合你的單身對象，可能會因此遇上命中注定的好姻緣。

錢財

財運多阻滯，本月容易投資失誤，慣常投資者，不宜頻繁買賣，應先詳細評估，請教有深厚投資經驗的人士，才作定案，以免連番失利。

健康

本月易有意外發生，駕駛人士要遵守交通規則，加倍留意交通狀況，小心安全。特別注意本月早上時份，容易發生交通意外，導致損傷。

流月運程
農曆十二月
（西曆一月五日至二月二日）

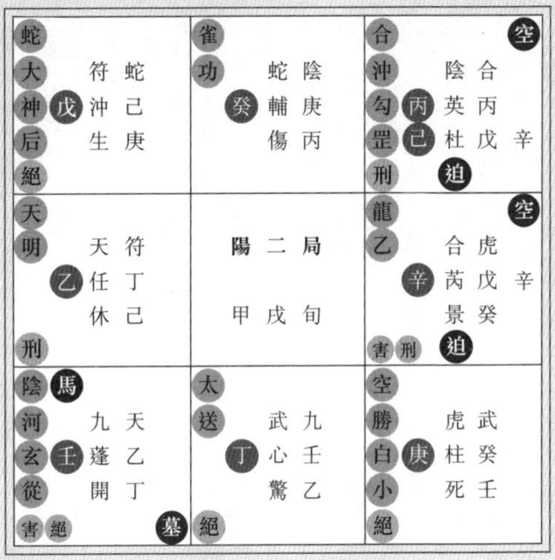

運勢

「生門」逢「貴神」，運勢明顯好轉，纏繞多時的問題，終有緩和跡象。趁此時機，應盡量休養生息，為未來的挑戰做好準備。平時多進行一些海上活動，對吸納正能量很有幫助。

蛇 大 神 后 絕 戊 符 蛇 沖 己 生 庚	雀 功 癸 蛇 陰 輔 庚 傷 丙	空 合 沖 勾 罡 刑 丙 己 陰 合 英 丙 杜 戊 辛 迫
天 明 乙 天 符 任 丁 休 己 刑	陽 二 局 甲 戊 旬	空 龍 乙 辛 合 虎 芮 戊 辛 景 癸 害 刑 迫
陰 馬 河 玄 從 壬 九 天 蓬 乙 開 丁 害 絕 墓	太 送 丁 武 九 心 壬 驚 乙 絕	空 勝 白 小 絕 庚 虎 武 杜 癸 死 壬

工作

事業運中吉，工作漸漸暢順，與同事相處融洽，但仍不能放下戒心，應以增加效率為大前提。從商者，朋友有意謀求合作，切忌公私不分，應以公司利益為先。在合作期間會出現利益紛爭，本月不宜進行磋商，以免因財失義。

感情

愛情運轉順，伴侶之間的誤會和矛盾一一消除，關係不再緊張，彼此對人對事都有了新的看法，不再執著從前。單身者因工作關係認識到帶有陽光氣息的異性，而且懂得欣賞你的優點，更主動表白。如能拋開年齡差異，並處理好自己情緒化的問題，會有不錯的發展。

錢財

財運浮沉，應當穩守事業，持守正財。暫時不宜作任何變動、投資，特別是投機賭博。容易被內幕消息所累，投資連番失利，甚至出現嚴重虧損。

健康

肺部偏弱，肺主皮毛，冬季皮膚容易敏感、出疹或痕癢難耐。可多喝竹蔗水，情況自然有所改善。

肖蛇者出生時間（以西曆計算）

辛巳年 二〇〇一年二月四日二時二十九分 至 二〇〇二年二月四日八時二十三分
己巳年 一九八九年二月四日四時二十七分至 一九九〇年二月四日十時十三分
丁巳年 一九七七年二月四日六時三十四分至 一九七八年二月四日十二時二十六分
乙巳年 一九六五年二月四日八時四十六分 至 一九六六年二月四日十四時三十七分
癸巳年 一九五三年二月四日十時四十七分 至 一九五四年二月四日十六時三十分
辛巳年 一九四一年二月四日十二時五十分 至 一九四二年二月四日十八時四十八分
己巳年 一九二九年二月四日十五時九分 至 一九三〇年二月四日二十時五十一分
丁巳年 一九一七年二月四日十六時四十四分至一九一八年二月四日二十二時五十二分

肖蛇開運錦囊

增運顏色：啡黃色、白色
增運飾物：波浪形圖案或飾物

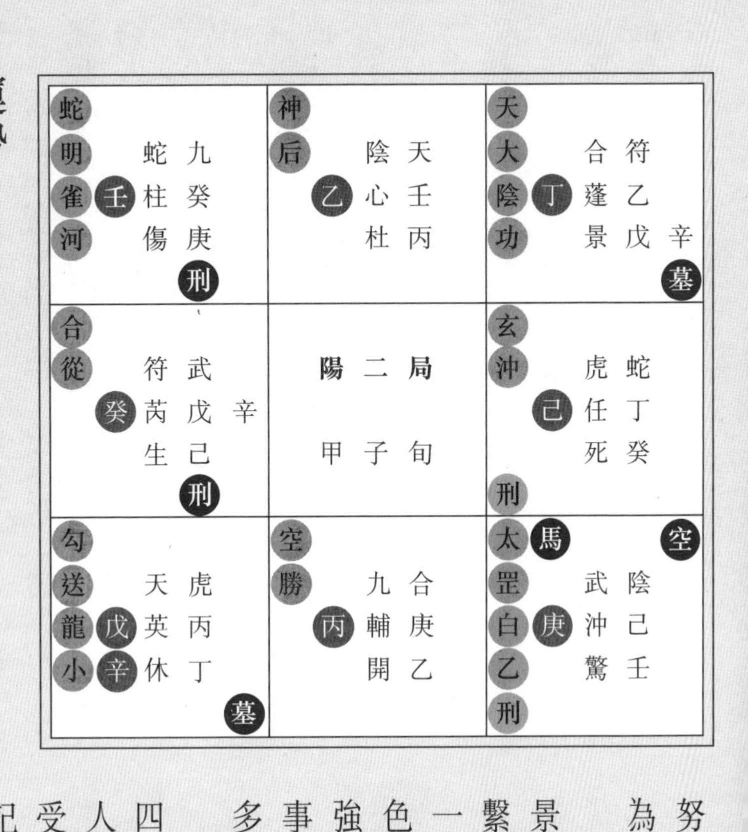

運勢

肖蛇者今年「風生水起」，「休門」臨「九天」，盡得天時、地利、人和，應把握優勢，多作一些新嘗試，鍛煉自己的能力，擴闊進步空間。

趁運勢向好之一年，不單止要抓住機會，更要創造機會，挑戰自己。機遇來臨時，必須努力爭取，才會為你所用。以「佛系」心態而為之，機遇就會對你視而不見，聽而不聞。

今年好好享受「人緣滿載、車見車載」的景象，即使在一些很普通的場合，也有機會連繫到生命中之貴人，因此謹記勤於經營人脈，一曝十寒的話，人際關係就會變質。現時形形色色的即時通訊軟件方便又快捷，善用科技加強人與人之間的感情，絕不是一件難度高的事，一切只視乎你願不願意用「心」去做，肯多付一點時間與心力。

龍年運勢雖則理想，也別將「驕兵必敗」四字拋諸腦後。保持謙遜，以開放態度接納他人意見，做事時的成功機率，才會遞升。「謙受益，滿招損」，言簡意賅，是肖蛇者必須謹記的應有態度。

總而言之，今年想保持運勢，除要不斷努力，梳理好人際關係亦是關鍵。能做到自信而不驕傲，不一意孤行，接受提點，甚至感恩別人作出批評的話，得貴人相助的力度亦會更大。

工作

今年的事業運鯉躍龍門，「開門」臨「地盤六合」，簡直是旗開得勝，佔盡優勢。切勿錯過天賜良機，要將眼光放遠一點；別只顧當前利益，忽略了長遠得益。

已經成功創業或有意「自己做老細」的肖蛇之人，要達成一項遠大目標的路途雖然較長，看似浪費時間，但一味聚焦「現在」，不關心「未來」，成就反而有所局限。「放長線釣大魚」，才是創業家應有的智慧。

龍年人緣運佳，團隊精神高企，在人群之中，總能散發出一種惹人注目的吸引力，兼且能以肖蛇者獨有的幽默感，製造現場氣氛，因此在同事之間，很具人氣。下屬緣興旺的你，如獲寶劍一樣，助你在事業上，再創高峰。不過，即使人緣運指數高企，言談之間亦要拿捏分寸，小心開玩笑變成揶揄別人，引致不歡而散。

你對公司忠誠的態度，老闆在今年終於「明察秋毫」，加上貴人相助，所提出的建議公司都會落實執行。縱使成績有目共睹，亦不要隨便鬆懈，反而應加倍努力，自我提升，趁運勢好的一年，嘗試更多不同挑戰，為未來鋪路。

從事金融、銀行業的肖蛇者，要加緊留意綠色金融、金融科技的發展，及早在「福星高照」之龍年，裝備好自己。

感情

今年的桃花運勢如破竹，「生門」臨「值符」，人氣和魅力驚人，加上貴人興旺，單身的，脫單在望；已有固定對象的，和另一半更加契合，羨煞旁人。

正在尋覓對象的肖蛇男女，今年貴人興旺，身邊人人都可能是你紅娘，應主動出席各種社交或親友聯誼活動，又或因工作參加講座時，大有機會碰到夢想中的對象，讓你告別單身。

「天輔星」逢「九天」，帶動桃花升勢凌厲，感情生活會出現重要轉變，例如遇上生命中的另一半，傳出「閃婚」喜訊。

今年的桃花運縱然暢旺，但若想心儀對象與你同步發展這段感情，必須主動表明心跡。優柔寡斷，諸多顧慮的話，緣分便會轉向別人。

由熱戀期步入磨合期的情侶，在「生門」帶動下，會毫不保留地披露自己最真實之一面，彼此的缺點亦開始逐漸曝光。面對此情況，能求同存異，包容彼此之不完美，才可為感情打造更穩固基礎。

已婚的肖蛇人士，談的已不再是激情和浪漫，而是如何同心合力，經營一份可令生活更有溫度的感情。所以在今年，從微小的生活細節，到未來的共同大計，都成為你倆聊不完的話題。坦誠而深入的溝通，將令感情昇華，舉案齊眉。

錢財

肖蛇之人今年在財運方面，運籌帷幄，「六合」逢「大吉」，正財偏財同步有所斬獲，上班一族升職加薪在望，創業者則憑藉鋭利目光，找到資金來源，在龍年做出滿意成績。

財運暢旺之一年，想利用投資賺多一點被動收入的話，亦不宜過分進取。應以多元化策略，將資金分散到不同類型的產品，才可穩中求進。尤其已屆退休年齡的蛇族，別一籃子將資金注入單一的熱門投資項目，因某些產品即使在市場上大受追捧，卻不保證一定可以帶來回報，畢竟所有投資都涉及風險，切勿跟風盲目選擇。

開始進入職場的「00後」，對消費玩樂的追求也有所改變，但要留意「積穀防饑」，趁今年財運處於強勢，做好儲蓄理財計劃，戒除衝動消費，以免「錢」到用時方恨少。

龍年田宅興旺，有利置業。如屬「上車」新手，需多做功課，了解清楚置業成本和流程，不要被單位的漂亮裝潢而蒙蔽了，或者貪平，草率作出決定。

自僱人士或自由工作者，今年可善用共享工作空間來擴闊人脈，與不同界別的初創者互相交流經驗，成為往後發展事業或生意的無形資本。

做生意的朋友，今年公司逐步改革，留意市場趨勢，善用現有資源，成功減少開支，成績理想。

健康

龍年「天柱星」臨「騰蛇」逢「擊刑」，代表肺部較弱，肖蛇上班族要留意，每天久坐電腦面前工作，或習慣駝背的話，都會傷肺。

提升肺活量的最直接方法，是多做高強度

運動，包括各種球類運動，或跳快舞，甚至和小朋友或寵物玩追逐遊戲，對於鍛練肺部，也有幫助。

「七十後」、「八十後」肖蛇長老，如稍欠體力做強度高的運動，唱歌或吹奏樂器一樣能優化肺部功能，這類嗜好兼且有效提升安多酚開心指數，一舉兩得。

所謂防患於未然，今年讓身體的免疫能力維持在高水平，便可減低流年肺弱帶來的各種呼吸系統問題。

「肺主皮毛」，肺弱的話，皮膚及毛髮也容易出問題。日常除注意皮膚清潔，避免細菌侵襲，今年亦要管理好情緒。因心情和皮膚病有一定關聯，故此，保持樂觀心態，驅趕壓力，相關毛病便難以有機可乘。

減壓的方式有很多，到戶外走走，接觸大自然，又或簡單地深呼吸，都有助淩亂的心緒回歸平靜。吸氣時，腦袋注入一些歡樂景象；呼氣時，釋放負面感覺，將壞氣場也同時帶走，帶動正向的運勢。

健美修身催運小貼士：重點加強訓練心肺、胸及腳部。

初學者可由帶氧運動（Cardio）開始，居家有氧運動推薦例如開合跳，戶外可以選擇慢跑或每日健走10000步。日常有做運動的朋友，可以選擇HIIT作為熱身運動。

重點加強訓練胸部的胸大肌，首先由基礎練習的臥推（Bench Press）開始，躺在重量訓練的平凳上，將槓鈴或啞鈴向上推。進階可以做胸推（Chest Press），讓胸部更挺、改善駝背等問題。

訓練腳部運動，如弓箭步（Lunges）、深蹲（Squat），各項加強下身運動。

*健美運動強度及次數因人而異，詳情請向專業健身教練咨詢。

癸巳年　二〇一三年

今年從學習當中，會獲得不少成就感，這些成功體驗並且令肖蛇之人對自己產生更強的自信心，願意繼續努力，爭取更好的學業成績。自信高升，「我」的本位亦愈來愈大，形成「自我」，所以父母今年應從他們的角度看世界，抓緊這一年做事主動積極的勢頭，協助子女建立自我負責的能力。

辛巳年 二〇〇一年

龍年社交活動頻繁，桃花指數高企，在戀愛方面有速配機會。未有交往對象的，要把握時機，今年可望在各種社交、慈善活動或工作宴會上，帶來脫單契機。

這一年「天輔星」逢「九天」，意味有「閃婚」可能。假如已有固定對象，對婚姻生活特別充滿憧憬，不妨與另一半從詳計議。

己巳年 一九八九年

在事業方面，今年的滿意系數很高，整年也被幸福因子包圍，應趁勢「儲備」更豐厚的資源和人脈，例如多參與行內各種活動，與同業打招呼，交換聯絡方法。

唯有多採取主動，才可組織四通八達的人脈網絡，結交到職場貴人。若然經常躲在一角，就算運勢多好，網絡也不會自動出現。

丁巳年 一九七七年

今年正財、偏財也有收成，然而，財運順暢不代表可以理財無道、盲目投資，尤其七七年出生的肖蛇者，開始邁向中年階段，所以在管理自己的財富時，還是謹慎為宜。

採取分散投資，降低風險，是方法之一；另外，多吸收財策知識、蒐集資訊、加以判斷，統統都不宜少。

乙巳年 一九六五年

年要加強保護肺部，除做適量運動，亦應留意家中的環境清潔，做好一切除塵工夫，此外，並應加緊注意寢具衛生，以免塵蟎引致流鼻水、喉嚨癢、咳嗽等過敏症狀。

由於「肺主皮毛」，意即今年肺弱，皮膚也容易受影響，出現敏感。因此，龍年想與快樂同行，就要先照顧好肺部健康。

癸巳年 一九五三年

今年肺部偏弱，加上隨著年齡增加，血氧濃度較年輕時低，如有咳嗽，宜盡快醫治。

另外，要將「只要不體檢，我就沒有病」的謬誤從腦袋中刪掉，從今開始，向自己灌輸：「定期體檢才是保障健康的有效辦法」，防患未然，是這一年應做的「功課」，切勿臨渴才去掘井。

流月運程
農曆一月
（西曆二月四日至三月四日）

雀明合河 乙 庚 虎心生 符辛己 墓	蛇后 壬 武蓬傷 蛇丙丁	神大天功 辛 九任杜 陰癸乙 庚 空 墓 迫
勾從 丁 合柱休 天壬戊 刑	陽三局 甲戊旬	陰沖 丙 天沖景 合戊壬 空 迫
龍送空小刑 己 陰芮開 九乙癸 庚 刑 墓	白勝 戊 蛇英驚 武丁丙	玄罡太乙 癸 符輔死 虎己辛 馬

運勢

「天心星」逢「朱雀」，運勢攀升，不論事業與愛情，也盡如人意。由內而外散發出的個人魅力，令你贏得更多人緣，做任何事也更輕鬆自如，加上那些願意為你兩脇插刀的摯友，不時從旁提點你待人接物之道，所以本月是無憂無慮。

工作

事業運發展趨勢理想，本月景象朝氣勃勃。面對強勁的競爭對手時，會遇強越強，發出領袖光芒。加上不錯的下屬緣，會遇到幫得上忙的同事，熱心相助。不妨多加提攜，給予他們更多責任以及發揮空間，使有進步和升遷的機會，加強鬥心和士氣，往後當能助你一臂之力。

感情

桃花旺盛，可踴躍出席支持朋友喜宴或生日派對，請求介紹對象，他們也會熱心幫忙。不要被過往情傷牽引，封閉自己，一旦遇見意中人就應把握機會，放膽踏前一步，人家不懂得讀心術，如你不表心跡，理想關係將難以展開。

錢財

正財偏旺，有迅速上揚之象。工作成績出色，得到上司賞識，本月有機會調整薪金，以示獎勵，令你萬分歡喜，做事起來特別落力。偏財運逐步提升，配合精心設計的投資組合，不用局限於舊有的投資項目。切記不能貪心，否則會弄巧反拙。

健康

肺部偏弱，肺主皮毛，每當天氣驟變時，皮膚便容易敏感，出疹或痕癢難耐。可於每晚洗澡後全身塗上無香料成分的潤膚露。多喝滋潤湯水，可令情況明顯改善。

流月運程
農曆二月
（西曆三月五日至四月三日）

運勢

「天蓬星」逢「生門」，運勢順暢，個人魅力依然高企，不論工作伙伴抑或朋友，也樂意與你交流；舉手投足經常成為眾人焦點。本月專注力強，創意澎湃，工作效率特高。宜善用空餘時間，持續學習，加強工作技能。

<table>
<tr><td>合
河 陰 武
勾 丙 蓬 乙
從 生 庚</td><td>雀
明 合 九
戊 任 丁
辛 傷 丙</td><td>蛇
后 虎 天
神 癸 沖 己
大 杜 戊 辛
迫 刑</td></tr>
<tr><td>龍
送 蛇 虎
庚 心 壬
休 己
刑</td><td>陽 二 局
甲 寅 旬</td><td>天
功 武 符
壬 輔 庚
景 癸
迫</td></tr>
<tr><td>空 空
小 符 合
白 己 柱 癸
勝 開 丁
刑 墓</td><td>太 空
乙 天 陰
丁 芮 戊 辛
驚 乙</td><td>陰 馬
沖 九 蛇
玄 乙 英 丙
罡 死 壬
墓</td></tr>
</table>

工作

事業發展順暢，勢如破竹。本月有利人和，受貴人提拔。宜把握旺盛運勢，配合天時地利，積極進取。借助位高權重的貴人之力，在事業上攀上更高位置。

感情

夫妻或愛侶關係發展順暢，甜蜜開心，充滿默契，找到互相配合的相處模式，讓你無後顧之憂，專心發展事業。工作而聚少離多，但更有「小別勝新婚」的感覺，令感情更堅固。

錢財

財運亨通，多元化財務發展計劃，短期內能獲得不俗的回報，使你毫無顧慮，安心向前。家人的生活素質有所改善。本月投資運不俗，可小試牛刀，投資一些觀察已久的項目。切勿急於賺錢，投資在不熟悉的項目。

健康

皮膚容易出現問題，例如敏感、濕疹、癬等，每逢轉季，要份外留神，因保護皮膚的屏障在這時候特別容易變得脆弱，如皮膚在此時得不到適當照料，惱人的痕癢問題不僅令人不勝其擾，更會影響儀容。

流月運程
農曆三月
（西曆四月四日至五月四日）

運勢

「休門」逢「天任星」，本月運勢再上高峰，在人際網絡帶動下，嶄新思維及寶貴資訊，源源不斷；透過真誠並具建設性的交流，令你對目標更為清晰，實踐計劃時進度神速，今個月可謂天時、地利、人和皆全。

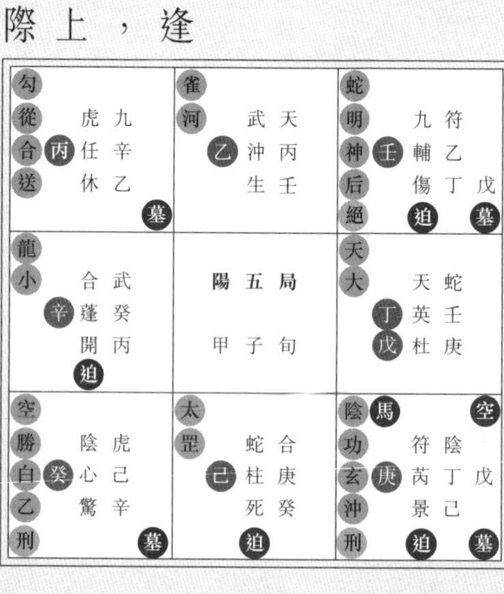

工作

事業運興旺，本月是豐收之月，能夠得到很多回報。注意把握機會，再接再厲，把事業向前推進。今年有心擴展商機，用心謀劃經營，必有可喜收穫。

本月適宜與朋友合夥投資；資金更為充裕，開拓多個項目，亦可以借助朋友貴人力量，令發展更為順利，財富事業兩豐收。

感情

單身者桃花運加強，把握時機，活躍於社交，可物識到合眼緣異性。切忌以外表和主觀感覺去衡量對方，以免扼殺機會。聯誼時可主動向朋友傾訴，他們能給有用意見、求愛策略，甚至介紹對象。愛情如沐春風，可安心發展。

錢財

今年田宅興旺，想置業投資或自住，可先評估財政狀況，然後查銀行按揭計劃，計算供款、首期、裝修等等開支預算，再前往參觀示範單位或樓盤，最終能物色到合心意的單位。

健康

腰骨肩頸容易扭傷，不宜劇烈運動或做瑜伽。適宜打坐冥想、氣功、太極，增強身體素質。

流月運程
農曆四月
（西曆五月五日至六月四日）

運勢

「天英星」逢「小吉」，運勢逐漸提升，但本月不宜鋒芒太露，行事要盡量低調，並需親力親為，勿存依賴之心，即使有貴人幫助，也別忘記「力不到不為財」。努力付出過後，謹記讓自己有適當的減壓時間，達致工作與生活平衡。

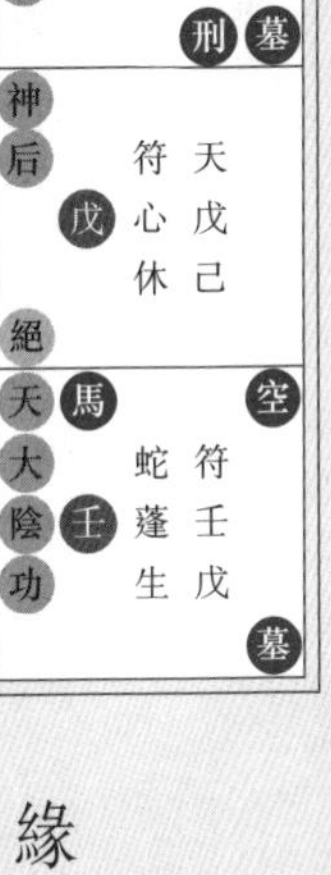

工作

事業運持續向好，默默耕耘，終得各人認同。工作有新挑戰，卻能顯出個人才能，贏得信任。營商者會有新的客戶，提出極具潛質的合作計劃。磋商前做好準備，便能成竹在胸。

感情

本月桃花運勢銳不可擋，貴人帶來一些異性緣，閃婚不再是夢，下一個派「紅色炸彈」的，就會是你。

蜜運中男女感情有增無減，甜蜜指數上升。每天與愛侶相處，溫馨甜蜜，令人羨慕。大家視對方為理想對象，是生命中另一半。與配偶的感情與日俱增，享受愉快和睦的家庭生活。

錢財

財運平穩向上，從商者生意有好轉，收入增加不少。不妨為公司開發新產品，增添多元化商機。本月投資有不錯回報，可惜入不敷出，財富無法增長。應做財務收支預算表，好好理財。

健康

健康有改善，多喝竹蔗水，並配合提升免疫力的食療，情況將有所改善。壓力亦是引發濕疹的原因，保持心境開朗，就是保健「良藥」。

流月運程
農曆五月

（西曆六月五日至七月五日）

運勢

「玄武」逢「天芮星」，運勢平平，整體而言，是無風無浪的一個月。工作或業務發展，進度緩慢，卻無大礙，毋須太過擔心。本月「疑似」有新機遇出現，令你充滿憧憬，其實只是鏡花水月，別花時間在沒有將來的項目上，早點抽身，實事求是，才是明智之舉。

蛇小神勝害 乙 符蓬杜 合庚癸 刑	雀送 丙 蛇任景 虎戊己 空	合從勾河 庚 陰沖死 武壬辛 丁 空
天乙 辛丁 天心傷 陰丙壬	陽八局 甲申旬	龍明 戊 合輔驚 九癸乙
陰罡玄沖刑 己 九柱生 蛇乙戊	太功 癸 武芮休 符辛庚 丁	空后白大 馬 壬 虎英開 天己丙 墓

工作

事業運稍有波折，容易因一時疏忽連累其他部門同事加班加點。發現潛在問題，一一修改。應變能力令上司「刮目相看」，可謂「因禍得福」。勿心存僥幸，做事應加倍謹慎。

感情

吉星臨門，帶動桃花運。單身者可參加朋友邀請的聚會飯局、聯誼活動，由身邊朋友介紹，可能遇上心儀對象。拍拖人士不要忽略與伴侶溝通，表達關懷，以維繫融洽甜蜜關係。

錢財

財運反覆，投資策略可漸漸改以長線保本為原則。建議把現金投資在保值的資產物業上。本月或要為家人或自己繳付額外的醫藥費。

健康

呼吸系統經常出毛病，主要因為抵抗力弱，注意每天要有足夠睡眠，盡量避免長時間逗留在公眾場所，以免病菌入侵身體。若不幸染病，便需要較長的時間才能痊癒。

流月運程

農曆六月

（西曆七月六日至八月六日）

運勢

「地盤值符」逢「驛馬星」，本月一片好景，一分耕耘，自有一分收穫，成績令人滿意。之前建立的人脈，將成為讓你通往成功和擁抱機遇的入場券，宜在運勢持續向好的時刻鞏固人際關係，為下半年好好鋪路。

癸 虎 乙 丁 陰 芮 死 丁 蛇 勝 神 乙 刑	合 辛 己 蛇 柱 驚 己 雀 小 刑	癸 陰 壬 乙 符 心 開 乙 癸 合 送 勾 從 墓
空 武 己 丙 合 英 景 丙 天 罡	局 旬 一 辰 陰 甲	蛇 戊 辛 天 蓬 休 辛 龍 河
空 九 丁 庚 虎 輔 杜 庚 陰 沖 玄 功 墓 刑 迫	天 丙 戊 武 沖 傷 戊 太 大 刑	馬 符 庚 壬 九 任 生 壬 空 明 白 后 絕

工作

事業運持續提升，上司較以往更賞識你的才能，不再諸多掣肘，初次洽商的計劃書也全權負責，自由度極大。切忌鋒芒過露，令同僚產生嫉妒，影響團隊精神。在朋友的推薦下，有其他新的工作機會出現，令你更加肯定自我。

感情

本月桃花盛開，應趁此大好時機，多參予各類型的社交活動和宴會派對，去認識多些新朋友，也可經朋友於聚會中介紹對象。遇到心儀者可主動出擊，不應怕被拒絕，浪費機會。

感情生活美滿，另一半形影不離，事事心有靈犀，有默契地尊重私人空間，感情會更加穩固。

錢財

偏財運回穩，本月宜靜不宜動，保守為上上之策。可考慮作穩健的銀行定期存款。近來應酬頻繁，開銷增加。「財來財去」無法聚財，儲蓄無大進賬，無法實行心目中的投資大計。

健康

肺部較弱，呼吸系統容易出現毛病，例如支氣管敏感發炎、細菌感染、肺炎、哮喘、鼻敏感。切勿諱疾忌醫，否則會引發其他更嚴重疾病。

流月運程
農曆七月
（西曆八月七日至九月六日）

運勢

「天沖星」逢「九天」，運勢持續上升。由於本月長時間忙於工作，腦轉數減慢，應多休息，否則一旦形成倦怠，不僅有礙健康，並會拖慢工作進度。本月宜擴大社交圈子，拓展人脈，讓人緣運帶動愛情運。

神 乙 合 九 蛇 壬 柱 丁 罡 開 戊 絕 迫	天 勝 陰 武 庚 心 丙 乙 休 壬 迫	陰 小 蛇 虎 玄 丁 蓬 辛 送 生 庚 乙 墓
雀 沖 虎 天 戊 芮 庚 乙 驚 己 迫	陰 四 局 甲 寅 旬	太 從 符 合 丙 任 癸 傷 丁
合 空 功 武 符 勾 己 英 壬 大 死 癸	龍 空 后 九 蛇 癸 輔 戊 景 辛	白 馬 河 天 陰 空 辛 沖 己 明 杜 丙 絕 墓

工作

事業運突飛猛進，公司團隊在你帶領下，投入度與歸屬感明顯提升，與下屬之間相處融洽，大大增加工作效率。獨當一面，以實力取勝，使團隊也為之心悅誠服，很樂意跟你一起打拚。老闆對你完全刮目相看，讓閣下穩操勝券。

感情

已婚者與配偶感情更加穩固，對方給予無極限支持和包容，令你更珍惜和愛護對方。已有愛侶者，兩人關係日趨成熟，大家也有結婚共識。不排除因為有了小孩而「閃婚」。單身者應先踏出第一步，由於彼此都會視對方為終生伴侶，所以很快會步入同居階段，過著二人世界生活。

錢財

投資順利，有好表現，會以靈活多變的策略，看準市場走勢，乘勝追擊，令賺取利潤機會大大增加。謹記「得些好意須回手」，任何投資衍生工具的價格可升可跌，切勿貪勝不知輸，宜點到即止，以免適得其反，追悔莫及。

健康

本月呼吸系統帶病星，容易受病菌入侵，令支氣管、喉嚨發炎，咳嗽久久不能治癒絕對不能忽視，應少食煎炸、糖果等食物。要及時延醫診治，免得小病最終變成大病。

流月運程

農曆八月

（西曆九月七日至十月七日）

運勢

「開門」逢「地盤九地」，運勢大好，人緣運亦佳。本月如海綿一樣，吸收大量新知識，令你在職場上，大派用場。趁氣勢如虹，應在一些新領域，多作嘗試，擴闊眼界。本月的學習能力強，所以應多撥時間，進修增值。

墓 虎己辛 符心生 癸庚 勾罡合沖刑	合丁丙 天蓬傷 戊 龍乙	空庚墓 陰乙癸 九任杜迫 己 空勝白小絕
武戊壬刑 蛇柱休 丙 雀功	陰七局 甲戌旬	空 蛇壬戊 武沖景迫 丁 太送絕
墓 庚 九癸乙刑 陰芮開 辛 蛇大神后絕	天丙丁 合英驚 壬 天明刑	符辛己 虎輔死 馬乙絕 玄從陰河害

工作

事業發展順利，機會良多，會有進一步的發展。本月深受老闆器重，兼得貴人相助，運氣飆升。把握時機，與公司同事打成一片，以得到更多助力，相得益彰。

感情

桃花運有暗湧，隨著相處的日子久了，缺點就會逐漸浮現，當發覺大家無論生活方式甚至性格，也略有出入時，應以珍惜這段緣為大前提，包容和愛護對方，學習互相體諒與遷就，自能找到合適的溝通方法。

錢財

財運轉順，投資有所斬獲，但只是追回之前輸去的本金，並無實質利潤增長。整體投資總算平穩上升，投資技巧也有提升。

健康

呼吸系統偏弱，氣管容易收窄，一直不停咳嗽，尤其是在晚上時份會更加嚴重。應戒食生冷食物，多喝暖水，戒食煎炸、糖果等食物。

流月運程
農曆九月
（西曆十月八日至十一月六日）

運勢

「景門」逢「六合」，本月是這一整年內，頭腦最清晰、心境最平和之一個月，和以前比較，簡直判若兩人，不論情商或危機管理技巧，也逐漸爐火純青，即使逆境當前，亦能夠冷靜面對。保持著這種意識形態，正能量將節節上升。

合 沖 陰 合 雀 庚 英 乙 功 死 壬 刑 墓	勾 罡 蛇 陰 丁 芮 丁 辛 驚 乙 刑	龍 空 乙 符 蛇 空 壬 杜 己 勝 己 開 丁 辛 害 刑 刑 墓
蛇 大 合 虎 辛 輔 壬 景 癸	陰 八 局 甲 戌 旬	白 空 小 天 符 乙 心 庚 休 己 絕
神 后 虎 武 天 丙 沖 癸 明 杜 戊 刑 絕 迫	陰 河 武 九 癸 任 戊 傷 丙 害 絕	太 馬 送 九 天 玄 戊 蓬 丙 從 生 庚 絕 墓

工作

事業運亨通，「贏人先要贏自己」是本月的格言。過往太重視別人對自己的想法，浪費時間與別人作比較，老是跟着別人的方向走，完全埋沒了自己的才能。先了解和確定自己的專長，再加以發揮，便能獨佔鰲頭。

感情

本月桃花運穩步上揚，與愛侶相處如魚得水，既甜蜜又溫馨。可考慮締結良緣，成為愛情大贏家，享受幸福美滿人生。單身者遇到心儀對象時，不妨主動搭訕認識，不要怕被拒絕，應大膽嘗試，也許會有意想不到的結果。

錢財

財運亨通，偏財運不俗，投資有所斬獲。短炒外匯及短期基金可以即時賺取不錯利潤，是不錯的投資。有意創業者，可把利潤儲起作日後開業資金，可有長遠的回報。

健康

健康不是必然，抵禦疾病的能力減弱，皮膚易生敏感，濕疹容易復發。可多喝竹蔗水。應好好調節作息時間，病情自然會有所改善。

流月運程

農曆十月

（西曆十一月七日至十二月五日）

運勢

「天任星」逢「大吉」，運程暢旺，工作表現出色，團隊以你為傲，做事不遺餘力的勤奮態度，令身邊隊友也受到感染。於一片讚美聲中，小心變得自滿，令接收智慧的渠道受阻。在行運之時，為人要更加謙遜，並應主動幫助有需要的人，才可令好運延續。

雀 功 蛇 大 己 合 蛇 任 庚 傷 丁	合 沖 乙 癸 陰 符 沖 丙 杜 己	空 勾 罡 龍 乙 辛 蛇 天 輔 丁 景 乙 癸 害 刑 墓
神 后 丁 虎 陰 蓬 戊 生 丙 絕 刑	陰 一 局 甲 戊 旬	空 空 勝 壬 符 九 英 己 死 辛
天 明 陰 河 丙 武 合 心 壬 休 庚 害 刑 絕 刑 墓	玄 從 庚 九 虎 杜 辛 開 戊	白 小 太 送 絕 馬 戊 天 武 芮 乙 癸 驚 壬 墓

工作

事業運加強，工作上出現更多競爭對手，但未嘗不是好事。可藉此顯示實力，令競爭者消失。

上司委以重任，洽談重要計劃，或完成重要工程。盡力顯示所能，造就升遷良機。

感情

桃花運好轉，不論在公在私，人緣或桃花也大大提升，與人溝通交往更順利，自然增加自信心，經常容光煥發，請保持良好狀態，好姻緣就在面前。

錢財

投資運穩步向上，應乘著大好運勢，把財運向前推進。樓價在有利水平，不妨考慮賣樓套現，獲得豐厚利潤之後，再選擇買入其他的單位投資，以樓換樓的方式賺錢。

健康

小心注意身體，免疫力下降，容易感染傷風感冒，導致呼吸道問題。平日宜多做帶氧運動，有助加快新陳代謝，減少生病機會。

流月運程
農曆十一月
（西曆十二月六日至一月四日）

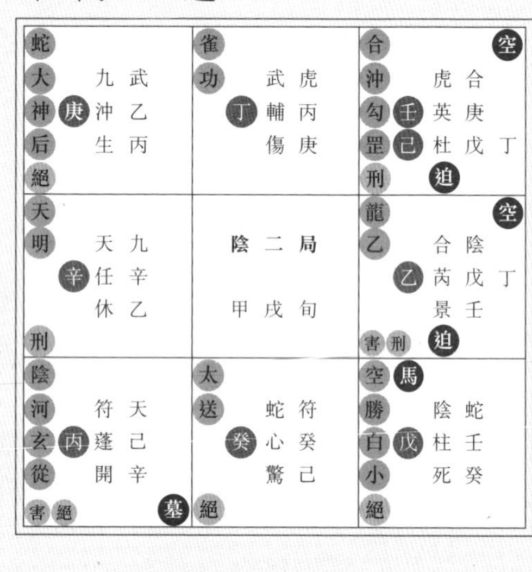

運勢

「功曹」逢「天輔星」，運勢雖處於高位，本月卻不宜乘勝追擊，應點到即止，以便讓自己有喘息機會，作更好的部署。此外，應學習更多新知識及技能，強化自身價值，才可緊貼一日千里的市場變化，應付未來的激烈競爭。

工作

事業運緩緩上升，領略到如何在工作上苦中作樂，處理難題時自然從容不迫。上司對你的刻苦耐勞甚為欣賞，打算加以提拔。

雖然今年的工作量因此增加，但此乃盡顯所能的機會，不容有失。

感情

桃花盛開，人緣助力興旺。對一直渴望能天長地久的有心人，終於有機會夢想成真。婚姻緣隨時降臨。請好好把握大運，四方結緣，會遇上條件優秀、感情專一、呵護備至的對象。感情全速發展，會有同居或閃婚的機會。

錢財

偏財不過不失，與其承受不必要的風險，何不選擇低風險的儲蓄定期，靜待運勢好轉始再度出擊。不用急於求財。從商者經過多月的商討研究，逐步定下改革計劃，令公司在不久將來能開展更多項目。

健康

工作壓力致導至神經緊張，引起肩頸、腰背的痛症；有舊患復發或惡化的跡象，應多做伸展運動如瑜伽等。

流月運程
農曆十二月
（西曆一月五日至二月二日）

運勢

「太乙」乘「太常」，本月運勢稍微下降，但人緣運依然處於強勢，社交活動頻繁，新結識的朋友都是有修養、重視心靈健康的樂活一族，從彼此的交流之中，令你對豐盛人生，重新定義，不論眼界和思維，也較過往更闊更廣。

神 后 蛇 九 雀 壬 杜 癸 明 傷 庚 刑	神 大 陰 天 乙 心 壬 杜 丙	天 功 合 符 陰 丁 蓬 乙 沖 景 戊 辛 墓
合 河 符 武 癸 芮 戊 辛 生 己 刑	陽 二 局 甲 子 旬	玄 罡 虎 蛇 己 任 丁 死 癸
勾 從 天 虎 龍 戊 英 丙 送 辛 休 丁 刑 墓	空 小 九 合 丙 輔 庚 開 乙 刑	太 馬 空 乙 武 陰 白 庚 沖 己 勝 驚 壬

工作

事業運吉中藏凶，之前一切的疑惑或覺得不順心的事情，都可望撥雲見日，心情上會有很大的轉折，事業上的方向也變得清晰許多。

感情

桃花運回落，初相識的異性最近無影無蹤，因為彼此性格不合，令你表現冷淡。

須要留意，愛情總是盲目的，尤其在熱戀時候，雖然這樣代表你待人接物至真至誠，不會表裡不一，但不修邊幅的樣子和我行我素的性格，卻也會令人吃不消。

錢財

財運有點暗湧，本月有很多消息股湧現，切勿盡信，只宜輕度投資，要保守穩健，不能過分冒進。

宜找專業人士詳細分析研究，以免得不償失。

健康

腸胃極容易受感染，應戒掉生冷食物。愛吃辛辣的朋友，飲食也應偏向清淡。

十二生肖龍年運程

肖馬者出生時間

（以西曆計算）

壬午年　二〇〇二年二月四日八時二十四分至二〇〇三年二月四日十四時五分

庚午年　一九九〇年二月四日十時十四分至一九九一年二月四日十六時八分

戊午年　一九七八年二月四日十二時二十七分至一九七九年二月四日十八時十二分

丙午年　一九六六年二月四日十四時三十八分至一九六七年二月四日二十時三十分

甲午年　一九五四年二月四日十六時三十一分至一九五五年二月四日二十二時十七分

壬午年　一九四二年二月四日十八時四十九分至一九四三年二月五日零時四十分

庚午年　一九三〇年二月四日二十時五十二分至一九三一年二月五日二時四十分

戊午年　一九一八年二月四日二十二時五十三分至一九一九年二月五日四時二十五分

肖馬開運錦囊

增運顏色：紅色、綠色

增運飾物：圓珠、圓形圖案或飾物

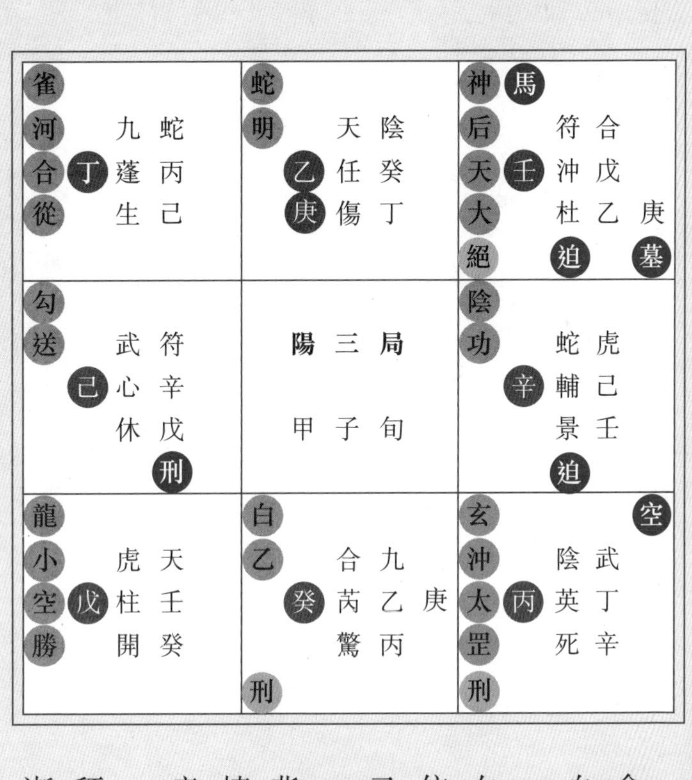

運勢

今年「驚門」逢「太乙」帶「擊刑」，整體運程有「先弱後強」之象。

在龍年的上半年，肖馬之人因自信心不足，容易因一點挫折，嫌棄自己、矮化自己。情緒亦因此而特別飄忽，往往會因為別人的無心快語，耿耿於懷，並且很在意人家的眼光。結果，愈是缺乏安全感，以致經常覺得自己很不中用，比不上其他人。

加上「拖延症」作祟，不時將大量時間花在一些瑣碎事情上，重要的事情卻因為不夠自信，害怕失敗，於是一直拖拖拉拉，最終令自己陷入原地打轉狀態。

繼續逃避和那麼被動的話，機遇就會跟你背道而馳。別再諸多藉口去拖延應要處理的事情，否則，久而久之，怠惰便會植根在你的潛意識，令事情每下愈況。

下半年運勢漸見起色，宜下定決心，一洗頹風，重拾勇氣和自信。即使有可能跌倒，但漸入佳境的肖馬者，總能再次站起來。

很多時事情的成敗得失，關鍵在於是否願意踏前一步，先做而再看結果，才可以如毛蟲那樣，破繭而出，化成蝴蝶，展翅飛翔。過程中，需要的是不屈不撓精神，而不是杞人憂天，害怕做錯，於是讓機會溜掉。

工作

本年事業運柳暗花明，「天沖星」臨「杜

門門迫」，表示大有機會突破樽頸位。

肖馬者縱使已跟去年的「破太歲」日子告一段落，工作運漸露曙光，然而上半年一切進展緩慢，整個人亦因而無精打采。加上公司的庸碌主管，沒把團隊放在第一位，人際關係又毫不純熟，做決策時，總是採取自己認為最妥當的模稜兩可方式去做，結果令團隊永遠成為箭靶。肖馬者身在其位，只好一日復一日地遏抑著自己，這不僅令情緒更加低落，對職涯發展亦漸漸目標模糊，感到迷惘。

人在職場，能遇上「伯樂」上司，並非必然，既然肖馬人士要面對的是「品質」粗劣的主管，與其終日心有不甘，不如把焦點從「外」轉「內」，將批判上司的心思，轉至持續提升自身的工作能力，更為實際。

下半年事業樽頸位隨運勢漸入佳境，得到解決。不過，如果之前沒有未雨綢繆，讓自己強大起來，而是不停想著：「怎麼自己的運氣那麼差？」、「怎麼別人總是不能幫到自己？」那麼，即使運勢逆轉，你仍會因為未有更新好自己的「能力程式」，而無法令工作順遂，皆因這叫「力不從心」。

感情

今年桃花運步步高升，異性緣源源不絕，「天輔星」逢「功曹」，意味好人多福報，如經常參與慈善公益活動，承擔義務工作，不僅能進一步加強運勢，並因此而得姻緣。

未有固定對象而戀愛經驗尚淺的肖馬者，今年因有不少人「邀請」自己玩曖昧遊戲，讓「騎牛搵馬」愛情觀發酵。小心這種自私的愛情遊戲，不單止有損運勢，到最後可能落得牛、馬兩空，錯失真正良緣。

今年「貴神」逢「天英星」，肖馬者渴望從一段關係來肯定自己的存在價值，付出感情後，才發現對方已有伴侶，成為了第三者。不想泥足深陷的話，決絕地斬斷關係，是唯一辦法。

已有穩定關係的肖馬男女，因各自的工作壓力，缺乏溝通，漸漸萌生了不被諒解的孤單感。為填補這個心理缺口，於是將情感轉移至他人，導致出軌。可是，當心這段霧水情緣最終演變成桃花劫，令自己走上了不歸之路。

二人相處是一門學問，今年受「功曹」影響，和另一半溝通時，經常出現「我永遠是對的」心態，令人難以接受。不想感情變質，這一年切記：將心比己，從對方角度思考問題。如選擇出軌去逃避現實的話，最終害己害人。

錢財

今年財運薄弱受阻，「天蓬星」逢「河魁」，表示龍年是人找財，不是財找人，甚至有可能遇上破財消災之事，所以除了需要小心保管財物，投資時，高風險投資項目可免則免，亦不宜過於倉卒開展新的投資計劃。

流年財運不太好的時候，理財觸覺亦相對較弱，捕捉市況時，往往忽略細節，並會因優柔寡斷而錯失入市良機。在此情況下，肖馬者今年切忌跟風炒作，應花多些時間，理智地先做好投資策略；一味講求快、狠、準的話，反而會弄巧成拙。

近年網購大行其道，相關騙案亦有所增加，財運處於弱勢之時，便需額外留神，包括小心識別購物專頁，尤其以個人名義登記的收款帳戶，更要加倍小心，慎防上當。

龍年沒有意外之財，包括博彩，如想對抗通脹，就要加緊留意平日有沒有「省小錢、花大錢」，作出不必要的消費。若然能夠養成記錄消費的習慣，讓自己對每月的收入與支出，一目瞭然，使錢銀用得其所。

今年需要管理好與親友之間的「財務界線」，勿因一時心軟，不理會自己的負擔能力，二話不說借錢給親朋戚友。對親友的請求「說不」，並不代表冷酷無情，而是有些事情，需要量力而為。

健康

今年「玄武」臨「天心星」，健康運並無大礙，卻較易受鼻過敏影響，如家中有種花、養寵物，或肖馬者有塗香水習慣，就要當心有可能引致過敏反應。

年紀較大的肖馬人士，如今年經常出現過敏性噴嚏、流鼻水情況，宜往醫就診，因流年的心肺機能偏弱，若置之不顧，有可能會引致鼻粘膜腫大，令血含氧量不足，影響心臟健康。

想預防鼻過敏煩惱，今年應加緊做好家居清潔，尤其寢具衛生，並要保持床榻乾爽。如床上放有毛公仔，謹記定期清洗。最好避免使用地毯，以免容易產生致敏原。

心肺較弱，對秀髮造成影響。肖馬者不想早生白髮和脫髮，今年便要養成良好飲食習慣，避免太多煎炸食物，多吸收蛋白質及鐵質。

此外，亦應勤做可鍛鍊心肺功能的運動，例如游泳、瑜伽，甚至多去散步，對於心、肺、血管，都有益處。

不做運動絕對是健康大敵，如果肖馬者屬於這類型人，龍年一定要立下決心，以循序漸進方式，養成運動習慣。持之以恒，對心理健康也有正面影響。因此別再找藉口，令自己與身心健康，愈走愈遠。

健美修身催運小貼士：重點加強訓練心肺、胸及腳部。

初學者可由帶氧運動（Cardio）開始，居家有氧運動推薦例如開合跳，戶外可以選擇慢跑或每日健走10000步。日常有做運動的朋友，可以選擇HIIT作為熱身運動。

重點加強訓練胸部的胸大肌，先由基礎練習的臥推（Bench Press）開始，躺在重量訓練的平凳上，將槓鈴或啞鈴向上推。進階可以做胸推（Chest Press），讓胸部更挺、改善駝背等問題。

訓練腳部運動，如弓箭步（Lunges）、深蹲（Squat），各項加強下身運動。

*健美運動強度及次數因人而異，詳情請向專業健身教練咨詢。

甲午年　二〇一四年

徘徊於「青春期入口」的肖馬孩子，與父母在言談之間出現分歧的情況，開始增加，尤其今年「驚門」逢「太乙」，表示馬仔馬女特別在意別人的評語，容易為一些瑣事鬧脾氣，故此，家長要耍出雙倍耐性，循循善誘，將「思考」的主導權交給孩子，引領他明白自我反省的重要性，才可協助孩子面對成長。

壬午年　二〇〇二年

今年要決心告別「拖延症」，為學業或事

業多下功夫，才可在下半年運勢轉好時，令自己一瞬千里。要甩掉到最後一刻才採取行動的拖延壞習慣，就必須要與自律如影隨形。唯有學會不能時時刻刻也及時行樂，不被短暫利益誘惑，才能夠和成功靠在一起。不想老大徒傷悲，須要少壯多努力。

庚午年　一九九〇年

龍年的異性緣非常好，亦因此而驚動了「貪念」，在感情生活中，逐漸淡忘了甚麼是「專一」。自以為三十出頭，有的是時間，加上肖馬之人生性崇尚自由，喜歡尋求刺激，於是對拖泥帶水的曖昧遊戲，難捨難離。但當心時間和青春總有限期，當發覺原來已錯過值得去愛的人，便為時已晚。

戊午年　一九七八年

今年的工作運有漸露曙光之勢，然而上半年的成績仍不在掌握之中，以致情緒易有起伏。與其為一些無法控制的事情，影響心情和績效，不如將目標定得遠大一點，積極進修，吸收更多能提升工作效能之技巧，甚或多學一技之長來旁身，待下半年運勢逐步上揚時，自有意想不到的回報。

丙午年　一九六六年

龍年財運欠佳，小心破財，尤其在網上進行交易，要份外留神。今年最好避免與親朋戚友有錢銀轇轕，不論借貸或夾份投資、經營小生意也好，都宜三思，別因為害怕說不，而勉強自己去做。很多時一筆糊塗賬反而更易引致雙方反目；量力而為，婉拒了事，可能更好。

甲午年　一九五四年

流年的心肺機能較弱，加上已是熟齡，T細胞開始減少，故要加緊提升免疫功能，以免受細菌、病毒干擾。保持適量運動，多攝取鈣、鎂這類礦物質，均有助增強抵抗力。到了熟齡階段，睡眠質素通常會變差，但如白天仍能健康活動，則毋須過分擔心，因維持心情輕鬆也是保健的重要元素。

流月運程
農曆一月
（西曆二月四日至三月四日）

運勢

「死門」逢「地盤九地」，運勢不前，即使用盡心力，計劃依然原地踏步，令人感到極為無奈。既然一切並無大進展，不如利用時間自我增值，加強知識「才庫」，進修並有助擴大人際網絡，從別人的經歷與體驗，可豐富你待人處事智慧。

合 河 陰 九 勾 壬 心 庚 從 死 戊	雀 明 合 天 乙 蓬 丁 驚 癸	蛇 馬 空 后 虎 符 神 戊 任 壬 大 開 丙 己 刑 墓
龍 送 蛇 武 丁 柱 辛 景 乙 刑	陽 四 局 甲 戌 旬	天 空 功 武 蛇 癸 沖 乙 休 辛
空 小 符 虎 白 庚 芮 丙 己 勝 杜 壬 刑 迫 墓	太 乙 天 合 辛 英 癸 傷 丁	陰 沖 九 陰 玄 丙 輔 戊 罡 己 生 庚 墓

工作

事業運不濟。對老闆暗生不滿，漠視你為公司所創功績。凡事宜三思而後行，謀定後動，靜待運勢好轉，再從詳計議。每事應以平常心面對，不要太過計較得失，免得鬥志和情緒消沉，工作熱情漸漸熄滅，忘了初心，甚至得過且過。

感情

單身者桃花運好轉，認真地嘗試了解眼前的有緣人，只要放下「騎牛搵馬」心態，學會欣賞交往對象的優點和內在美，比起只看外表更能信賴依靠。善意批評另一半的處事態度，對方卻不領情，更惡言相向。為免傷害大家感情，不宜爭持下去。

錢財

偏財運不似預期，投資產品的價格升跌及波幅難以掌握，不宜作中至高風險的投資，否則虧本離場。本月宜作完善分析，減低潛在風險，再衡量財政狀況，謹慎地計劃往後投資策略象。

健康

身體無大礙，但心肺機能偏弱，容易令心臟、呼吸系統特別敏感，惹起傷風、流感、咳嗽、鼻敏感、哮喘等問題。治本方法是加強心肺功能，長期做適量的帶氧運動，例如游泳、緩跑；平時練習深呼吸，也可增加肺活量，提升心肺功能。

流月運程
農曆二月
（西曆三月五日至四月三日）

運勢

「天輔星」逢「杜門」，有先凶後吉之象，行動前必須三思，以免因小失大。月初作一些較重要的決定時，需特別審慎，否則會引致金錢或個人名譽受損。月中運勢逐漸回升，是時候重拾幹勁，接受新的挑戰。

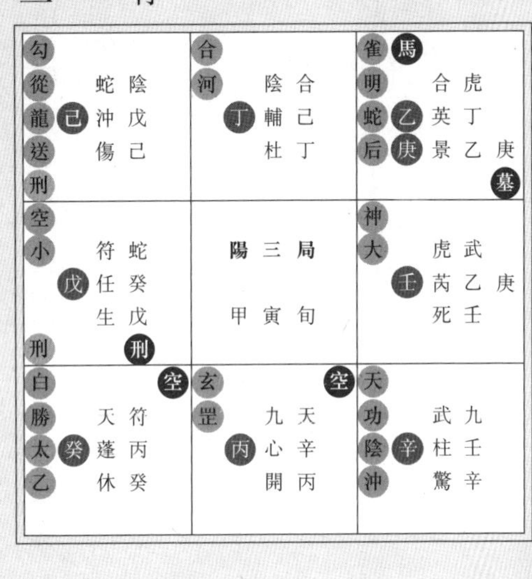

工作

事業運平滯，工作發展不能順心遂意，有小人在背後製造事端，面對「樽頸位」，必須盡力保持心中一團火，堅守信念。小心行事，安分守己，以防行差踏錯，予人有機可乘，帶來厄運。本月事業上宜退守，不可浮躁急進，妄動則易招禍端。

感情

桃花運喜憂參半，儘管能獲得異性青睞，但自己個性比較主觀自我，經常「死心眼」，愛上不該愛的人。有意無意中比較交往中的對象和舊情人，因而容易覺得跟交往中的對象性格不合，斷絕發展機會。應盡快調整一下自己思維模式，否則難覓好姻緣。

錢財

財運浮沉不定，應量力而為，勿逞強為親朋戚友作借貸擔保，以免惹來錢債官非。本月有穩健的投資機會出現，回報的時間雖長，勝在風險較低。在電子產品的開銷頗大，應慎重考慮，衡量其實用性。

健康

胸肺偏弱，「百日咳」不能止。咳嗽時容易出現胸痛情況，如不盡快治理，會有惡化危機。為家人設想，請使用公筷。

流月運程
農曆三月
（西曆四月四日至五月四日）

勾 送 陰 虎 龍 丁 任 庚 小 休 丙	合 從 合 武 丙 沖 丁 生 辛 刑	雀 馬 河 虎 九 蛇 辛 輔 丙 明 傷 癸 乙 迫 墓
空 勝 蛇 合 庚 蓬 壬 開 丁 迫	陽 六 局 甲 子 旬	神 后 武 天 癸 英 辛 乙 杜 己 絕
白 乙 符 陰 太 壬 心 戊 罡 驚 庚 刑 刑 墓	玄 沖 天 蛇 戊 柱 己 死 壬 刑 迫	天 空 大 九 符 陰 己 芮 癸 乙 功 景 戊 迫 墓

運勢

「傷門」逢「登明」，運勢下行，本月是考驗你韌力的一個月，不論公事私事，也會幾經波折，難以達標，令你心急如焚。

宜重新調節目標，分階段逐步實現，多向摯友尋求意見或者傾訴，以免鑽入牛角尖，令問題變得更僵。

工作

事業運減弱，本月工作無大突破，而且缺乏爭取表現的機會，留意有新同僚千方百計求上位，設法超越你的地位，但上司對他的阿諛奉承不大受落，只要安分守己便能勝任。

從商者雖已盡心盡力改善產品質量，但基於市道低迷，經濟疲弱，難有好的發展。

感情

感情運運勢一般，本月感情易出問題，注意小心維繫。夫妻或情侶感情生活變得平淡疏離，各有各忙，彼此之間存在距離，漸行漸遠。

宜珍惜彼此緣分，主動關心對方。每段關係需要雙方共同努力，才能為感情生活帶來豐富色彩。

錢財

財運起伏不定，本月投資意欲不大，投資運也一般，沒有任何心水項目，加上難以客觀分析市場，不宜魯莽投資，免得犯錯。宜靜觀其變。

健康

身體狀態良好，可往寺廟，祈求添福添壽、身體健康。本月不妨作慈善功德，或進行放生。

流月運程
農曆四月
(西曆五月五日至六月四日)

運勢

「天芮星」逢「天空」臨「入墓」，本月運勢飄忽，恐怕無用武之地，令你有時不我予的之慨。與其自怨自艾，倒不如積極裝備自己，機會來臨時，可以好好把握。本月人緣運一般，易與人發生磨擦，引致破財，謹記「以和為貴」。

龍 小 天 武 空 庚 芮 壬 丙 勝 驚 丁 迫 刑 墓	勾 送 符 九 壬 柱 戊 丙 開 庚	合 馬 從 蛇 天 雀 戊 心 乙 河 休 壬 丙 墓
白 乙 九 虎 丁 英 庚 死 癸 刑	陽 七 局 甲 子 旬	蛇 明 陰 符 乙 蓬 辛 生 戊
太 罡 武 合 玄 癸 輔 丁 沖 景 己 刑 墓	陰 功 虎 陰 己 沖 癸 杜 辛	神 空 后 合 蛇 天 辛 任 己 大 傷 乙 絕 墓

工作

事業運反覆不穩，工作進度緩慢不前，上司做事經常舉棋不定，朝令夕改，無視你對團隊的付出，並且有功就歸他所有，有錯便由下屬去扛。

從商者本月盈利反覆偏弱，應採取保守政策，不要急於改變公司架構或擴充營業。

感情

單身者，切忌「來者不拒」，給人留下用情不專的印象，令有心人退避三舍，多參與公益慈善活動，行善積福，化解是非，更能結交志同道合的有緣人。已婚者或拍拖人士，小心遇上其他異性引誘。幸好定力十足，明白只屬虛象，沒有真愛可言，此後更懂得珍惜另一半。

錢財

本月投資氣氛薄弱，沒有時間作分析，不要妄想有意外之財。朋友借款遲遲不還，多番追討也被敷衍了事。沒有簽訂借據，要討回恐怕凶多吉少。家居擺設有額外開銷，並略為超出預算。

健康

肺主皮毛，肺弱的話，毛髮也受影響，如再遇壓力催迫，脫髮問題也會出現。進食一些高蛋白質的食物、新鮮蔬果、補充足夠的鐵、維他命C、B12等，有助重新出「髮」。

流月運程

農曆五月

（西曆六月五日至七月五日）

運勢

「值符」臨「從魁」，運勢雖不太差，但要小心有波濤湧現，凡事要務實一點，憧憬太多只會造成連番失望，打擊自信。做事戒操之過急，時機尚未成熟卻勉強而為的話，只會令自己焦頭爛額，白費心機。

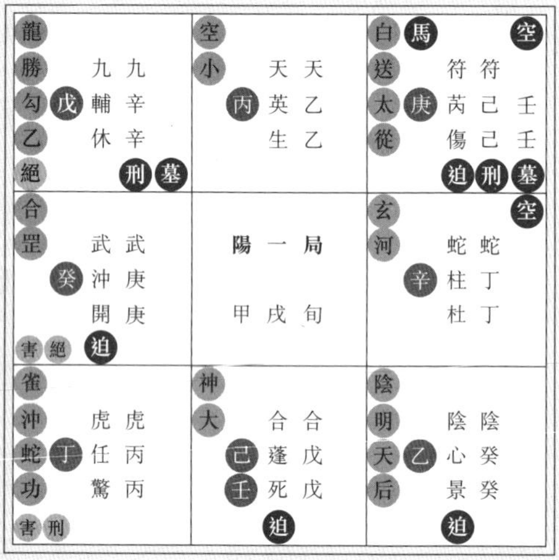

龍 勝 九 九 勾 戊 輔 辛 乙 休 辛 絕 刑 墓	空 小 天 天 丙 英 乙 生 乙	白 馬 空 送 符 符 太 庚 芮 己 壬 從 傷 己 壬 迫 刑 墓
合 罡 武 武 癸 沖 庚 開 庚 害 絕 迫	陽 一 局 甲 戌 旬	玄 空 河 蛇 蛇 辛 柱 丁 杜 丁
雀 沖 虎 虎 蛇 丁 任 丙 功 驚 丙 害 刑	神 大 合 合 己 蓬 戊 壬 死 戊 迫	陰 明 陰 陰 天 乙 心 癸 后 景 癸 迫

工作

事業運尚可，同事拍檔之間出現紛歧及惡性競爭。應調整好自己的情緒，退下火線，實行「鷸蚌相爭，漁人得利」。凡事莫衝動，以免對事業造成不良影響。

從商者萌生擴展業務的念頭，應找專業人士作詳細的市場調查，留待時機成熟才謀定而行。

感情

愛情運起暗湧，能遇上不同類型的異性，可惜以「騎牛搵馬」心態對待，根本沒有認真投入感情，經常覺得自己應該與更好的對象在一起，對人若即若離，只會令對方的熱情漸漸冷卻，最後全身而退。

錢財

財運平平，不適宜與朋友合作投資做生意，助力不足之餘，還會為你添上麻煩，最後容易因財失義；帳目混亂不清，甚至對簿公堂。本月思維不夠清晰，不易作投資買賣。要學懂理財規劃，積谷防飢，以備不時之需。

健康

精神壓力有所改善，但仍存在脫髮問題。可用含中藥成份的洗髮或護髮用品，會有所幫助。皮膚容易敏感，不宜轉用新護膚品。

流月運程

農曆六月

(西曆七月六日至八月六日)

運勢

「貴神」逢「騰蛇」，運勢穩步上升，之前的問題、阻礙會一一清除，只要鎖定目標，全力以赴，在親友支持及鼓勵下，本月可望達到目的。在邁向終點途中，需留意受小人誤導，橫生枝節，甚至惹禍上身。

<table>
<tr><td>神
乙 符 合
蛇 辛 柱 壬
罡 景 丙
絕 刑 墓</td><td>天
勝 天 陰
乙 心 癸
死 庚</td><td>陰 馬
小 九 蛇
玄 丙 蓬 己
送 驚 戊 丁
刑</td></tr>
<tr><td>雀 空
沖 蛇 虎
己 芮 戊 丁
杜 乙
刑</td><td>陰 二 局
甲 辰 旬</td><td>太
從 武 符
庚 任 辛
開 壬</td></tr>
<tr><td>合 空
功 陰 武
勾 癸 英 庚
大 傷 辛
迫 刑 墓</td><td>龍
后 合 九
壬 輔 丙
生 己
迫</td><td>白
河 虎 天
空 戊 沖 乙
明 丁 休 癸
絕 墓</td></tr>
</table>

工作

事業運暗暗回穩，同事提出的新建議不切實際，但不宜當面直斥，以免傷了和氣，應以圓滑的態度，暗示缺乏可行性。商務洽談在價錢細節方面拉鋸不下。切勿貪圖一時利益，應盡量配合對方要求，為日後帶來更多合作的機會。

感情

單身者本月桃花回歸，魅力四射，異性驚為天人。把握良機，活躍於社交生活，並可嘗試參與公益活動，自會遇到條件優秀對象。切忌太過收起自己，令緣份溜走。生活上出現一些變化，令感情關係更牢固，彼此認定對方為終身伴侶。

錢財

財運暗湧，不要礙於情面，金錢上不必要的借貸還是婉拒為好，以免最後因錢銀瓜葛而破壞了彼此多年的友誼，何況個人現時的財務狀況也危機四伏，不容忽視。投資意欲低，沒有任何心水項目。暫時不宜作任何投資，免得下錯決定，導致損失。

健康

肩頸、脊背經常疼痛和麻痺，主要因肌肉勞損所致，與椎骨無關。不用太擔心，多做拉筋運動便好。

流月運程
農曆七月
（西曆八月七日至九月六日）

運勢

「生門」逢「六合」，本月運勢反彈，精神為之一振，做事得心應手，令人有如釋重負感覺。不過，本月有「小病是福」之象，要加緊預防流感、鼻敏感等問題，勤做運動，是最有效的防患未然方法。

工作

工作運轉順，本月有很多新的點子和靈感湧現，令你衝破工作框架，更能展示個人的領導才能。在本年餘下的時間，努力不懈地做好自己份內事。調節好自己的心理狀態和情緒，靜待運勢逆轉上揚，另謀能夠發揮所長的高就。

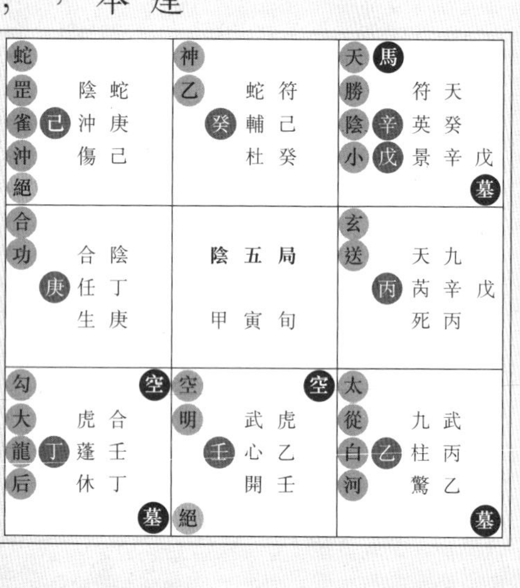

感情

單身者對身邊異性有如「走馬看花燈」。雖然不乏結交新朋友的機會，但總是碰不上能進一步交心的對象。不妨認真地了解對方內在美，不應單憑直覺和外觀去判斷他人。

錢財

財運波動，投資稍稍有進賬，但要提防財源有損耗之凶象，皆因應酬耍樂、旅遊消費多多，瑣碎無謂的支出無法預料，應維持儲蓄，才能保本。

健康

本月呼吸系統比較敏感，容易出毛病，如咳嗽、呼吸短促和哮喘等。應每天作適量的帶氧運動，加强肺部功能。抽空到郊外呼吸新鮮空氣，曬曬太陽也是不錯的選擇。

流月運程

農曆八月

（西曆九月七日至十月七日）

運勢

「開門」逢「天后」，運勢繼續向好，心情明顯好轉，本月宜將焦點放在加強人脈之上，盡可能選擇面對面的交流方式，不要只在手機應用程式或網絡社交平台溝通，多約朋友外出，才可令人際關係，得以加固。

雀 沖 陰 合 蛇 丁 英 丙 功 生 辛 害 刑 墓	合 罡 蛇 陰 乙 芮 癸 庚 傷 丙	勾 馬 乙 符 蛇 龍 壬 柱 戊 勝 杜 癸 庚 絕 迫 墓
神 大 合 虎 己 輔 辛 休 壬	陰 七 局 甲 子 旬	空 小 天 符 辛 心 己 景 戊 刑 迫
天 后 虎 武 陰 戊 沖 壬 明 開 乙	玄 河 武 九 癸 任 乙 庚 驚 丁	白 空 送 九 天 太 丙 蓬 丁 從 死 己

工作

事業運好轉，上司不再諸多挑剔，阿諛奉承的同僚漸漸受到控制，令你感到地位不再受到威脅。「真金不怕洪爐火」，庸弱無能者自然會被淘汰，因而激勵鬥志，作出更佳的表現。

感情

桃花運不過不失，雖然結識到一些單身對象，但總是不投緣。宜身體力行，多參與公益慈善活動，一來為自己積福積德，化解口舌小人，增強個人整體運勢，提升氣場，也可趁機會認識不同層面的異性。

錢財

本月有錢財耗損之象，不宜與人涉及金錢上的利益，切忌對親戚或朋友心軟，輕易借錢。借出的錢財既難討回，最終也會因財失義，彼此反目。工資不變或只有微升，遠遠追不上通脹。每月要想盡辦法節省日常開支，生活艱難。

健康

在空氣質素健康指數偏低的日子，以及天氣轉變時，更會因氣管敏感而引致咳嗽，需要長時間治理，帶來莫大困擾。

流月運程
農曆九月
（西曆十月八日至十一月六日）

運勢

「天任星」逢「地盤白虎」，運勢一般，人亦有點暮氣沉沉，就算竭盡所能去將計劃完成，進度依然不似預期，並不時碰灰，令人心灰意冷，千萬別半途而廢，否則永遠也取不到成就。本月多去郊遊或來一趟短程旅遊，可增加正能量，幫助運勢由逆轉正。

雀 功 陰 九 蛇 戊 心 辛 大 休 癸 刑 墓	合 沖 蛇 武 丙 蓬 乙 壬 生 戊	勾 馬 空 罡 符 虎 龍 庚 任 己 乙 傷 丙 壬 害 刑 迫 刑 墓
神 后 合 天 癸 柱 庚 開 丁 絕 迫	陰 九 局 甲 戌 旬	空 空 勝 天 合 辛 沖 丁 杜 庚
天 明 虎 符 陰 丁 芮 丙 壬 河 驚 己 害 刑 絕 墓	玄 從 武 蛇 己 英 戊 死 乙 迫	白 小 九 陰 太 乙 輔 癸 送 景 辛 絕 迫

工作

事業運偏弱，本月工作阻滯困頓，裹足難前，處於下風，容易意志消沉，更有感懷才不遇之歎，一度喪失鬥志。機會只會留給有準備的人，即使當下不獲認同，不受器重，仍然要保持工作動力，檢討自己有何缺點和不足之處，待運勢轉好時，自有一展所長的新出路。

感情

桃花運下滑，單身已久者，為自己的感情事而極為焦慮，下定決心尋找真愛。本月桃花不旺，不要給自己太大壓力，要以平常心對待，不妨參與慈善公益活動，去用愛平靜自己心靈，或許有機會遇上心地善良的理想對象。

錢財

「財來財去」之象，投資宜以穩健策略取勝，不宜作多項投資。應謹慎理財。朋友以不同方式招攬合夥做生意，敬請婉拒，因難以在短期回本，也有機會因錢財而有所爭執。

健康

多吃蔬果，減少攝取動物性脂肪、內臟及過多蛋黃。三餐不宜過飽，約七、八分就最適合，否則有機會形成冠狀動脈心臟病，破壞健康。

流月運程

農曆十月

（西曆十一月七日至十二月五日）

運勢

「玄武」逢「河魁」，運勢驟明驟暗，受外在因素影響，進行中的計劃被迫延遲，心煩氣躁亦無補於事，應以冷靜態度加緊部署，保持戰鬥力，待時機再來才可一擊即中，收復失地。

蛇 大 合 武 神 庚 芮 戊 丁 后 驚 丙 絕 迫	雀 功 陰 虎 戊 柱 壬 丁 開 庚	合 馬 空 沖 蛇 合 勾 壬 心 癸 罡 休 戊 丁 刑 墓
天 明 虎 九 丙 英 庚 死 乙 刑	**陰** 二 **局** 甲 戌 旬	龍 空 乙 符 陰 癸 蓬 己 生 壬 害 刑
陰 河 武 天 玄 乙 輔 丙 從 景 辛 害 絕	太 送 九 符 辛 沖 乙 杜 己 絕	空 勝 天 蛇 白 己 任 辛 小 傷 癸 絕

工作

事業運多波折，本月工作受煩惱事滋擾，人際關係欠佳，口舌是非不斷。雖得到老闆信任，也要注意與同事間相處之道。多與同事融和溝通，減少不必要誤會，為自己添一點助力。須防是非風波，避免得罪小人，凡事多忍讓，萬事以和為貴。

感情

夫妻或情侶容易產生衝突，經常因小事爭吵，主要因為工務繁忙，無暇陪伴，令配偶感到不被重視，自己卻覺得對方不懂得體諒和支持。只要多作溝通，小小風波會令感情更牢固。

錢財

財運起伏不定，投資時信心不足，舉棋不定，容易出現耗損。如沒大大把握，勿胡亂買賣，以免招來無謂損失，後悔莫及。本月不是賭博的時候，有意置業者，應好好儲蓄正財，為日後留下充裕資金。

健康

放縱吃喝玩樂，宵夜飯局不斷，令你體重大增。這般大吃大喝，致令腸胃肝腎難以負荷，甚至機能受損。

流月運程

農曆十一月

（西曆十二月六日至一月四日）

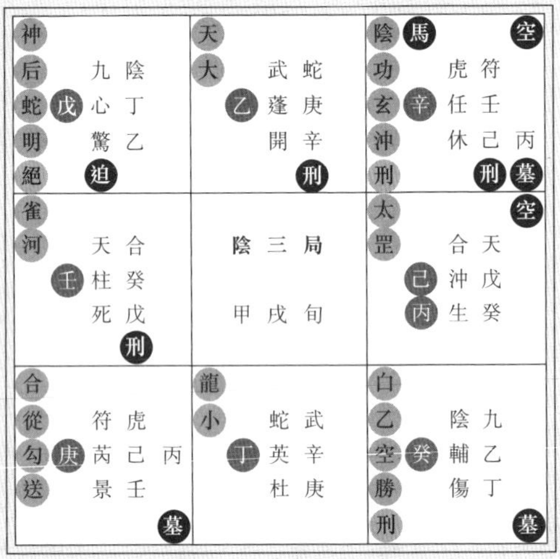

陰丁乙 九心驚迫 戊 神后蛇明絕	蛇庚辛刑 武蓬開 乙 天大	空丙墓 符壬己刑 虎任休 馬辛 陰功玄沖刑
合癸戊刑 天柱死 壬 雀河	局旬 三戊 陰甲	空 天戊癸 合沖生 己丙 太罡
丙墓 虎己壬 符芮景 庚 合從勾送	武辛庚 蛇英杜 丁 龍小	墓 九乙丁 陰輔傷 癸 白乙空勝刑

運勢

「天蓬星」逢「大吉」，本月運勢有「欣欣向榮」之象，創新點子特別多，別錯失時機，盡力將創意付諸實行，將令人有意外驚喜。不過，由於本月的貴人運只屬一般，所以實現計劃時，不宜急進，以減低失敗風險。

工作

事業運平平，沒有什麼大機會發揮，工作上雖然沒有大的阻滯，但不斷重複刻板工作，早已令人感到十分苦悶生厭。

感情

本月單身女士與比自己年輕的男士甚為投緣。有男士雖然見識不及自己，但是對你關懷備至、隨傳隨到。只可惜閣下只衡量各種經濟條件因素，最終也無法交往。單身男士繼續單身，因為你所追求的女神，並不存在這世代。

錢財

財運無起跌，一直以來安份守己，一如以往，在求財上沒有什麼野心和計劃，雖然難有大財進賬，卻能夠活得輕鬆自在和安穩。不宜與朋友合作任何生意，否則金錢必有耗損。

健康

本月受朋友或家人傷風感染，可能會持續發燒，宜多喝水。在公共場合共餐時，應特別注意衛生，減輕感染可能。

流月運程

農曆十二月

（西曆一月五日至二月二日）

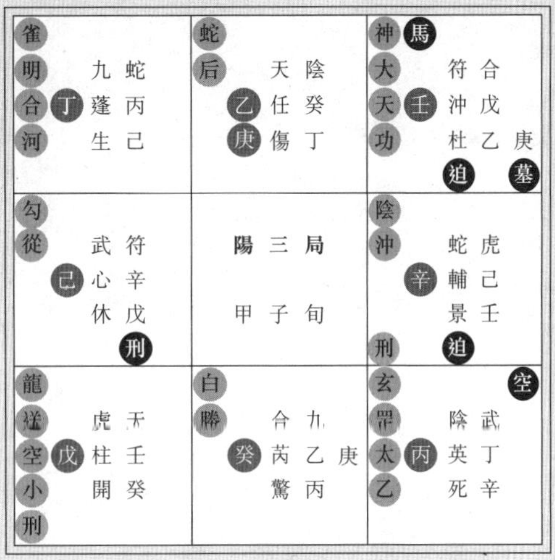

運勢

「天柱星」逢「青龍」，運程持續上升，在氣勢較好的時候，思路變得清晰，宜把握時機，對要實踐的計劃作出周全部署，再循序漸進，慢慢實行。本月整體運勢雖佳，仍會因為一些瑣事而感到困惑，謹記要有耐性，別亂走捷徑。

雀 明 九 蛇 合 丁 蓬 丙 河 生 己	蛇 后 天 陰 乙 任 癸 庚 傷 丁	神 馬 大 符 合 天 壬 沖 戊 功 杜 乙 庚 迫 墓
勾 從 武 符 己 心 辛 休 戊 刑	陽 三 局 甲 子 旬	陰 沖 蛇 虎 辛 輔 己 景 壬 刑 迫
龍 逆 虎 天 空 戊 柱 壬 小 開 癸 刑	白 睇 合 九 癸 芮 乙 庚 驚 丙	玄 空 罡 陰 武 太 丙 英 丁 乙 死 辛

工作

事業運加強，同事遇上困難，令計劃進度延誤，自己鼎力相助，同僚大感意外，無言感激。雖然加重了工作，但守望相助至為重要，難保自己也有需要幫助的時候，何不做個順水人情。

感情

單身者桃花運轉強，本月有異性主動接近，但多數是不合心意或有其他意圖，切勿因一時就手或抵不住寂寞，而去發展進一步關係，否則會有被死纏爛打的惡果。夫妻經常因日常金錢分配或消費而爭吵。錢財是身外物，勿因財失感情。

錢財

財運一般，儘管投資前做足功課，本月也難有斬獲。緊記不要盲目相信金融貼士或身邊的小道消息。以客觀態度自行分析市場走勢，瞭解風險後，才作決定。只宜小注怡情。

健康

情緒不穩定，時高時低，只因凡事要求太高，注重得失。可緩步跑、游泳、做瑜伽、打太極、打坐、冥想等，紓緩情緒。

十二生肖龍年運程

肖羊者出生時間（以西曆計算）

癸未年二〇〇三年二月四日十四時六分至二〇〇四年二月四日十七時五十六分

辛未年一九九一年二月四日十六時九分至一九九二年二月四日二十一時四十八分

己未年一九七九年二月四日十八時十三分至一九八〇年二月五日零時九分

丁未年一九六七年二月四日二十時三十一分至一九六八年二月五日二時七分

乙未年一九五五年二月四日二十二時十八分至一九五六年二月五日四時十二分

癸未年一九四三年二月五日零時四十二分至一九四四年二月五日六時二十二分

辛未年一九三一年二月五日二時四十一分至一九三二年二月五日八時二十九分

己未年一九一九年二月五日四時四十六分至一九二〇年二月五日十時十二分

肖羊開運錦囊

增運顏色：黑色、紅色

增運飾物：直條圖案或飾物

符丁戊 武蓬生 癸 馬 合從勾送	蛇壬癸 九任傷 丙己 雀河	己墓 陰乙丙刑 天沖杜迫 辛 蛇明神后絕
天庚乙 虎心休 戊 龍小	局旬 四子 陽甲	合戊辛 符輔景迫 庚 天大
九辛壬 合杜開 乙 空勝白乙刑	己 武丙丁 陰芮驚 壬 太罡	空 虎癸庚 蛇英死 丁 陰功玄沖刑

運勢

龍年運程走勢平平穩穩，「天柱星」逢「天空」，整體而言，各方面也不會出現豐收之象。不過，雖無大吉，亦無大凶。

今年想成為贏家，便要採取中庸之道：莫過於積極進取，亦不能墨守成規。只顧一味向前衝刺的話，將會令自己變成無頭蒼蠅，亂衝亂撞，反而得不償失。可是，太過被動，則會原地踏步，錯失良機。故此，不徐不疾，按照個人能力，循序漸進向前走，是為最合適的方案。

這一年是肖羊之人的「自我提升之年」，文昌運暢旺，專注力、記憶力也勝從前。不論任何年齡的羊男羊女，也宜透過學習，令自己昇華。

在現今的網絡時代，即使足不出戶，也有海量知識可以接收，故應善用科技，令自己與知識型社會同步而行，才是明智之舉。

學習是探索自我、建立自身價值的主要渠道之一，因此不僅在「自我提升之年」要加緊進修，往後也應培養出終身學習的好習慣。

除了「好學」，肖羊者今年亦要將「毅力」和「恆心」好好留在身邊，讓它們成為你推心置腹的摯友，並且與「三分鐘熱度」解除關係，運勢自會愈走愈順。

工作

今年整體的事業運穩步向前，「景門門迫」

格局為「青龍折足，逢吉門有生助，尚可謀事，若逢凶門主招災失財，足疾折傷。」意味著事業雖不過不失，但因公司策略有變，調動缺乏彈性，因而浪費了員工不少時間與心力。

主管級別的肖羊者，夾在老闆和下屬之間，更是左右為難，以致工作期間，不時出現「塞車」狀況。

當工作進程遇上「交通阻塞」，應對方法還是耐心等待，因今年只要情緒商數夠高，在職場上的人緣運便可日升日日升。

由於今年是肖羊者的「自我提升之年」，如有轉職意圖，就要把握時間，努力進修。因即使你對目前的工作有多熱血，卻並不代表你對之擅長，空有熱情而不加以磨鍊，不去多吸收新的專業知識，依然是無法引領自己走向更遠大的職涯路向。

所以，不論踏入任何事業階段的羊人，「學習」是今年相當重要的關鍵詞。

今年略欠貴人運，從事服務行業的肖羊者，尤其物管、客服、零售界別，會較易受客戶挑剔。因此平時在細節上宜多下工夫，讓顧客感受到服務有溫度的話，就可避免問題爆發。

感情

龍年桃花運暗湧頻生，「驚門」逢「天罡」，意味桃花與你若即若離，令致期待脫單的肖羊者，苦惱不已。

對婚姻有太多完美遐想的羊男羊女，今年受「河魁」臨「白虎」氣場帶動，擇偶要求更高更多，因此即使本身的條件不錯，卻仍要在感情路上，孤身踱步。

若想盡早遇到合適對象，除了擴大社交圈，並應精簡那份擇偶清單，調校一下過分完美主義的思維。假如抱持太多先入為主的觀念，仍未開始交往，便認為對方是這樣是那樣，只會桎梏脫單機會。那些樣貌、身高、學歷、家境等一連串的「招親」條件，如果變成牢不可破的「規定」，恐怕只有AI人工智能才可與你匹配。

今年是肖羊者的「自我提升之年」，透過進修，不僅可增加學識，並會有緣遇上志趣相投的那個他╲她。因此龍年宜多撥時間，參與不同課程。

已有固定對象的肖羊者，龍年容易因一些微細瑣事，與另一半出現磨擦。在拗得面紅耳赤時，與其各執己見，令問題更僵，不如給大家一點私人空間，待冷靜過後，再作檢討，是否溝通技巧有需要修正、改善一下。很多時情侶或夫妻之間的執拗，都只不過是說話技巧有問題，因而引致不必要的誤會。

錢財

肖羊者今年財運停滯不前，「玄武」逢「傳送」，意味有財來財去之象，小心龍年會成為「月光族」，經常入不敷支。

透過投資，小額毛利也會輕鬆獲取，可惜在短時間內再追加支本，運勢一轉，又連本帶利一併虧損，尤其投資新手，最易出現上述情況，皆因一向性子急的肖羊之人，一心要賺快錢，於是跟著達人去入市，但往往賺得快時賠也快。

世上沒有一夜致富的捷徑，不想焦頭爛額，就要跟「投機」說不。採取穩健的方式理財，賺取合理回報，則無論財運高低起伏，也不怕賠光本錢了。可趁龍年「自我提升之年」，在自己身上作長線投資，如花更多金錢時間在加強身體健康、保健、知識技能、課程學習，會有確實的長遠回報。

「〇〇後」年輕羊人，別自以為「年輕就是本錢」，於是豁出去消費。花錢有道，養成儲蓄習慣，是人生規劃的重要一環。尤其龍年財運一般，應預留一定應急錢，萬一收入有任何變動，亦不至於手忙腳亂，甚至問人借貸。

從商的肖羊者，受外圍大環境制肘，加上營運成本上漲，今年將感到相當吃力，有一種難以衝出重圍之無奈感覺。經營傳統服務行業的羊老闆，例如餐飲業，更會因紅海競爭愈來愈大，顧客用膳習慣改變，而遭到連番挫折。

想化解問題，要先將內部風險減至最低，重點之一是跟員工保持良好溝通，加強彼此的協作動力。謹記員工體驗做得不好，將直接影響顧客體驗，這是肖羊管理者在龍年必須瞄準的焦點。

健康

今年「休門」臨格局為「太白蓬星」，表示健康方面的主要痛點，是不時腰痠背痛，感覺疲倦，因而在工作時也難以聚精會神。這其實是龍年腎系統偏弱所累，嚴重者，甚至聽力也受影響。故此，肖羊之人在今年要加緊養腎，避免腎變虛而引發連串問題。

要保養腎臟，首先是管理情緒，令自己有優質睡眠。故此，肖羊者今年無論是因為目標在一時三刻未能達到，抑或因他人的評價而情緒低落，也要跟自己講：「明天的我會比今天更好。」唯有保持正向思維，凡事別過分執著，才可以防範負面情緒干擾日常生活。不設法整頓情緒，任由壓力囤積，身體各機能的健康指數，便會應聲下跌。

此外，由於「腎主骨」，所以肖羊者在龍年亦要多關心骨骼、牙齒狀況，尤其年過五十的肖羊熟女，宜多補充鈣、維他命C及D。

平時最好「以步代車」，有足夠的步行，以及做一些負重運動，這對強化身體的脈輪，非常有效。

今年並需提防病從「口」入，最好進行兩次牙齒檢查，因萬一出現牙周病而處理不善的話，細菌有可能危及心血管，影響可以很大。

健美修身催運小貼士：重點加強訓練腹、背。

重點加強訓練腹部並增強核心肌群，先由基礎動作平板支撐（Plank）開始，另外可以做側平板支撐（Side Plank），改善身體平衡感。

訓練背部運動，在家可以做掌上壓（Push Up），在健身房可以做滑輪下拉（Lats Pull down），強化背部，矯正駝背、緩解背痛。

*健美運動強度及次數因人而異，詳情請向專業健身教練咨詢。

乙未年 二〇一五年

今年是羊兒「自我提升」之年，意味吸收知識能力強、專注力佳，此外，與同學的關係也融洽，所以是愉快學習之一年。

家長只要多花點時間在親子方面，學習狀態可望進一步提升。這個年紀的孩子雖仍是蹦蹦跳，卻已開始有評價事情之能力，所以宜加強溝通，助他們培養正向人生態度。

癸未年 二〇〇三年

兔流年財運不如理想，於是希望透過投資，改變「錢」景，但亦不宜盡信「高風險才有高回報」的論調，因在好些情況下，風險會遠超於潛在回報，尤其肖羊者今年的錢財運偏弱，更要步步為營，別為了貪圖賺快錢，得不償失。

這一年宜做好儲蓄計劃，戒掉提前消費習慣，以備不時之需。

辛未年 一九九一年

期待過脫單生活的羊男女，再不將那份「選秀」清單合理化的話，今年恐怕仍會跟緣分擦肩而過。

已有固定對象的，與另一半溝通時，謹記「聽」比「說」重要，各執一詞，並非有效溝通方式。萬一出現執拗，也別說一些偏激字眼，甚至使用粗言穢語，這只會對關係造成傷害，甚至留下傷痕。

己未年 一九七九年

工作方面，今年運勢不過不失，但從事「以人為本」行業的肖羊之人，壓力將會較大，不時會遇上變臉顧客。就算感到無辜，也不要跟客人爭對錯，願意讓步，才可以海闊天空。由於今年是肖羊者的「自我提升」之年，代表學習新技能時，較為得心應手，故應趁機儲備「才」富，為轉職以至轉型鋪路。

丁未年 一九六七年

想利用投資獲利的話，在財運不太順遂之一年，要特別謹慎。大額投資、以碰運氣心態入市等舉動，絕不適宜。萬一投資失利，千萬別為了「返本」，而將更多資金投放在同一投資產品上。畢竟現階段已逐步走向退休日子，想他日可以財務自由，在投資、儲蓄、消費各方面也要有度。

乙未年 一九五五年

今年要注意腎臟健康，飲水時不要待口乾才去喝，應定時補充水分，另外，汽水、冰冷飲料亦應避免。可按照五行學說的「黑色入腎」原理，斟酌食用黑色食物，例如黑芝麻、黑豆、黑木耳等。由於「腎主骨」，所以肖羊者，特別是女性，今年宜多補充鈣質，以及養成運動習慣，來強化骨骼健康。

流月運程
農曆一月
（西曆二月四日至三月四日）

運勢

「天芮星」逢「九地」，運勢平穩，不過不失；糾纏了好一段時間的問題，仍未有完全解決跡象，以致心情忐忑不安。但只要撫心自問，已全力以赴，即使問題仍有待解決，也無愧於心。本月得「天芮星」助力，對解難將有多一點眉目。

勾 馬 從 合 虎 龍 壬 沖 丙 送 杜 乙 刑	合 河 虎 武 丁 輔 乙 戊 景 壬	雀 空 明 武 九 蛇 庚 英 壬 后 死 丁 戊
空 小 陰 合 乙 任 辛 傷 丙 刑	陽 五 局 甲 戌 旬	神 空 大 九 天 己 芮 丁 戊 驚 庚
白 勝 蛇 陰 太 丙 蓬 癸 乙 生 辛	玄 罡 符 蛇 辛 心 己 休 癸	天 功 天 符 陰 癸 柱 庚 沖 開 己

工作

事業運下降，本月工作上接觸到一些新範疇，手頭上的事務又出現阻滯，令你精神緊張，無法冷靜同時處理各項目。注意所有壓力全因個人的好勝心強，事事跟別人比較，才會出現這些阻礙。別太介意別人看法，反會令自己陷入困擾當中，影響工作心情和成效。

感情

桃花運偏弱，宜除舊立新，給自己新的開始。不妨抽時間參加興趣小組或業餘進修課程，既能提升自我價值，也能藉此尋覓性格相近、志同道合的異性，說不定天賜良緣，有機會進一步發展感情。

錢財

財運幾番暗湧，想短期賺取可觀利潤，可惜市場波動，投機變成「交學費」。切勿向銀行借款作投資本金，以免血本無歸。從商者，因成本大增而感到困擾，流動資金變得緊絀。緊記開源節流，減低開支，令公司營運回復暢順。

健康

腰腎偏弱，腎虛會導致血液循環出現問題，引致尿頻、腰酸背痛、感覺疲乏、耳鳴、腳腫等情況，嚴重者可能會有腎結石、腎炎等，所以龍年要好好看顧腎臟健康。

流月運程
農曆二月
（西曆三月五日至四月三日）

運勢

「太乙」逢「太常」臨「空亡」，本月運勢一般。經過一輪反思，終於覺醒，做事如果過於被動，目標定得太高太遠的話，只會吃力不討好。一年之計在於春，趁「自我提升之年」，答應自己要坐言起行，積極自我提升，將可穩定運勢。

天乙戊 九沖傷 馬 戊 龍送空小刑	符戊癸 天輔杜 癸 勾從	己 蛇癸丙 符英景 丙 己 合河雀明 刑 墓
九壬乙 武任生 乙 白勝	陽四局 甲寅旬	己 陰丙辛 蛇芮死 辛 蛇后
空 武丁壬 虎蓬休 壬 太乙玄罡 墓	空 虎庚丁 合心開 丁 陰沖	合辛庚 陰柱驚 庚 神大天功

工作

事業運欠佳，容易因為經驗不足，導致錯失。無需太過介懷，今年是「自我提升之年」，「經一事長一智」，吸取了這次寶貴經驗，改善了缺點，便能加強自己辦事能力和應變技巧，往後處理工作難題更有把握，運勢自然增強

感情

感情運勢平滯，要格外留神，感情會受到考驗。夫妻或情侶之間經常因待人處事出現爭執，或因價值觀有分歧而產生隔閡，影響彼此間和諧。宜平心靜氣去解決問題，否則磨擦越來越多，導致關係越來越差，甚至感情破裂。

錢財

財運無起跌，投資先弱後強，受市場波動所影響，先有輕微損失，但運勢後來居上，賺回所失的本錢，最終無大上落。從商者因租金大幅度增加而困擾，流動資金周轉不靈，設法減低各項開支，令公司營運更順遂。

健康

由於「腎主骨」，腎可養骨骼，不想腰椎及骨盆部位出現損傷，平時必須養成好習慣，保持坐立姿勢正確，並選用硬度適中的床墊，及早預防問題。

流月運程

農曆三月

（西曆四月四日至五月四日）

運勢

「天英星」

逢「開門」，運勢有上升跡象，但由於好勢頭仍處於「熱身」階段，即使腦內有海量的新主意，希望盡快實踐，也勿操之過急，因當時機尚未成熟而倉卒行動的話，只會適得其反，浪費心力，達不到預期效果。

馬 龍 小 空 勝 戊 合 武 任 己 景 丁	勾 送 乙 虎 九 沖 癸 死 庚	合 從 雀 河 辛 武 天 輔 丁 輔 壬 丙
白 乙 刑 壬 丙 陰 虎 蓬 辛 杜 癸	陽 七 局 甲 子 旬	蛇 明 己 九 符 英 庚 開 戊
太 罡 玄 沖 刑 庚 蛇 合 心 乙 傷 己 迫 墓	陰 功 丁 符 陰 杜 戊 生 辛 迫	空 神 后 天 大 絕 癸 天 蛇 芮 壬 丙 休 乙 墓

工作

事業運不穩定，工作出現較大變動，內憂外患，主要是管理層變動，直屬上司或會調職，自己需要時間適應新團隊。由於不適應新管理模式，感到心煩不滿。保持耐性克服困難持冷靜思考，處理好份內事，便可平安度本年。

感情

桃花運停滯不前。注意眼角太高，追尋的是一個超現實之完美對象，如果不調節一下過高的擇偶要求，終日將自己困在不切實際的愛情童話之中，只會誤了結識真愛機會。最後終日嗟怨，只不過蹉跎歲月。單身者趁「自我提升之年」參與進修課程或興趣班，大有可能遇上志趣相投的有緣人，且能自我增值，一舉兩得。

錢財

財運荊棘滿途，投資回報，只會偶爾取得小額毛利，但瞬間運程逆轉，又會出現虧損，連本帶利一鋪清袋。今年只宜的小額投資，當作是「交學費」，小試牛刀，鍛鍊一下對市況的分析力，熟習一下投資環境。

健康

生活忙碌，缺乏休息及運動，日積月累，有機會患上腰背疼痛、坐骨神經痛、脊椎酸痛等常見的痛症。如腰酸背痛、麻痺、精神欠佳，也可能是腎結石、腎炎等病患，不容輕視。

流月運程
農曆四月
（西曆五月五日至六月四日）

運勢

「休門」逢「河魁」，在春夏交替之月份，運勢將現虛象，年初的滯運會延續至這個月，令你心情沉鬱。嘔心瀝血經營的計劃，進展緩慢，無計可施。與其強求，不如乘文昌大旺，先行增值自己，再捲土重來。

空 馬 · 勝 九 陰 龍 戊 心 丙 乙 死 癸 害 刑 刑	白 小 天 合 壬 蓬 庚 驚 己	太 送 符 虎 玄 癸 任 戊 從 開 辛 丁 絕 墓
勾 罡 武 蛇 庚 柱 乙 景 壬 刑	陽 八 局 甲 子 旬	陰 河 蛇 武 己 沖 壬 休 乙 害 絕
合 沖 虎 符 雀 丙 芮 辛 丁 功 杜 戊 迫 墓	蛇 大 合 天 乙 英 己 傷 庚	天 空 明 陰 九 神 辛 輔 癸 后 丁 生 丙 刑 絕 墓

工作

事業運波動不穩，本月公司為控制營運成本，而銳意推出改革方案，可是不切實際的革新內容，不僅毫無成效，更讓員工的工作百上加斤，使你身心俱疲。遇上客戶無理對待，無法清楚對方的要求，可幸影響不大，可嘗試找其他同事接手，官運自能穩定下來。

感情

單身者桃花大大減弱，擇偶條件太高，難以遇到心儀的對象；即使勉強找個對象，也只是一廂情願。向對方大獻殷勤只會無動於衷，不要浪費心機，專心工作為上。情侶或夫妻經常因彼此的壞習慣而爭吵。請嘗試遷就對方，和盡量改善不足之處，以免傷了感情。

錢財

偏財運頗多暗湧，應安守本份，勿作慣性投資。預備一筆額外開銷，報讀各項興趣課程，或花費在自學教材方面。對自己前途的長遠投資，「小財不出，大財不入」。

健康

腎部功能偏弱，精氣不足，容易出現尿頻、遺尿及夜尿等問題，更可能伴隨腰痠背痛。睡眠質素差，失眠和情緒低落。

流月運程
農曆五月
（西曆六月五日至七月五日）

運勢

「驚門」逢「天沖星」，運程雖勝從前，卻仍驟明驟暗，充滿變數以至危機。好些事明明終點在望，卻突然枝節橫生，使人手足無措。本月要提醒自己：保持冷靜，不慌不忙，適時變通，自可順利度過困境。

馬 勾 武 蛇 乙 戊 心 壬 合 杜 庚 罡 害 絕 刑 墓	龍 勝 九 陰 癸 蓬 乙 景 丙	空 空 天 合 小 丙 任 丁 白 己 死 戊 辛 送 刑
雀 沖 虎 符 乙 柱 癸 傷 己	陽 二 局 甲 戊 旬	空 太 從 符 虎 辛 沖 己 驚 癸
蛇 功 合 天 神 壬 芮 戊 辛 大 生 丁 害 刑 墓	天 后 陰 九 丁 英 丙 休 乙	玄 河 蛇 武 陰 庚 輔 庚 明 開 壬

工作

事業運回升，工作流程減少困阻，但仍然存一些枝節問題。務須加倍留神去複核文件，發現錯漏百出。可向長輩學習取經，有助開發思維，以解決工作上難題。本月四處出外公幹，身心非常疲倦。敬業樂業，歇盡所能，成為員工榜樣。

感情

夫妻或情侶頻頻吵架，對方經常因小事大發雷霆，心情有如天氣，變化莫測。嘗試遷就，對方卻得寸進尺。不必太擔憂，雙方關係不致持續惡化。單身者注意，緣份雖然講求機遇，但也不要經常活在太離地的夢想境界內，列出一大堆不切實際的擇偶條件。

錢財

財運好轉，可嘗試接受之前的合作夥伴來助己一臂之力，只要小心提防那些華而不實的傢伙，要發展的求財計劃便越來越順利。計劃創業者，本月不是開業良機，旺季也無大幫助。

健康

本月恢復精神，但腰背肩部仍然較弱，容易因長期不正確的坐姿、工作勞損等，引起脊椎問題。可找脊醫治療。

流月運程
農曆六月
（西曆七月六日至八月六日）

運勢

「杜門」逢「白虎」，將面對連串不順心的事情，情緒因而不穩，為免下錯決定，處事切忌急進，並要提防小人。本月文昌當旺，是吸取新知識的好時機。初踏足職場的新鮮人，小人被人利用，甚至受騙。

蛇 馬 罡 虎 九 雀 癸 芮 己 丙 沖 開 乙 絕 迫	神 乙 合 武 戊 柱 癸 休 辛 迫 刑	天 勝 陰 虎 陰 丙 心 丁 小 壬 生 己 丙 刑
合 空 功 武 天 丁 英 辛 驚 戊 迫 刑	陰 三 局 甲 辰 旬	玄 送 蛇 合 庚 蓬 庚 傷 癸
勾 空 人 九 符 龍 己 輔 乙 后 死 壬	空 明 天 蛇 乙 沖 戊 景 庚 絕	太 從 符 陰 白 辛 任 壬 河 杜 丁

工作

事業運減弱，工作遇上困難，籌備已久的方案錯漏百出，需要重新整理和修改。擔心客戶擱置投資，流言蜚語滿佈公司。幸好終於得到公司信任，令你專心工作，挽回大局。本月文昌旺盛，吸收到的新知識，啟發到不少的靈感。

感情

單身者難尋獲真愛，意中人始終若即若離，對你不是認真；求覓對象，請降低要求。夫妻關係亮起紅燈，配偶諸多不滿。自己已嘗試多加遷就，對方卻「得寸進呎」。儘管對方有錯在先，卻「惡人先告狀」，令你苦不堪言。大家心平氣和討論後，了解問題所在，風波平息後，感情更進一步。

錢財

財運不穩，一些曾令你十足信心的投資對象，如大型基建、航運貨運等，竟令你大失所望。儘管費盡心思精心部署，希望扭轉劣勢，轉虧為盈，仍是不得要領，無功而還。

健康

本月工作壓力沉重，引發各種情緒病，如躁狂、憂鬱、焦慮等等，而引致失眠、胃痛、脫髮等病徵。

流月運程
農曆七月
（西曆八月七日至九月六日）

運勢

「天任星」逢「小吉」，本月運程走勢偏穩，之前付出的努力，終見成果，然而，勿一朝得志，變得驕傲，忽略了成功的關鍵，是在於「將努力成為習慣」，而非一曝十寒，做事必須貫徹始終，才可取得更大成就。

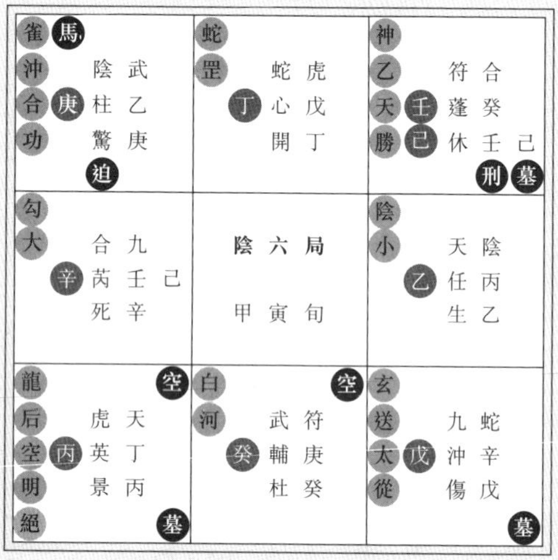

雀 沖 合 功 馬 庚 迫 陰 武 柱 乙 驚 庚	蛇 罡 丁 蛇 虎 心 戊 開 丁	神 乙 天 勝 壬 己 符 合 蓬 癸 休 壬 己 刑 墓
勾 大 辛 合 九 芮 壬 己 死 辛	陰 六 局 甲 寅 旬	陰 小 乙 天 陰 任 丙 生 乙
龍 后 空 明 絕 丙 空 虎 天 英 丁 景 丙 墓	白 河 癸 空 武 符 輔 庚 杜 癸	玄 送 太 從 戊 九 蛇 沖 辛 傷 戊 墓

工作

事業運停滯，公司制度混亂，上司質疑自己工作能力。以不變應萬變是亂中求勝之道，同事的閒言閒語可一笑置之。面對困境時，要從容不迫，沉著應變，因每一個經歷，尤其是逆境，都是一次學習機遇，是個人成長的寶貴一課。

感情

單身者人緣改善，但自己的擇偶條件太高，難以遇到心儀的對象，或錯過懂得欣賞的人。愛人對你忽冷忽熱，令你猜不透對方心意。正想放棄之際，對方又會熱情如故，不妨尋找共同努力的目標，例如一起做運動強身健體，可以加深彼此感情。

錢財

財運較遜，不宜創業；危機重重，難以收支平衡，長期無法回本。從商者受到大幅加租困擾，流動資金緊絀，難於應付。緊記開源節流，設法減低各項開支，公司營運才能回復暢順。

健康

調節日常飲食，是最直接有效的保健方法，減少進食高鹽食品、加工食物、化學添加食物，以及調味料等。宜食用對腎臟功能有益食物。

流月運程
農曆八月
（西曆九月七日至十月七日）

運勢

「生門門迫」逢「玄武」，本月運程停滯不前，不見起色，所有計劃的進展，也處於膠著狀態，令人不知進退。所謂「勉強無幸福」，執意將計劃勉強完成的話，只會徒勞無功，不如養精蓄銳，才可一擊即中。

蛇 馬 功 陰 九 神 丙 心 庚 大 景 壬 害 刑 刑 墓	雀 沖 蛇 武 戊 蓬 丙 死 乙	合 罡 符 虎 勾 癸 任 戊 乙 驚 丁 辛 害 絕 墓
天 后 合 天 庚 柱 己 杜 癸	陰 八 局 甲 子 旬	龍 勝 天 合 壬 沖 癸 開 己
陰 明 虎 符 玄 己 芮 丁 辛 河 傷 戊 迫 墓	太 從 武 蛇 丁 英 乙 辛 生 丙 迫	空 空 小 九 陰 白 乙 輔 壬 送 休 庚 刑

工作

事業運吉中藏凶，公司人手短缺，但內部營運比上月穩定，只要好好利用下屬長處，安排他們負責的事務，達到最佳效益，便能減少不少負擔。合作已久的舊客户遲遲未落實下季訂單，務須加強跟進，因有其他競爭對手出現，舊客户有可能大額削減訂單。

感情

桃花運遜色，反覆多變。單身者切忌執著於異性外表，或以自己喜愛的外型挑選對象。人無完美，不停比較是毫無意思，反會適得其反，令有心人感到沒趣，拂袖而去，致使錯失大好姻緣。

錢財

投資成績每況愈下，不要單憑靈感下注，只會招致無謂損失。偏財運薄弱，可謂逢賭必輸，不宜豪賭，小賭怡情則無礙。從商者需繳付大額行政支出，但不要擔心，往後定能取得應有回報。

健康

小病是福，本月受病星所纏，經常渾身不自在，精神不足，但無大礙。

流月運程

農曆九月

(西曆十月八日至十一月六日)

運勢

本月運勢一般，會現凶象，幸得「值符」之助，凡事化險為夷，但仍要小心，勿與人發生爭執，即使理虧的是對方，也要忍讓、包容，沈不住氣的話，將招來更多麻煩，破壞好氣場。

蛇丙丁 陰沖杜 馬己 蛇大神后絕	符丁己 蛇輔景 乙癸 雀功	空癸墓 天己乙 刑 符英死 辛 合沖勾罡刑
陰庚丙 合任傷 丁 天明刑	陰一局 甲戊旬	空癸 九乙辛 天芮驚 壬 龍乙害刑
合戊庚 虎蓬生 丙 陰河玄從 害絕刑墓	虎壬戊 武心休 庚 太送絕	武辛壬 九柱開 戊 空勝白小絕

工作

事業運有起有跌，公司不停變改人事架構，期望能找出適合的管理模式，致令公司士氣減弱，經過你一番進言，才能讓部門之間稍為團結，積極想辦法找出路。希能通力合作完成任務，好讓往後工作流程更順暢。

感情

桃花運起伏不定，單身者滿心歡喜能遇到合心意對象，加深了解後，才發現對方只視你為知心好友，能傾訴心事，令你大感失落。夫妻相處之道貴乎坦誠，彼此包容諒解，切忌有衝突時説話不留餘地，只會令感情出現裂痕。凡事也應平心靜氣去商討，尋求有效的解決辦法。

錢財

財運偏弱，宜採取較保守的投資策略，不妨考慮定期購入黃金保值，以抗通漲。減少不必要的使費，例如購買名牌物品或飾物。

健康

本月適宜多做伸展拉筋運動、柔軟體操、游泳、瑜珈、太極等，加強腰部功能，因腰部容易出意外，小心因拿重物或長時間坐姿不正確，而令脊椎骨、腰背等部位出問題。

流月運程

農曆十月

（西曆十一月七日至十二月五日）

陰　空 功　蛇　符 玄　癸　英　辛 沖　死　己　丙 刑　刑　墓	天 大　陰　蛇 己　輔　乙 丙　景　辛 刑	神　馬 后　合　陰 蛇　辛　沖　戊 明　杜　乙 絕
太　空 罡　符　天 丁　芮　己　丙 驚　癸	陰　三　局 甲　戌　旬	雀 河　虎　合 乙　任　壬 傷　戊 刑
白 乙　天　九 空　庚　柱　癸 勝　開　丁 刑	龍 小　九　武 壬　心　丁 休　庚	合 從　武　虎 勾　戊　蓬　庚 送　生　壬 刑　墓

運勢

「太沖」逢「死門」，運勢如風中飄絮，捉摸不定。即使處理簡單事情，也可能犯上低級錯誤。今個月要集中精神，並要有足夠休息時間，才可保持頭腦清醒，應付突如其來的考驗。

工作

事業運略帶反覆，公司管理層或上司會出現變動。新變動需要時間磨合，過程令人煩擾不安。遇到諸多要求的顧客，令你甚為煩惱。要保持親切誠懇態度，以免對方投訴。最終讓他們感到非常滿意，雖然上司沒有嘉許，但自己也充滿成功感。

感情

感情運低弱，另一半經常無緣無故諸多意見和挑剔，經常表現得大為不滿。多番忍讓遷就，對方總是咄咄逼人，令你感覺委屈，不知如何是好。好好溝通後，才發現對方只是緊張你，要你給予多些關懷而已。事過境遷，感情向前邁進。

錢財

本月財運格局「財來財去」，在月頭把部份薪酬轉至儲蓄户口，以減低消費。切勿相信「消息股」，期望「以小博大」，最終只有甚大破耗。

健康

精神狀態差，主要因腎虛多夜尿，失眠或多夢所致，不妨嘗試寧神安睡的保健食療。少吃煎炸熱毒食物，避免熬夜。戒酒，多吃固本培元的食物或保健產品善。

流月運程

農曆十一月

（西曆十二月六日至一月四日）

雀明合河 馬 己 九英杜 天壬戊 刑 墓	神后 戊 武芮景 九庚壬 乙	天大陰功 壬 虎柱死 武丁庚 乙 空 墓
合從 癸 天輔傷 武戊己 刑	陰甲 四戊 局旬	玄沖 庚 乙 合心驚 虎丙丁 刑 空
勾送龍小 辛 符沖生 蛇己癸 墓	空勝 丙 蛇任休 陰癸辛	太罡白乙刑 丁 陰蓬開 合辛丙 墓

運勢

「休門」逢「勝光」，運勢反彈，飄忽的氣場漸見平穩，帶動人氣，不過別將時間花在不切實際的社交活動，會讓你做事分心。本月多關注身邊長輩，有助提升正向磁場，改善運勢。

工作

事業運上揚，本月為上司解決重大疑難，公司上下為你鼓舞。切忌恃才傲物，漠視其他同事所負出的努力，要「知人善任」，懂得在適當的時候放權。

感情

桃花運有喜有憂，真正的幸福感情生活，是找到一個能以真誠相待、價值觀一致、互相欣賞的人；雖有機會遇到新的對象，但不宜高調處理，穩定發展後才公開。已婚或有固定對象的，感情會出現一點風浪，另一半經常亂發脾氣，對你諸多不滿，即使盡量磨合，對方依然經常將你變成情緒發洩對象。暫時給大家一點私人空間，冷靜過後，關係自會逐漸改善。

錢財

財運無起色，雖然不會亂花費購買奢侈物品，但也沒有定期儲蓄的習慣。務請專注事業工作，妥善理財，量入為出，縮減每月無謂開支，才能避免入不敷支的狀況。

健康

在「天芮星」的牽引下，經常感覺體力衰退、身體不適，找不出病因。全屬虛驚一場，待運勢轉強，精力便能回復。

流月運程

農曆十二月

（西曆一月五日至二月二日）

運勢

「天輔星」逢「功曹」，運勢進一步提升，學習和吸收能力也顯著增強，仍在求學階段的年青人，應趁勢加緊學習，上班族則宜進修與工作相關的課程，強化在職場之競爭力，虛心接納前輩意見，切勿虛耗光陰，蹉跎歲月。

合 馬 河 武 符 勾 癸 蓬 丁 從 生 戊	雀 明 九 蛇 丙 任 壬 己 傷 癸	蛇 后 天 陰 神 辛 沖 乙 大 杜 丙 己 迫 刑 墓
龍 送 虎 天 戊 心 庚 休 乙 刑	陽 四 局 甲 子 旬	天 功 符 合 庚 輔 戊 景 辛 迫
空 小 合 九 白 乙 柱 辛 勝 開 壬 刑	太 乙 陰 武 壬 芮 丙 己 驚 丁	陰 空 沖 蛇 虎 玄 丁 英 癸 罡 死 庚

工作

事業運持續提升，從事創作行業者如作家、傳媒、時裝設計、廣告、室內設計等都十分有利，靈感源源不絕，潛能如箭在弦，一觸即發。前瞻性的潮流觸覺加上不俗氣的設計，令產品更具特色，能獲得大眾認同和喜愛。

感情

本月桃花暗淡無光，認識異性機會渺茫。不妨降低要求，不應只著重尋找高學歷、身家豐厚、外型討好和樣子標緻的異性。具有內在美，人品良好，對人真誠，全心愛護的人，才是最好選擇。

錢財

財運一般，盡量花費在對自己有利的事情上。本年乃「自我提升之年」，宜花費在進修課程，或參加提升職場競爭力的進修班。更有價值和實際回報。

健康

腎臟及泌尿系統偏弱，會有尿道炎和尿頻等煩惱。切勿因工作繁忙和壓力而影響病情。如感到不適，請盡快求醫。可能要以抗生素醫治。

肖猴者出生時間（以西曆計算）

甲申年 二〇〇四年二月四日十九時五十七分至二〇〇五年二月四日一時四十二分

壬申年 一九九二年二月四日二十一時四十九分至一九九三年二月四日三時三十六分

庚申年 一九八〇年二月五日零時十分至一九八一年二月四日五時五十五分

戊申年 一九六八年二月五日二時八分至一九六九年二月四日七時五十八分

丙申年 一九五六年二月五日四時十三分至一九五七年二月四日九時五十四分

甲申年 一九四四年二月五日六時二十三分至一九四五年二月四日二十一時十九分

壬申年 一九三二年二月五日八時三十分至一九三三年二月四日十四時九分

庚申年 一九二〇年二月五日十時十三分至一九二一年二月四日十六時五分

肖猴開運錦囊

增運顏色：黑色、啡黃色

增運飾物：心形圖案或飾物

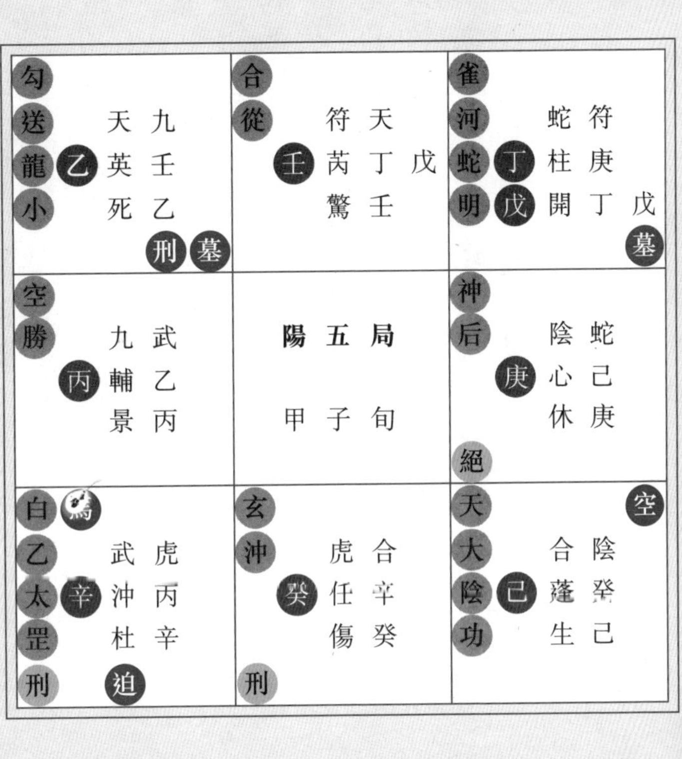

運勢

龍年「福星高照」，「天心星」逢「神后」，代表一股強大的正能量，守護著肖猴之人，令他們無往不利。

想運勢持續，重點在於：進一步處理好人際關係。搞好人脈之精髓，不僅是能言善道，圓滑的交際手段，還需付出真心，探索身邊的人之內心世界，關懷別人。當中之重點，是願意聆聽，這樣才可在感情上有交流，提升關係。

肖猴者如能落實這種有質素的溝通技巧，本年度的「十二生肖人氣之王」，非你莫屬。人緣好，貴人自然多。在龍年，無論財力、實力、影響力也有相當份量的貴人，將與肖猴者結緣，使猴人能夠深入察知內在的自己，以致在個人轉化和人生規劃各方面，也受益匪淺。

在運勢如日方中之際，謹記做事時別過於瞻前顧後，畏首畏尾，仍未踏出一步，便告訴自己這樣不行，那樣又不管用。經常找藉口去為自己設限的話，最終便會扼殺可以向上之機會。

「讀萬卷書不如行萬里路」，今年不妨多出外旅行，放眼世界，因旅遊與進修其實都是一種學習，同樣是建立遼闊人生視野、令自己成長的途徑。

工作

肖猴者今年事業運青雲直上，「朱雀」逢「地盤值符」，不論適應能力、創造力及大局觀也特別強，此外，人緣運節節上升，只要懂得運用，及謹記「知人善任」，趁勢將工作或生意計劃付諸實行，收獲超乎理想，勿失良機。對創業、合夥做生意、開拓新市場也是黃金時機。

在實踐大計的過程中，有兩大關鍵需要注意：一、與人合作時，別只著意別人的缺點，要善於發掘對方的優點，這樣才會在行運之年，吸引更多貴人，成為事業、生意後盾，令成功機率大增，享受大豐收的果實。

二、挾著貴人興旺的氣勢，進一步開拓人脈。今年不少與行業相關的專業知識和第一手資訊，都是從新建的人際網絡取得。因是者，不要過於吝嗇交際費用，宜多與不同類型的新朋友，製造見面機會。

龍年人緣運佳，肖猴者若然從事手藝行業，包括理髮、美容、化妝、維修等「靠口碑」的行業，今年的工作將特別順暢。

趁運氣上揚，應全速在建立專業形象方面，多下工夫，例如考取認可資歷，尤其一些國際性的證書，以免「書」到用時方恨少。在任何時候，拓寬知識領域及工作技能，都是一條正確的道路。

感情

今年的愛情運轉趨明朗，「大吉」乘「天后」逢「空亡」，表示人緣運佳，異性緣有增無減，肖猴者宜緊握時來運轉，為未來幸福鋪路。

龍年的姻緣運大多由工作帶動，可以多留意單身的同事、對外的合作夥伴，甚至是客戶，他們將極有可能成為你告別單身的貴人。

龍年桃花盛，與異性結緣的機會多了，發展三角或多角戀的機會亦因而增加。一旦陷入這種多重伴侶的關係，情緒起伏將變得強烈，難以自制。事情拖得愈長，日常生活所受的影響便愈大，正桃花氣場亦會逐漸減弱。肖猴者如不想令自己繼續顛三倒四，就要盡早從這種糾纏不清的感情狀態解脫出來。

這一年肖猴者事業運興旺，對工作特別投入，「996」、「886」的上班模式，變成了家常便飯。但已有固定伴侶的，小心因此而「工作與戀愛失衡」。今年無論你多熱愛自己的工作，也不要將全副精神集中在事業，宜分配時間與另一半享受休閒活動，一起進行有益身心的運動。透過發掘共同興趣和話題，不僅可加深彼此了解，同時可增添兩人的生活樂趣。

錢財

今年財運穩步上揚，「從魁」逢「地盤九天」，有機會與財力雄厚的人合夥投資入市，或者創業。經年累月、嘔心瀝血鑽研的投資計劃，在這一年終見回報。

縱使龍年的錢脈通暢，亦不宜見獵心喜，將盈利指標定得太高，亦不要以為設置「止賺位」便等於錯失回報。假如欠缺投資目標而盲目追高，最終有可能得不償失。

不論個人抑或合夥投資，今年宜以中、長線組合為目標，避免採取進攻型投資策略，以便為長遠將來作好規劃。雖然一些投資項目在短期內的價格波動，看似相當吸引，但從健康的理財角度而言，時間才是你的好友，入市時只要聚焦優質企業，就算肖猴者不是股神，也可利用長線投資的複息效應，穩健地累積財富，將利潤愈滾愈大。

龍年亦有合夥經營生意之契機，但作出決定前，需冷靜分析合夥利弊，以及「帶眼識人」，勿因急於嘗試創業滋味，誤將小人當貴人，損手離場。

為改變形象，猴人今年會花大錢在醫學美容、修身健身計劃，加上「報復式」的旅行消費，結果令卡數升至新高位。用消費來獎勵自己，並無不可，但也要量入為出，成熟理財。

健康

肖猴之人今年「傷門」逢「太冲」帶「擊刑」，表示腰背部有機會出問題，雖然腰瘓背痛已是都市人司空見慣的毛病，然而，亦有可能是內臟健康發出警示，今年絕不可諱疾忌醫，否則後果可大可小。

想預防腰背疼痛，站姿和坐姿要正確，是最基本的做法。此外，今年搬重物或做劇烈運動時，亦應加強留意姿勢，免損腰椎。

假如腰背痛問題持續，而這部位之前並無

受傷紀錄，小心可能是「轉移性痛楚」，與胃炎、膽囊發炎、盆腔炎等攸關。如果經過休息，以及服用止痛藥後，痛楚沒有改善，應盡早求醫，檢出問題癥結，別胡亂透過按摩解決問題，這樣可能會令情況更糟。

肖猴者今年要為肝臟健康，好好把關。那些傷肝行為，包括：吸煙飲酒、經常進食加工食品、食無定時、睡眠不足、缺少運動等，都會影響肝臟正常作息；經常要求肝臟「加班工作」的話，狀態就會欠佳。

肖猴之人如果無甜不歡，最好改變一下這飲食習慣，因攝取太多精製糖分，容易令脂肪積在肝細胞，這對肝臟的損害性，不亞於酒精飲品。常自信永遠有「第二個胃」來容納甜品的猴女，為肝健康著想，今年開始，還是適可而止。

健美修身催運小貼士：重點加強訓練腹、背部。

重點加強訓練腹部並增強核心肌群，先由基礎動作仰臥起坐（Sit-ups）開始，或做更有效、更簡單的卷腹（Ab Crunch），鍛鍊腹直肌、側腰線。

訓練背部運動，在健身房可以做引體上升（Pull-up）及滑輪坐姿划船（Seated Cable Row），強化背部。

*健美運動強度及次數因人而異，詳情請向專業健身教練咨詢。

丙申年二〇一六年

今年要留意孩子做功課或玩手機時的姿勢是否不良，如長期坐姿不正確，令上半身的重心前傾，不單止會引致肌肉疲勞，脊骨關節亦會受影響，有可能引起寒背後遺症，嚴重者並會導致腰背、頸椎痛症，甚至減弱心肺功能。故此家長需不時提醒孩子，保持良好姿勢，兼且多做運動，來代替長時間打機。

甲申年二〇〇四年

在桃花旺盛之一年，大腦的多巴胺也特別活躍，小心會陷入三角以至多角戀的複雜關係之中，令自己及別人受到情傷。

若然選擇糾結下去，只會加深痛苦，正桃花的氣勢亦會因此而下行。因此，不宜逃避問題，唯有及時抽身，才可遠離痛苦根源，也是最明智之舉。

壬申年 一九九二年

這一年在事業方面，運開時泰，但無時無刻將工作放在第一位的做法，會令愛情受到考驗。所以今年努力為工作付出之餘，亦要平衡感情生活。

即使已有固定對象，或是已婚之人，也不要以為大家已是「老夫老妻」，而疏於經營關係，維繫感情，是一輩子的事。因此今年不管多忙，也要預留「約會」時間。

庚申年 一九八〇年

在工作與人緣運俱佳的龍年，貴人將助你進一步擴建人際網絡，從而吸取到不少行內的專業知識及最新情報。

自己當老闆的肖猴者，貴人無論在市場分析或商業策略方面，也帶來不少啟發作用，令你對整盤生意的部署，更具前瞻性。因此，今年要惜緣，並應謹記：知恩圖報，互幫互助。

戊申年 一九六八年

今年要多加注意肝臟健康，別因為事業運暢旺，忙於工作，而食無定時，缺乏休息，或因酬酢頻密，經常吃得太飽和不當飲酒，因這樣做比起超時工作，更易增加傷害肝臟的風險。

想要有健康的肝，改善生活習慣，特別是調節飲食，非常重要。肖肖猴者若有「中年發福」現象，更應注視問題，控制體重，以免傷肝。

丙申年 一九五六年

即使今年財運亨通，投資時也應注意「穩健」二字，策略不宜過於進取，才可保持晚年的安穩生活。

亦不要為了積聚更多財富，作出大額投機投資，萬一資金有損，遇上突發情況需要用錢時，便會甚為狼狽。較保守的金融產品，回報也許不那麼高，但相對風險亦較少，較適合「後退休時期」的肖猴人士。

流月運程

農曆一月

（西曆二月四日至三月四日）

運勢

「青龍」逢「地盤太陰」，整體運勢及人緣運皆興旺，交際應酬機會增多，在「識人好過識字」的社會新生態下，機遇亦因而更加頻繁。有人的地方就有是非，所以還是慎言為上。本月的子女緣暢旺，有意生龍寶寶的，正是時候，做好準備。

龍 送 陰 陰 空 己 輔 丙 小 杜 丙 刑	勾 空 從 合 合 丁 英 辛 景 辛 刑	合 空 河 虎 虎 雀 乙 芮 癸 乙 明 庚 死 癸 乙 墓
白 勝 蛇 蛇 戊 沖 丁 傷 丁	陽 六 局 甲 申 旬	蛇 后 武 武 壬 柱 己 驚 己
太 馬 乙 符 符 玄 癸 任 庚 罡 生 庚 刑 墓	陰 沖 天 天 丙 蓬 壬 休 壬 刑	神 大 九 九 天 辛 心 戊 功 開 戊 墓

工作

運勢大吉，本月得到老板的信任和重用，隨着公司不停擴展市場及服務種類，每天的工作量差不多超乎極限。堅持信念，因身邊的貴人，會陸續出現，助你一臂之力，克服各種難關，尋求突破，成就出令人滿意的佳績。

感情

桃花運反覆向上，近日受不少異性垂青，但小心個人性格有如刁蠻公主或少爺脾氣，叫人難以忍耐，異性跟你相處過後，都會退避三舍，感情往往無疾而終。已婚者或有愛侶者，若不改掉任意妄為的性格，學懂體諒別人，跟另一半的關係也會出現隔閡，漸漸疏離。

錢財

本月偏財運不俗，經過深入分析市場走勢，投資略有斬獲。外匯及中期基金賺取不錯利潤，是不錯的投資。宜見好即收，不要加大資本，繼續入市買賣，有機會把賺到的利潤輸光。

健康

本月腰腎位置容易感到不適，會有感腰酸背痛、疲勞、尿頻和水腫等徵兆。切勿忽略身體警號，可能會是腎結石、腎炎等病患，應及早求醫，以求心安。

流月運程

農曆二月

（西曆三月五日至四月三日）

運勢

「貴神」逢「大吉」，本月鴻運高照，稱心如意的事接踵而來。只要竭盡全力，其餘的就交給上天安排。不過，懷著「不強求」豁達人生觀行事之餘，也要有居安思危的準備，本月雖事事順遂，亦應練好適時適度的應變本領。

空 小 武 合 龍 己 芮 丁 戊 勝 死 乙 刑	白 送 九 虎 壬 柱 庚 驚 壬	太 從 天 武 玄 丁 心 己 河 戊 開 丁 戊 刑
勾 乙 虎 陰 丙 英 壬 景 丙 絕	陽 五 局 甲 寅 旬	陰 明 符 九 庚 蓬 癸 休 庚
合 馬 空 罡 合 蛇 雀 辛 輔 乙 沖 杜 辛 害 絕 迫	蛇 空 功 陰 符 癸 沖 丙 傷 癸 害 刑	天 后 蛇 天 神 己 任 辛 大 生 己

工作

事業運加強，氣勢逼人，有太歲相助，是表現實力、實踐理想的大好時年，上司對你重視，以欣賞態度相待，可施展渾身解數，為團隊帶來新火花；爭取好印象，升官機自會來臨。

感情

桃花運危機四伏，小心招惹不正桃花，引來多角感情糾紛。務須拒絕已婚異性搭訕，以免介入別人的婚姻關係。拖泥帶水的偏桃花關係，會損害正桃花氣場，抱持「寧濫勿缺」愛情觀去談戀愛，最終只會讓姻緣溜走，幸福離你而去。留意與工作有關的單身異性，會更有緣份。

錢財

財運亨通，跟熟悉的朋友合作投資會帶來很多意想不到的好處，把策劃好的項目認真落實，不要白費自己一番心血，回報率甚高。不要作無謂開銷，積穀防飢，即使資金充裕亦不可胡亂揮霍，因財運起伏不定。

健康

腰背比較弱，容易因長期坐姿不正確，或重複性的動作而產生勞損，甚至引致椎間盤突出、頸椎移位、坐骨神經痛、骨刺或脊椎變形。

流月運程

農曆三月

（西曆四月四日至五月四日）

運勢

「天蓬星」逢「九地」，運勢穩定，持續向好。今月徹底體會到「生命誠可貴，友情價更高」。摯友無條件支持，讓你義無反顧追尋夢想。求學階段的肖猴學生，本月認識志同道合朋友，對你的處世智慧及價值觀，有重大影響。

龍 勝　天　蛇 勾　丁　任　己 乙　生　丁 絕	空 小　符　陰 庚　沖　癸 傷　庚	白 送　蛇　合 太　壬　輔　丁 從　丙　杜　壬　丙 迫
合 罡　九　符 癸　蓬　辛 休　癸 害　絕	陽　七　局 甲　寅　旬	玄 河　陰　虎 戊　英　庚 景　戊 迫
雀　馬　空 沖　武　天 蛇　己　心　乙 功　開　己 害　刑　墓	神　空 大　虎　九 辛　柱　戊 驚　辛	陰 明　合　武 天　乙　芮　壬　丙 后　死　乙 墓

工作

事業運順利，天時地利人和，在公司裏能呼風喚雨；逐漸得到老闆的信任和重用，獲取授權管理更大範疇職務，不妨多表達意見，即使天馬行空，卻可能帶來新火花，激發新思維。切忌得意忘形，態度謙虛，便可延續好的運勢。

感情

桃花運轉旺，單身者本月新結識到理想對象，但又與傾慕已久的意中人曖昧不清，一時間令你方寸大亂，雙方感情發展也無疾而終，令你非常失落。公司裡有已婚同事借故親近，應保持距離，以免惹來閒言閒語。

錢財

財運平穩上升。靈活變通，管理投資方面目光銳利，有獨到見解，能把握最好時機，一擊即中，利潤比預期理想。本月小心破財，影響將來財運，美酒佳餚高價消費可免則免。偏財甚弱，本月不宜作大額投資，小注怡情尚可。

健康

運動或健身時要確保姿勢正確，做足熱身運動，以免扭傷腰背或拉傷肌肉，否則後患無窮。

流月運程
農曆四月
（西曆五月五日至六月四日）

運勢

「開門」逢「勝光」，運勢平穩上揚，整個人活力充沛，無論工作隊友抑或朋友，亦樂於與你交流，說話時特別具影響力，使你自信滿滿，熱衷於穿梭不同社交場合。人緣運如此興旺的一個月，宜擴大人際網絡，從新圈子吸收新見聞，成就「更好的你」。

龍 乙 符 天 勾 庚 英 戊 罡 癸 驚 壬 害 刑 迫 刑 墓	空 勝 蛇 符 丙 芮 庚 癸 開 戊	白 小 陰 蛇 太 丁 柱 丙 送 休 庚 癸 絕 墓
合 沖 天 九 戊 輔 壬 死 辛	陽 九 局 甲 子 旬	玄 從 合 陰 己 心 丁 生 丙
雀 馬 功 九 武 蛇 壬 沖 辛 大 景 乙	神 后 武 虎 辛 任 乙 杜 己 絕	陰 空 河 虎 合 天 乙 蓬 己 明 傷 丁 害 刑 絕

工作

事業運勢持續上升，把握時機，換來一番新局面。對前景發展更有信心，成績及待遇更理想，令你勇往直前，平步青雲。本月可大顯身手，顯示實力。部署籌備已久的項目，有更好發展，從中獲得利益與名氣。

感情

假桃花旺盛，單身者本月容易招惹多角戀或三角關係，應向對方的身邊好友打探虛實，以免成為第三者也懵然不知，惹上桃色糾紛及官非，煩惱不堪。與舊同事多些出外消遣，增強自己桃花氣場。愛人在你細心的照料下，病情日漸好轉，彼此感情更邁進一大步。

錢財

財運亨通，錢財上有不錯的收穫，善用人脈和資訊，掌握個人強項，進行新的中長期投資項目，有意想不到的回報。

健康

坐骨神經、腰背部較弱者，容易出現椎間盤突出、肩周炎、骨刺或脊椎變形等問題，疼痛及麻痺令你苦不堪言，影響日常生活及工作。

流月運程

農曆五月

（西曆六月五日至七月五日）

運勢

「六合」逢「休門」，運勢如雪球般愈滾愈大，人緣運繼續向好，身邊的人都是有實力、善良而又樂於助人，在他們的潛移默化下，你的待人接物技巧，可謂大有改善。只要保持虛心受教，不時自我檢討，運勢將愈來愈旺。

合 罡 九 九 雀 辛 輔 己 沖 杜 己 害 絕	勾 空 乙 天 天 丙 英 丁 景 丁	龍 空 勝 符 符 空 庚 芮 乙 庚 小 癸 死 乙 庚 刑 墓
蛇 功 武 武 壬 沖 戊 傷 戊 害 刑 刑	陽 三 局 甲 申 旬	白 送 蛇 蛇 戊 柱 壬 驚 壬 刑
神 馬 大 虎 虎 天 乙 任 癸 后 生 癸	陰 明 合 合 丁 蓬 丙 休 丙	太 從 陰 陰 玄 己 心 辛 河 開 辛 刑

工作

事業運高升，在公司內的地位和權力逐步提升，一改以往被動的工作態度，整個人脫胎換骨，腦筋靈活，上司對你改觀，加以重用。人緣甚佳，大受同事擁戴。只要多表達意見，定能證明個人實力；今年有不俗的發展。

感情

單身者可留意公司的單身同事，會有較大機會，找到有緣的人。適當時候不妨主動邀約對方單獨午餐，或在工餘時一起參與戶外運動。幸福是要自己爭取。戀愛運薄弱，個人有點神經衰弱，總愛計較一些雞毛蒜皮的小事，若一直跟情人計較，愛情一旦亮起紅燈，後悔莫及。

錢財

休閒項目消費甚多，幸好吉星拱照，投資順利。一些專業貴人從旁指導，好好規劃理財目標；有任何想法，會很大機會成事，收穫甚豐。

健康

注意拿重物或坐姿不正確，會令脊椎骨出問題。閒時多做伸展運動或拉筋，會有幫助。旅遊時容易因不適應外國天氣或飲食而生病。常備成藥，以策萬全，避免敗興而歸。

流月運程

農曆六月

（西曆七月六日至八月六日）

運勢

「值符」逢「太沖」，運勢繼續順暢，要令個人及事業進一步成長，本月宜將時間留給「提升內涵」。替內涵充值的方法有很多，包括多閱讀、結交良師益友。一點一滴累積而來的內在素養，在日後必可帶來意想不到的裨益。

墓 刑 蛇壬戊 符英傷 癸 雀沖合功	乙 符庚壬 天芮杜 己 蛇罡	乙 墓 天丁庚 九柱景 戊 神乙天勝
空 陰戊己 蛇輔生 刑 辛 勾大	陰四局 甲辰旬	九丙丁 武心死 壬 陰小
空 墓 合己癸 陰沖休 馬 丙 龍后空明絕	虎癸辛 合任開 丁 白河	墓 武辛丙 虎蓬驚 庚 乙 玄送太從

工作

事業運緩緩增強，有意想不到的收穫，只要保持勤奮不懈，時刻緊記多勞多得，做事越忙碌，鬥志越旺盛。本月權勢增強，加上自己實力，會出現新的良機，毋需計較一時得失。

感情

桃花運出現暗湧，另一半因家庭煩事，或工作忙碌，冷落了你。好好收斂自己的公主病或少爺脾氣，如給對方更多壓力，會令關係惡化。應多點從對方立場設想，給予關懷和諒解，做個善解人意的聆聽者，關係自會逐漸拉近，感情基礎更牢固。

錢財

本月得到投資高人指點，把握時機，趁低吸納，把握時機全數沽出，輕鬆獲得可觀的利潤。切忌貪勝不知輸，最後血本無歸。

健康

脊椎骨容易出問題，導致腰酸背痛、精神欠佳。可能是腎結石、腎炎等病徵。拿重物時或坐時要加倍留意。

流月運程
農曆七月

（西曆八月七日至九月六日）

運勢

「天輔星」逢「太陰」，本月的運勢猶如春暖花開，生機處處。持續上升的好氣場，令機遇接二連三地出現。就算偶爾會遇阻滯，貴人的豐富人生經驗及處世智慧，將助你跨過障礙，順利抵達目的地，因此要向貴人虛心學習，別傲世輕物。

合 功 陰 陰 勾 丁 輔 辛 大 杜 辛 刑 墓	雀 沖 蛇 蛇 己 英 丙 景 丙	蛇 罡 符 符 神 乙 芮 癸 庚 乙 癸 死 癸 庚 絕 墓
龍 后 合 合 丙 沖 壬 傷 壬 刑	陰 七 局 甲 寅 旬	天 勝 天 天 辛 柱 戊 驚 戊
空 馬 空 明 虎 虎 白 庚 任 乙 河 生 乙 絕	太 空 從 武 武 戊 蓬 丁 休 丁	陰 小 九 九 玄 壬 心 己 送 開 己

工作

事業逐步興旺，有利升遷、被派遣到外地公幹的機會。雖然比預期辛苦，疲於奔命，最終也能得到卓越成績。從事公關、銷售、需與客戶溝通的行業，由於說服能力強，不同凡響，更能夠增旺人脈，令公司業績大大提升。

感情

桃花運回升，人緣運提升，帶動異性緣同步上升，心儀對象陸續出現，令你心猿意馬，小心在未弄清自己的意向時，草率開始一段關係，令感情生活變得混亂，甚至發展出多角戀。配偶近來極之情緒化，經常因小事而發脾氣，令人莫名其妙。

錢財

本月破耗甚大，胡亂消費，花錢購買昂貴而無實用價值的物品。切勿因一時的購物衝動而大破慳囊，例如女士買下昂貴美容瘦身療程，效果卻不大顯著，或男士訂購限量版消費品。

健康

本月腰背容易出意外，搬重物時要注意姿勢正確。運動時量力而為，小心會扭傷拉傷。如發生意外應找脊醫治療，定期做物理治療。

流月運程 農曆八月

（西曆九月七日至十月七日）

運勢

「天罡」逢「玄武」，要留意運勢會有湧浪，令你在某些事情上，寸步難行。過往的失敗經驗，在本月會成為你的心魔，使你不敢邁進一步。要逃離悶局，可多考參別人的成功例子，然後從你擅長和熟悉的事情入手，逐步增強自信，建立一己優勢。

蛇丁癸 陰沖開 乙 神大蛇后 刑 迫	符癸戊 蛇輔休 己 天功 迫	壬 天戊丙 符英生 丁 陰沖玄罡 墓
陰己丁 合任驚 辛 雀明 迫	陰九局 甲子旬	壬 九丙庚 天芮傷 癸 太乙
馬 合乙己 虎蓬死 庚 合河勾從 墓	虎辛乙 武心景 丙壬 龍送 刑	空 武庚辛 九柱杜 戊 白勝空小 刑

工作

事業運反覆向上，工作未能稱心如意，一些初步落實的計劃，因各項環境變數而被阻礙拖延，要努力到最後，才能確定是否成事。「冥冥之中自有安排」，時機未到，勉強發展計劃，最終只會浪費人力物力和時間，徒勞無功。

感情

桃花運暗淡，不妨留意公司裏的單身同事，對方對自己印象不俗，應採取主動，謀求發展。經過一段時間與愛人相處，發覺雙方在性格、嗜好、價值觀、做人處事方面也不一致，心裡不停反問是否仍要勉強在一起。

錢財

投資運回落，應採取長線和保本策略，不宜短期炒賣。可向專業人士索取多方面意見，令賺錢機率提升。本月突如其來的開銷令財政失去預算，錢財有如留不住。應好好計劃一下流動資金如何分配，減少入不敷支的情況。

健康

心情鬱結而肝鬱，化解方法是改善飲食習慣，早睡早起，做適量運動，及保持心境愉快，謹記作息正常，永遠是成就健康的良方妙藥。

流月運程
農曆九月
（西曆十月八日至十一月六日）

運勢

「天心星」逢「勝光」，運勢暢通無阻，部署已久的計劃，是時候採取攻勢，假使仍徘徊不前，持觀望態度，將被人捷足先登。至於年紀尚幼的猴人，本月求知欲強烈，父母的聆聽和耐心解答，對子女成長關係重大。

神后蛇明絕 辛 蛇輔杜 蛇丙丙	天大 丙 符英景 符庚庚 空	陰功玄沖刑 癸庚 天芮死 天戊戊 丁丁 空
雀河 壬 陰沖傷 陰乙乙	陰甲 二申 局旬	太罡 戊 九柱驚 九壬壬 刑
合從勾送 馬乙 合任生 合辛辛 刑	龍小 丁 虎蓬休 虎己己	白乙空勝刑 己 武心開 武癸癸

工作

事業穩步上揚，本月工作漸漸稱心如意，學懂以輕鬆的心情來面對應接不暇的工作。要量力而為，懂得知人善任，不能把所有責任背負身上。另一方面也再考慮應否轉工，尋求新發展。但只有空想，沒有決心採取任何實際行動。

感情

桃花運吉中帶凶，單身男士還未遇上心儀對象，身邊卻有一些藕斷絲連的曖昧情人。單身女士總是愛上不會珍惜自己的人，卻忽略了一位近在咫尺，時時刻刻、默默地守護一旁的異性好友。已婚者或戀人，一些異性主動搭訕和追求，或是另有企圖，切忌一時抵受不住引誘而發展關係。

錢財

財運通達，良好的人際關係帶來不錯的財運，經身邊好友幫忙，為你介紹了很多賺錢門路，及合夥投資機會，使你收穫甚豐。

健康

肝臟功能也會出現減弱警號，主要原因是熬夜、不良飲食、煙酒過多，影響了排毒功能，導致傷肝。

流月運程

農曆十月

（西曆十一月七日至十二月五日）

運勢

「景門」逢「天后」，運勢進一步升華，本月不論公事私事，也有貴人協助，做事手到拿來。在正能量包圍下有更大氣度，面對他人的意見及批評，不會只去接受讚美與肯定。願意自我檢討的人，比其他人更快取得成就。

陰戊戊 陰輔杜 辛 蛇明雀河	空 蛇壬壬 蛇英景 刑 丙 神后	空 乙乙 墓 符庚庚 符芮死 癸庚 神大天功
合己已 合沖傷 壬 合從	局旬 四申 陰甲	天丁丁 天柱驚 戊 玄沖刑
虎癸癸 虎任生 馬乙 勾送龍小	武辛辛 武蓬休 刑 丁 空勝	九丙丙 九心開 墓 己 太罡白乙刑

工作

事業運步步而上，計劃變動，需重新部署，但甚大得著。忠於工作，不問回報，集中全副精力，努力苦幹，成為公司員工榜樣。成績有目共睹，一切的心機和努力不會白費。

感情

單身者遇到有緣人，可惜對方與前度情人糾纏不清，被視作騎牛搵馬的對象確不好受。應另覓對象，免得陷入三角關係，自尋煩惱。本月不妨留意在工作上有默契的異性，或在忙碌工作時注意身邊有否合眼緣的對象。夫妻關係時好時壞，務要抑制壞脾氣，勿說一時之氣的說話，傷害對方。

錢財

財運亨通，處處出現生機，賺錢時機處於優勢，得大靠山鼎力支持之餘，還得到身邊的朋友從旁協助，簡直是財源滾滾，勢不可擋。

健康

本月女士應特別留意婦科問題，例如出現經期前症候群，身體不適、肚痛、經量異常、有血塊等。應定期驗身，病向淺中醫，及早解決問題。

流月運程

農曆十一月

（西曆十二月六日至一月四日）

雀 河 天 天 合 辛 輔 己 從 杜 己	蛇 空 明 九 九 丙 英 癸 景 癸	神 空 后 武 武 天 癸 芮 辛 戊 大 庚 死 辛 戊 絕 刑
勾 送 符 符 壬 沖 庚 傷 庚	陰 五 局 甲 申 旬	陰 功 虎 虎 戊 柱 丙 驚 丙
龍 馬 小 蛇 蛇 空 乙 任 丁 勝 生 丁 墓	白 乙 陰 陰 丁 蓬 壬 休 壬 刑 刑	玄 沖 合 合 太 己 心 乙 罡 開 乙 刑 墓

運勢

「天任星」

逢「小吉」，本月很多事將出現新轉機，令你耳目一新。機緣巧合之下，讓你建立起一個新的朋友圈子，他們的想法、經歷、價值觀都令你感到，人生和世界原來可以那麼廣闊，令你一改過去的固有想法，使不少事情變得可能。

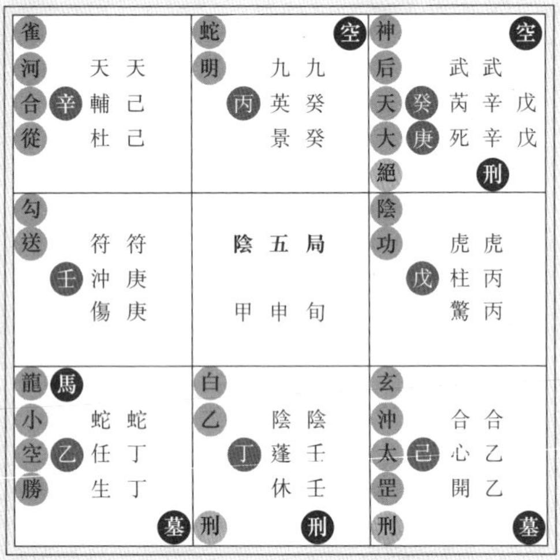

工作

事業運波動，工作上會接觸到一些新範疇，令情緒更容易焦慮不安，或會出現一些阻滯。所有壓力全因個人的好勝心很強，事事跟別人計較，才會出現阻礙。

感情

單身者，本月遇到跟前度情人性格相近的異性，小心陷入三角關係。切勿過於急進，以免成為第三者也懵然不知。本月愛情生活甜蜜，伴侶主動花更多時間和心思去了解自己，培養感情，令你主動提出結婚想法。

錢財

財運緩緩轉向上，投資眼光獨到，分析全面，能承受市場波動，可配合業內的專家意見，考慮乘勝追擊。不宜在午時 (11:00-13:00) 投資。

健康

流感到達高峰期，盡量不要到人煙稠密的地方。本月經常疲倦無力，雙腳浮腫，也感到腰酸背痛，可能是腎臟偏弱的原因，請注意健康飲食。

流月運程
農曆十二月
（西曆一月五日至二月二日）

運勢

「開門」逢「朱雀」，運勢再度升級，學習新事物及開展新計劃的意欲高漲。可是實踐鴻圖大志的時機，尚未成熟，現階段應先行自我增值，多吸收前輩及專家意見，整裝待發，到適當時機到來，自可施展渾身解數。

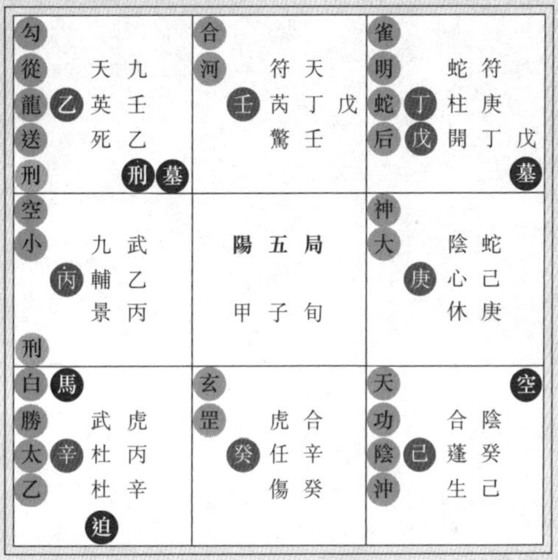

勾 從 天 九 龍 乙 英 壬 送 死 乙 刑 刑 墓	合 河 符 天 壬 芮 丁 戊 驚 壬	雀 明 蛇 符 蛇 丁 柱 庚 后 戊 開 丁 戊 墓
空 小 九 武 丙 輔 乙 景 丙 刑	陽 五 局 甲 子 旬	神 大 陰 蛇 庚 心 己 休 庚
白 馬 勝 武 虎 太 辛 杜 丙 乙 杜 辛 迫	玄 罡 虎 合 癸 任 辛 傷 癸	天 空 功 合 陰 陰 己 蓬 癸 沖 生 己

工作

事業運轉順，透過社交場合、工作上的朋友或同事，能結交到有利的貴人，對提升工作運大有幫助，令工作上的問題迎刃而解。

感情

桃花運暢旺，異性緣有增無減，特別的個性吸引不少人欣賞，在不同的場合也會遇到合眼緣的對象，請好好把握時機，勿讓大好姻緣溜走。

已婚者切勿把公司的負面情緒發洩在配偶身上，對方沒有怪責你之餘，還為你擔驚受怕。

錢財

財運漸趨強勢，投機時更有把握。可參考專業投資人士意見，考慮中長期投資項目，如外匯或基金，會有意想不到的收益。

健康

注意天氣變化莫測。在寒冷地方氣管收縮，容易引起哮喘病發，或傷風感冒。

十二生肖龍年運程
肖雞者出生時間
（以西曆計算）

乙酉年 二〇〇五年二月四日一時四十三分至二〇〇六年二月四日七時二十七分
癸酉年 一九九三年二月四日三時三十七分至一九九四年二月四日九時三十分
辛酉年 一九八一年二月四日五時五十六分至一九八二年二月四日十一時四十五分
己酉年 一九六九年二月四日七時五十九分至一九七〇年二月四日十三時四十五分
丁酉年 一九五七年二月四日九時五十五分至一九五八年二月四日十五時四十九分
乙酉年 一九四五年二月四日二十一時二十分至一九四六年二月四日十八時三分
癸酉年 一九三三年二月四日十四時十分至一九三四年二月四日二十時三分
辛酉年 一九二一年二月四日十六時六分至一九二二年二月四日二十一時五十二分

肖雞開運錦囊

增運顏色：綠色、白色
增運飾物：橢圓形圖案或飾物

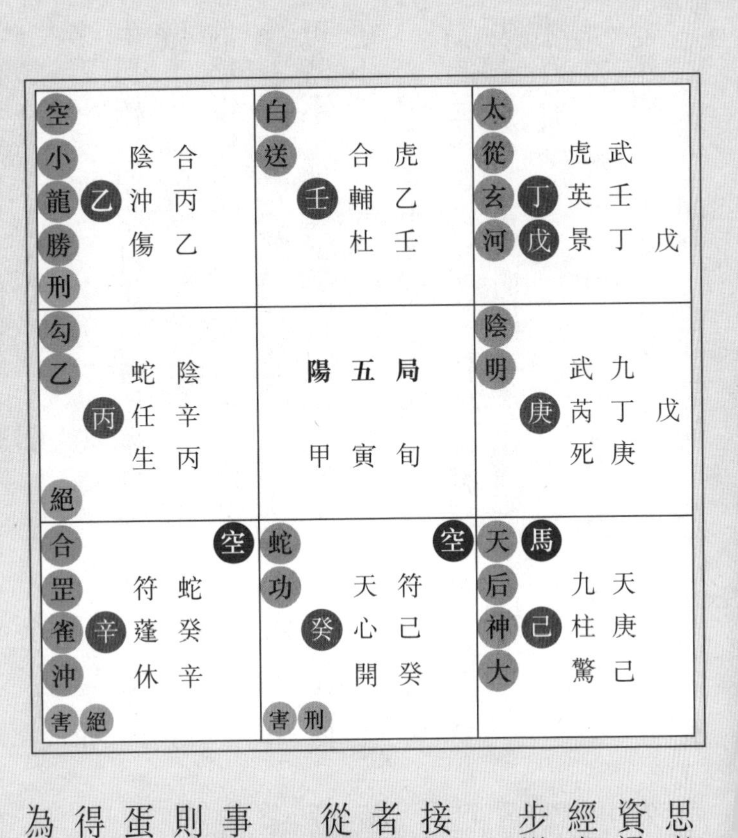

運勢

本年運勢銳不可擋，「生門」逢「天任星」，代表思緒清晰，頭腦的靈敏度和吸收資訊的速度特別好，創作力高，是充滿機遇之一年。

宜趁勢破舊立新，將慣性的思考模式，以及不必要的框架移除，盡量為大腦提供優質的思考素材，包括持續學習新的事物，吸收新的資訊。並要時刻提醒自己，對人對事，也不要經常帶著偏見來下判斷，如此運勢才可望進一步增強。

由於龍年人緣運佳，容易廣結良朋，藉著接觸觀點不同的人，互相交流意見，可讓肖雞者從不同角度，觀看這個世界，避免坐井觀天，從而提升深度的思考能力。

人緣運雖旺，貴人助力卻只屬一般，很多事需靠自己去深耕，才有成果。然而，「人勤則達，家勤則發」，不管你是一窮二白的窮光蛋，還是含著銀匙出生的富二代，事情的成敗得失，關鍵永遠在於勤奮，今年凡事要親力親為，緊記「力不到不為財」。

龍年家宅運佳，和家人相處時，彼此也能放下主觀想法，平心靜氣地溝通，懂得替對方著想。如能夠培養一些共同興趣，家宅運可望進一步加強。即使是一起「煲劇」，亦有助運勢提升，令家庭氣氛更趨和諧。

工作

本年肖雞之人事業運否極泰來，「開門」臨「天心星」，代表事業雖走勢向好，卻需要「親力親為」，才會造出成績；經常假手於人的話，尤其年輕一代的上班族，小心會成為同事眼中的「職場巨嬰」，即工作能力低、很多事情也無法自理的無知嬰孩。

今年的貴人運只屬一般，必須多勞，才會多得。然而，「多勞」並不等於盲目打拚，如牛那樣去開墾耕作，而是懂得聰明而有效率地做事。重點是：工作不拖延，不逃避；當處事的態度積極化後，效率自然提升。

自律、做好時間管理，亦十分關鍵，尤其現時不少機構會讓員工「在家工作」，自律便更不可少。

踏入三十歲的肖雞職場中人，今年要努力為自己的事業定立一條明確軸線，才不會輕易失去方向。當方向確立後，謹記「堅持到底」，才有收成。

從事數位行銷，或創科行業的肖雞之人，龍年將是一展長才之年。

工作雖順利，也別忘掉：永續學習。在數碼年代，科技發展瞬間萬變，不持續學習的話，便難以與時俱進，容易被人超越，那麼自身在公司的價值便會降級，甚至因而被淘汰出局。

感情

今年的桃花運有大地春回之象，「小吉」乘「天空」，單身的肖雞之人，容易吸引異性目光，並大有機會產生「一見鍾情」化學作用。

龍年在姻緣路上，亦很有可能與年齡差距較大的異性結緣，發展出「姊弟戀」甚至「父女戀」、「母子戀」。當中遇到的挑戰，也許會比一般的戀情多，尤其年齡相距甚遠的忘年戀，雙方家長在一時半刻，未必可順利通過心理關口。只要兩人真心相愛，思想成熟度和價值觀相近，辦法總比困難多。

關係穩定的猴子，因眼見同輩相繼建立自己的家庭，因而對婚姻生活產生憧憬，加上長輩的壓力，於是不時盤算，該如何催迫對方說聲「我願意」。可是，一段婚姻是不宜「迫」出來，而是讓對方對婚姻也有所期待，才可持久。故此，今年不宜催迫人家許下承諾，否則適得其反。真心愛你的人，是不用迫的。

已婚的肖猴者，今年與伴侶心有靈犀。要長久維持這種和諧關係，雙方保持適度的距離感，是秘訣之一，例如，別過度關心對方的瑣碎事，一些無傷大雅的決定，由對方作主好了。此外，可不時為另一半製造小驚喜及浪漫，譬如為他╱她炮製美食，亦是夫妻甜蜜相處的小技巧。

錢財

龍年的財運緩緩高升，財源穩定，「登明」乘「太陰星」，意味人脈帶動財脈，不少吸金機會和理財策略，都是來自更廣闊的人際網絡，故此一定要用心經營。

個性較為內斂的肖雞之人，每每覺得刻意去交朋友是一件很累的事。其實打造人際關係只不過是人類群體生活的一種基本需要；從社交之中，大家會互相合作，互相進步；而非肖雞者所想的：隨波逐流、強顏歡笑。

只要能正確解讀「掌握人脈」是什麼一回事，就不會為經營人脈感到彆扭。今年工作績效得以提升，理財投資技巧也有不少進步，都是因人際關係暢旺而來。

肖雞者只要待人以誠，與人溝通時，不單從自己的角度出發，願意設身處地代入對方所想，今年將吸引不少願意交心的人，讓你獲得更豐富的知識。當知識不斷累積後，思維模式亦會更加成熟，使一個人面對不同處境時，也能運籌帷幄。「知識就是財富」，正是這個道理，而這筆龐大資產，是任何人也無法從你身上取走。

龍年維修車輛或家居的支出費用，容易超出預算，請準備額外資金以作需要。

龍年人脈雖然強，但「力不到不為財，行不到不為功」，不論打工仔或老闆，親力親為，才有更好回報。尤其初創老闆，剛起步時親自與員工一起打拚，將有助加快確立團隊精神，令公司業務盡早上軌道。

健康

肖雞之人今年「天蓬星」臨「空亡」，表示較易受泌尿生殖系統問題煩擾，已婚女士出現月經不調、炎症發作的機會較高。身體不適，心情自然有影響，故此，今年不想健康問題妨礙正常生活，就要多加防範。

想謝絕炎症之苦，良好的生活習慣很重要，女士就算工作多忙，也謹記要多飲水、不憋尿，另外當然是要注重個人衛生。

年屆更年期的女性肖雞者，如發現經血量大、經期過長，並且有頻尿、尿失禁問題，很有可能是子宮肌瘤作祟。這其實是很常見的婦女病，轉變為惡性腫瘤的機率少之又少，只要及早治療，便可早日重返健康正軌。

至於男性肖雞者，今年要留意前列腺增生的問題，如經常頻尿、排尿慢，且不時有餘尿感覺，都是先兆。由於這種疾病通常發生在中、老年男士身上，因此成熟的肖雞男除要吃得清淡，補充維他命E及大豆異黃酮，對預防前列腺增生有一定作用。

有生育計劃的肖雞人士，今年因生殖系統偏弱，對子女緣會造成一定影響。不過，只要維持健康生活型態，不煙不酒，飲食均衡，加上有良好運動習慣，身體便會為迎接新生命，整裝待發。

健美修身催運小貼士：重點加強訓練腹、臀及下身。

重點加強訓練腹部並增強核心肌群，先由基礎動作平板支撐（Plank）開始，另外可以做側平板支撐（Side Plank），改善身體平衡感。

訓練臀部及下身運動，在健身房可以做臀推（Hip Thrust）及硬舉（Deadlift），硬舉訓練可以鍛鍊到臀大肌、膕繩肌、核心肌肉、和肩膊。

*健美運動強度及次數因人而異，詳情請向專業健身教練咨詢。

丁酉年 二〇一七年

龍年「生門」逢「天任星」，表示學習能力強，與老師和同學的相處亦很融洽，家長在這一年只需好好培養孩子求學問的習慣便可，切勿過分緊張，要求子女無休止地溫習，不給予充分的玩耍時間。肖雞之人都潛藏著一股頗強的表現欲，家長不妨利用這個特質，誘導孩子自發學習，來提升他們的「書緣」。

乙酉年 二〇〇五年

今年桃花運爆發，加上肖雞之人充滿熱情，

因而更易受異性注視。由於這階段在戀愛方面的經驗尚淺，以致面對自己有好感的人時，會勇往直前，很有機會發展出一段「一見鍾情」戀愛故事。就算此刻的你覺得，彼此已愛得不能自拔，但仍需謹記：激情過後，能令感情永續的要素，是互相尊重與包容。

癸酉年 一九九三年

未婚者，今年對家庭生活特別嚮往，無論男女，覺得年齡到了「三字」，該是時候成家立業。然而，這一年就算對婚姻有很大期盼，亦不宜迫婚，一旦給對方太大壓力，而人家的步伐節奏未能配合的話，有機會形成負面情緒，最終可能導致「迫分」，分手離場。已婚者，今年與另一半的關係將會昇華，令人羨慕。

辛酉年 一九八一年

龍年的工作運走勢不錯，卻有「多勞多得」之象，所以必須做好時間管理，別讓「拖延症」誤了大事。想用更少時間、成就更多的秘訣，是懂得替手頭工作安排優先次序，先專心完成最重要的事，對於不重要的事「說不」，漸漸養成習慣後，在今年運勢帶動之下，工作將更得心應手。

己酉年 一九六九年

今年會因人脈帶動財脈，做好人際關係管理，對於正財與偏財運，也有提升作用。鞏固人脈的要素，是包容不同聲音，不要用自己的視角隨便批判對方，即使在心裡暗自反駁，都會影響建立關係。撫心自問，自己亦非完美之人，自會明白，成熟的人是能夠尊重和包容別人的想法。

丁酉年 一九五七年

今年健康雖無大礙，卻可能遭到泌尿生殖系統問題滋擾，女性或會出現失禁、漏尿煩惱，影響社交，只要及早就醫，配合簡單的運動訓練，問題將迎刃而解。成熟的男士則有機會受前列腺增生所困，只需養成清淡飲食習慣，便可防患未然，一旦問題出現，切不可諱疾忌醫。

流月運程
農曆一月
（西曆二月四日至三月四日）

運勢

「六合」逢「天沖星」，代表充滿陽光氣息，人格魅力有升無跌，氣度恢弘，過往一些思想框架逐一衝破。本月的人和事，也很有鼓舞作用，令你實現目標時，方向更清晰。家宅運強，要多關注親人，對人緣運產生正面的連鎖效應。

工作

事業運增強，全力以赴，「親力親為」的認真態度，終會得到上司賞識。明白一定要團結身邊力量，得到同事幫助，形成水到渠成之勢，做事才能相得益彰。可鼓勵下屬進修，悉心提攜，再適當獎勵，使其工作有更佳表現。

龍 小 九 虎 空 庚 芮 癸 乙 勝 杜 丙 刑	勾 送 天 武 丁 柱 己 景 辛 刑	合 從 符 九 雀 丙 心 戊 河 死 癸 乙 墓
白 乙 武 合 壬 英 辛 傷 丁 刑	陽 六 局 甲 子 旬	蛇 明 蛇 天 辛 蓬 壬 驚 己
太 罡 虎 陰 玄 戊 輔 丙 沖 生 庚 刑 刑 墓	陰 功 合 蛇 己 沖 丁 休 壬	神 馬 空 后 陰 符 天 癸 任 庚 大 乙 開 戊 絕 墓

感情

桃花運吉中藏凶，一見鍾情的浪漫場面隨時出現，請預備打開心扉，迎接良緣。

單身男士發現自己對一位年長的女士心動，非常困惑。單身女士對愛情充滿純真憧憬。有位比你年輕但思想成熟的男士在身邊出現。愛情無年齡界限，既然對他有好感，可坦誠相告，還在猶豫什麼？

錢財

財運步步高陞，有不錯的貴人運，助力大大提升。可參考朋友的消息和貼士，投資運勢如破竹。本年勿太貪心，不懂收斂，導致利潤回落。應把部份投機所得來的利潤轉為儲蓄，才能積累資金，成為贏家。

健康

生殖系統偏弱，女士容易出現婦科問題，如陰道炎、子宮肌瘤、胸部硬塊、乳腺異常增生等，要定期做婦科檢查，一旦發現問題，盡早接受治療，減低病情惡化風險。

流月運程

農曆二月

（西曆三月五日至四月三日）

運勢

「休門」逢「太陰」，運程再入佳境，本月較以往更勇於嘗試、積極進取，創新意念特別多。沒有貴人助力，實現目標時將較為吃力，即使有點艱辛，卻宜親力親為，否則效果將不如理想。謹記勤懇的人，是必定有合理回報。

龍 勝 天 九 勾 丙 英 辛 乙 景 丙 絕 墓	空 小 符 天 辛 芮 癸 乙 死 辛 刑	白 送 蛇 符 太 癸 柱 己 從 乙 驚 癸 乙 刑 墓
合 罡 九 武 丁 輔 丙 杜 丁 害 絕	陽 六 局 甲 寅 旬	玄 河 陰 蛇 己 心 戊 開 己
雀 空 沖 武 虎 蛇 庚 沖 丁 功 傷 庚 害 刑 迫 刑 墓	神 空 大 虎 合 壬 任 庚 生 壬 迫	陰 馬 明 合 陰 天 戊 蓬 壬 后 休 戊 墓

工作

事業運勢大大好轉，充滿正能量，做事積極，但凡事要親力親為，不能依賴他人。宜積極主動，全情投入，才能取得最佳成績。發展中的項目漸入佳境，但不要因此而對任何細節鬆懈。不宜好大喜功，計劃新發展。

感情

有固定對象或已婚者，今年的關係非常穩定，雙方可毫無後顧之憂，發展自己的事業，工作雖然如意，但別忘記掌握好工作與愛情的平衡之道，勿因過分專注事業，忽略了對方也不自知。偶爾要為另一半製造小驚喜，才可令愛情恆久保鮮。

錢財

投資雖有斬獲，宜見好即收，不要乘勝追擊。如追加資本繼續入市，有可能把本利輸掉。營商者市場定位更清晰，推廣的策略收到預期的效應，令你在拓展市場方面更有信心。

健康

生殖系統偏弱，容易受感染和發炎。男士或有前列腺炎，膀胱炎等病患。女士本月生育運偏低，受孕的機會下降，宜食用適合的保健品，定期檢查身體。

流月運程

農曆三月

（西曆四月四日至五月四日）

運勢

「值符」逢「天空」，運勢逐漸上升，思想也由灰色轉為五光十色，是時候致力實現願景，讓心靈不斷成長。達標的第一步，是改善「雞蛋裡挑骨頭」毛病，凡事宜宏觀大局，才會取得更大成就。本月正能量旺盛，整個月也有一股強大磁場，同化身邊朋友，運勢將繼續向好。

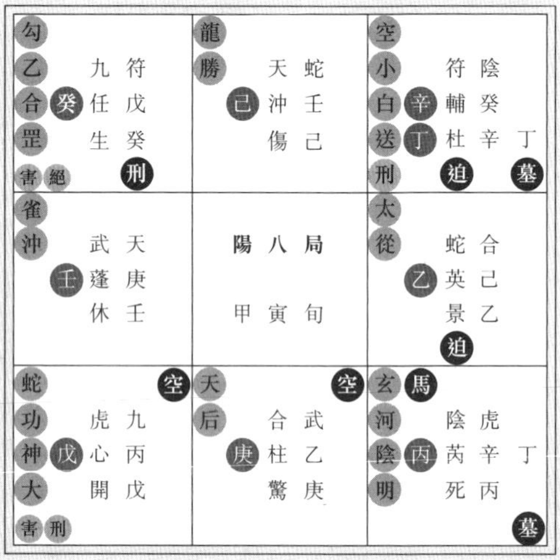

工作

事業運向好，工作效率大大提升。重新檢視工作分配和人事管理，掌握下屬長處，重新調配，令工作更順暢，得到最大成效。「欲速則不達」，別為了顯示自己的才能，過於進取。

勾 乙 合 罡 害 絕 癸 九 任 生 符 戊 癸 刑	龍 勝 己 天 沖 傷 蛇 壬 己	空 小 白 送 刑 辛 丁 符 輔 杜 陰 癸 辛 丁 迫 墓
雀 沖 壬 武 蓬 休 天 庚 壬	陽 八 局 甲 寅 旬	太 從 乙 蛇 英 景 合 己 乙 迫
蛇 功 神 大 害 刑 戊 虎 心 開 九 丙 戊 空	天 后 庚 合 杜 驚 武 乙 庚 空	玄 河 陰 明 馬 丙 陰 芮 死 虎 辛 丙 丁 墓

感情

異性緣提升，與年齡差距較大的異性特別有緣，本月男生容易遇上成熟世故有深度的女士，女士則容易碰到對她關懷備至、細心又專一的大男孩，發展出動人的姊弟戀。

夫妻關係平淡，視為安穩，無風無浪，配偶卻在憂慮情感已逝。不妨花點心思去製造浪漫驚喜，有利增進感情。

錢財

財運向好，決定做任何生意和投資前，可徵詢好友關於投資的策略和意見，對方會有不錯的分析。可考慮與友人合作做生意，成績會喜出望外，回報甚高。

健康

肩周炎患者痛楚日甚，應多做拉筋伸展運動。長時間用電腦者，宜注意坐姿，或定時稍作休息，伸展身體，減少肌肉勞損。

流月運程
農曆四月
（西曆五月五日至六月四日）

運勢

「景門」逢「青龍」，運勢如日中天，不少意想不到的機遇，紛至沓來，令人喜出望外。但需注意，本月出現的暗礁會殺你一個措手不及，要居安思危，做好危機管理，萬一遇上突發事件，也有正向的心理質素，應付危機。

<table>
<tr><td>勾
罡 虎 合
合 庚 英 乙
沖 杜 辛
刑 墓</td><td>龍
乙 武 虎
辛 芮 己 壬
景 乙</td><td>空
勝 九 武
白 乙 柱 丁
小 死 己 壬
絕 刑</td></tr>
<tr><td>雀
功 合 陰
丙 輔 辛
傷 庚</td><td>陽 一 局
甲 子 旬</td><td>太
送 天 九
己 心 癸
壬 驚 丁
絕</td></tr>
<tr><td>蛇
大 陰 蛇
神 戊 沖 庚
后 生 丙
絕 刑 墓</td><td>天
明 蛇 符
癸 柱 丙
休 戊
刑</td><td>玄 馬 空
從 符 天
陰 丁 蓬 戊
河 開 癸
害 絕 墓</td></tr>
</table>

工作

本月工作運勢平穩，公司對自己更加器重，作出多方面的支援，助你重組架構，改善行政，讓業務更進一步。同事未能完全勝任，工作效率未達標，只要凡事親力親為，計劃便不會受阻。留意做事不夠專注的同僚，影響整體成效。

感情

夫妻相敬如賓，掌握相處之道，也能找到共同人生目標，情比金堅。單身女士如不介意男士的收入、學識比自己低，本月能遇上兩情相悅的對象。單身男士不再自卑，或介意姊弟戀，勇敢地向心儀的女神表白，本月有望奪得美人歸。

錢財

正財運緩緩上揚，工作成績有目共睹，造就年尾收到花紅雙糧的機會。出外時要加倍留神，小心保管自己財物，切勿掉以輕心，導致不必要的損失。

健康

女士抵抗力較弱，或有荷爾蒙失調情況，容易患有婦科病，如子宮肌瘤、尿道炎、盆腔炎、粉瘤等，嚴重者更會影響日常生活和生育能力。身體檢查刻不容緩。

流月運程
農曆五月
（西曆六月五日至七月五日）

運勢

「天輔星」逢「白虎」，本月運勢雖強，卻有點飄忽。新的社交圈讓你的思維模式更加廣闊，機遇亦因而更多。在加強人脈時，要小心界定密友、摯友、普通朋友、「假朋友」，別花時間在那些當你一切順利時，總在你身邊，一旦諸事不順，便人間蒸發的「假朋友」。

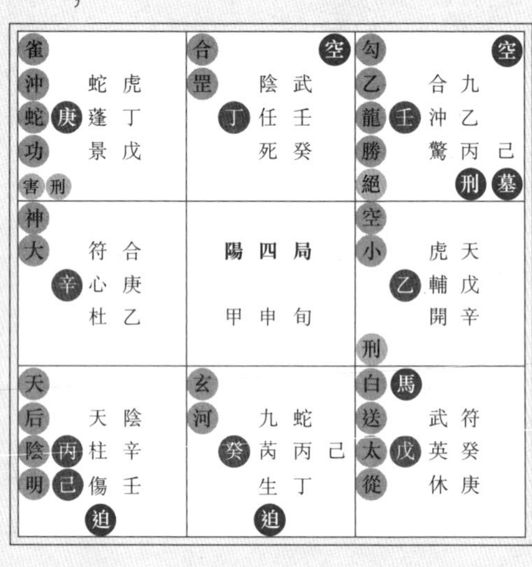

工作

事業運吉中藏凶。今年智慧大大提升，處理問題時思維更見清晰，應變能力更強，在公司中脱穎而出，顯現自身能力和價值，得到更多新發展和賺錢機會。苦盡甘來，前景一片光明。

感情

桃花運增強，努力調整自己的心態和思想，比以往更主動尋找結識異性的機會。近來人緣提升，認識到一些年齡差距比較大，但條件不俗的異性；好好把握時機，放下執著的愛情觀，便能開花結果。

錢財

公司的營業額逐漸增長。雖還沒穩定地到達理想水平，但一切也在進展當中。需要時間守業，可加強宣傳攻勢，及提升團隊精神，讓公司運作更上軌道。本月多花費在汽車維修或裝置，或購買新的房車，支出令你透不過氣來。

健康

經常感到肩頸、脊背酸痛和麻痹，因為終日埋頭苦幹，使用電腦工作，缺乏適當休息。

流月運程
農曆六月
（西曆七月六日至八月六日）

運勢

「生門」逢「勝光」，運勢再度轉強，人自然喜上眉梢，但得意洋洋，鋒芒太露的話，會招來善妒小人圍攻。有遠大抱負、積極進取，不過凡事中庸，才會令前面的路，易走一點。「水滿則溢、月盈則虧」的道理，要好好揣摩。

合 功 勾 大 丁 迫 刑 墓 符 武 蓬 壬 驚 己	雀 沖 庚 天 虎 任 丁 開 癸	蛇 罡 神 乙 絕 己 九 合 沖 庚 休 辛 戊
龍 后 空 壬 蛇 九 心 乙 死 庚	陰 五 局 甲 辰 旬	天 勝 癸 武 陰 輔 己 生 丙
空 明 白 河 絕 空 乙 墓 陰 天 杜 丙 景 丁	太 從 丙 合 符 芮 辛 戊 杜 壬	陰 馬 小 玄 送 辛 戊 墓 虎 蛇 英 癸 傷 乙

工作

事業運提升，公司上下齊心，鬥志激昂。得到老板提拔，誓要闖一番事業。從商者，洽商時極為順利，客户對你的提議讚不絕口。可惜公司有位得力下屬表現時好時壞，需多花心機栽培，希望日後能減輕自己工作負擔。

感情

與另一半溝通更勝從前，和對方分享工作狀況，或朋友間相處趣事，讓彼此關係更親密；主動給對方小心意，令感情更鞏固。單身者與對象非常合拍，如要戀情開花結果，細水長流，切記需要多一點耐性和時間，互相了解。

錢財

財運穩步向上，剛開發的生產線或新推出的新產品大受歡迎，生意額突圍而出，帶來豐厚利潤。本月不宜太冒進，暫不適宜進軍新市場。

健康

男士則要留意生殖器官的異常病徵，或有前列腺炎、良性前列腺增生，切勿為怕尷尬和難為情，諱疾忌醫，這些其實是都市人經常出現的毛病，應及時就診，以免令問題愈來愈嚴重。

流月運程
農曆七月
（西曆八月七日至九月六日）

運勢

「天柱星」臨「從魁」，趁本月運勢穩步前進，無論事業或愛情，也應採取主動攻攻，守株待免的話，機會只會投向別人。本月並應積極拓展人際關係，在社交圈建立一個善意循環，不僅可使生活充滿樂趣，亦有助事業走向康莊大道。

勾 大 陰 天 龍 壬 蓬 丙 后 休 壬 刑 墓	合 功 蛇 九 乙 任 戊 生 乙	雀 沖 符 武 蛇 丁 沖 癸 罡 辛 傷 丁 辛 絕 迫 墓
空 明 合 符 癸 心 庚 開 癸 絕 迫	陰 八 局 甲 寅 旬	神 乙 天 虎 己 輔 壬 杜 己
白 空 河 虎 蛇 太 戊 柱 己 從 驚 戊 墓	玄 空 送 武 陰 丙 芮 丁 辛 死 丙 迫	天 馬 勝 九 合 陰 庚 英 乙 小 景 庚 迫 墓

工作

事業運暢旺，在公司內獨當一面，權力地位舉足輕重，就算其他公司高薪挖角，也不為所動。從商者本月營業額終見回升，是上下員工辛勤成果，注意會計或有技術錯誤，營運帳目有偏差。

感情

愛情運平滯，遇到真心表示誠意的有緣人；對於愛情應盡量不要有過於複雜的思想，要像天真小孩般接受一切的事物，這樣才不會讓感情停滯不前。不要介意年齡上的差距，給對方機會表達愛意。

錢財

財運大吉，本月獲得不少有利的資訊，投資更有信心。除了正財外，賺取外快的機會也不少，錢財運勢可望大大提升。父母供養方面有額外開銷，以顯孝心。

健康

本月思緒混亂、精神緊張，導致失眠、發噩夢、脫髮等毛病出現。情緒問題也會對生殖系統有不良影響，不妨趁假期外遊散心。

流月運程 農曆八月

（西曆九月七日至十月七日）

運勢

「天蓬星」臨「功曹」，運勢明顯增強，本月令人有脫胎換骨感覺。之前的急性子有所改善，在朋友提點下，讓你明白雷厲風行會令自己在觀察事物時，不夠仔細，反而壞了大事，慢下來才能更全面地思考問題，找到正確出路。

<table>
<tr><td>蛇
后 陰 武
雀 戊 柱 辛
明 杜 丁
墓</td><td>神
大 蛇 虎
庚 心 壬
景 己</td><td>天
功 符 合
陰 丙 蓬 戊
沖 死 乙 癸
墓</td></tr>
<tr><td>合
河 合 九
壬 芮 乙 癸
傷 丙</td><td>陰 一 局
甲 子 旬</td><td>玄
罡 天 陰
丁 任 庚
驚 辛</td></tr>
<tr><td>勾
從 虎 天
龍 辛 英 己
送 生 庚
刑 刑 墓</td><td>空
小 武 符
乙 輔 丁
癸 休 戊
刑</td><td>太 馬 空
乙 九 蛇
白 己 沖 丙
勝 開 壬
墓</td></tr>
</table>

工作

事業運吉凶參半，本月工作非常忙碌，經常身兼數職。公司人手不足已非今天之事，雖然有意放權，讓員工擔當更多職務，可惜苦無合心意的人才；又或加以訓練後，對方卻另謀高就，令你無法減輕工作負擔，要勉強支持下去。

感情

桃花運提升，不妨跟與自己年齡有些差距的異性發展，對方細心呵護，無微不至。只要不去介懷，不再執著對另一半的條件要求，戀情便得以順利發展。男士如能懂得欣賞一些有智慧和有內在美的女士，緣份能一觸即發。

錢財

本月偏財運亨通，有豐富收穫，加上日常開銷控制得宜，支金流動更靈活。本月駕駛人士注意，有機會因增添裝置及更換汽車零件而破大財，也有換車的機會。

健康

中秋佳節，吃月餅慶團圓，皆大歡喜。注意本月容易心廣體胖，如不節制，暴飲暴食，會令體重急升。

流月運程
農曆九月
（西曆十月八日至十一月六日）

運勢

「朱雀」臨「開門門迫」，本月運勢大致順暢，但仍有少許不吉之象。機遇得來不易，你愈想求勝，偏偏阻礙愈多，總之急於求功的話，只會有反效果。幸而在最困惱之時，摯友給你當頭棒喝。本月多去郊遊，將有助清除負能量，令人回復朝氣。

蛇 明 符 武 雀 戊 蓬 庚 河 開 乙 迫	神 空 后 天 虎 乙 任 壬 休 辛 迫 刑	天 空 大 九 合 陰 辛 沖 戊 功 生 己 丙 刑
合 從 蛇 九 壬 心 丁 驚 戊 迫 刑	陰 三 局 甲 申 旬	玄 沖 武 陰 己 輔 乙 丙 傷 癸 刑
勾 送 陰 天 龍 庚 柱 癸 小 死 壬	空 勝 合 符 丁 芮 己 丙 景 庚	太 馬 罡 虎 蛇 白 癸 英 辛 乙 杜 丁 刑

工作

事業運順暢，本月雖然工作繁忙，但上司給你很大自由度，不像以往般諸多掣肘。初洽商的計劃也給你全權負責。備受公司重用。切忌自以為是，招人妒忌，影響團隊精神。多與同事溝通，打成一片，鞏固同事之間的關係，對工作有一定幫助。

感情

剛剛發展關係的情侶勿太急進，急於談婚論嫁。注意，小心大家為了滿足雙方家長要求而發生爭執，令彼此關係僵持。勿讓僵局持續，影響往後感情。大家討論問題應平心靜氣，「大事化小，小事化無」，二人便能白頭偕老。

錢財

投資在機建項目、公用事業、不動產等項目會有穩定的回報。本月對從商者大為有利，勢不可擋，舊客戶下大額訂單，得到可觀利潤，且主動介紹其他新客戶，令你對前景更有信心。

健康

女士本月要留意生殖器官有沒有異常，如經血流量比以往多，有血塊等，可能是身體警號，生殖系統或出現病變腫瘤，應立刻作婦科檢查。

流月運程

農曆十月

（西曆十一月七日至十二月五日）

運勢

「太乙」逢「九天」，運勢平穩，本月只要腳踏實地，穩住心性，機會來臨時，牢牢把握，努力往前。切記要多細心觀察事情變化，做事別假手於人，才可令成功率推高一線。

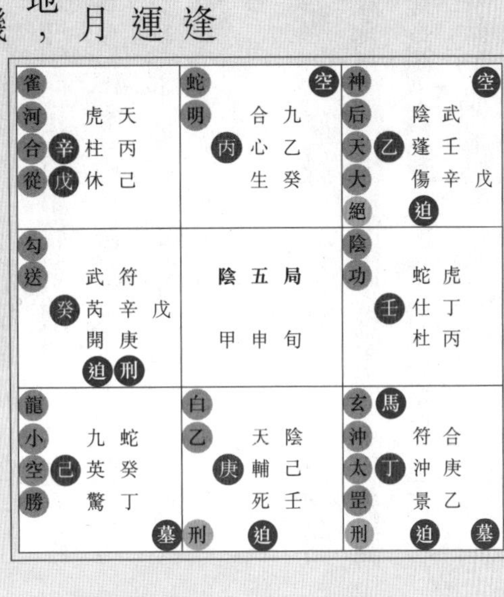

工作

事業運有點阻滯，很多額外的工作要完成，團隊力量不足，無法適應公司現有文化制度，自尊心受創，感到前所未有的挫敗，可向前輩傾訴，尋求寶貴意見，不妥善之處，馬上糾正，不致引來太大麻煩。

感情

桃花運中吉，因同時出現不同類型的對象，令你措手不及；過份保護自己，對個人情感有所遏抑，年齡的差距令你產生猜疑和不信任。要突破感情障礙，不如嘗試跟有緣人彼此多溝通，給機會大家深入了解對方，發掘彼此長處和優點。把握機會，幸福就在眼前，切勿錯失良緣。

錢財

本月財運最為暢旺，投資會獲得很好的成績，或有一筆意外之財。不妨為自己的未來作更務實的計劃。把部份獲利撥作慈善捐獻，會大大增加整體的運勢。

健康

血液病患者如糖尿病、血壓高、痛風症等，本月情況或會惡化。請定時食藥，以免引起其他併發症。

流月運程
農曆十一月
（西曆十二月六日至一月四日）

運勢

「天心星」逢「地盤騰蛇」，運勢稍為上升，滿腦子都是「明天的我要勝過今天的我」，正能量爆棚，並能坐言起行，將時間、精力用於對的地方。有明確方向固然可喜，但需留意按部就班，別冀望可一步到位，行動前並要仔細考量，忌操之過急。

工作

事業運轉順，下屬緣上升，只要分清他們的長處，再好好利用，定能助你官運亨通。若過分忌才，及介意別人的看法，只會令自己陷入困擾，影響工作心情和成效。

合 從 合 符 勾 戊 蓬 癸 送 景 庚 刑	雀 空 河 陰 天 癸 任 丙 死 丁	蛇 空 明 蛇 九 神 丙 沖 辛 后 驚 壬 己 絕 刑
龍 小 虎 蛇 乙 心 戊 杜 辛 刑	陰 六 局 甲 申 旬	天 大 符 武 辛 輔 庚 開 乙
空 勝 武 陰 白 壬 柱 乙 乙 己 傷 丙 刑 迫	太 罡 九 合 丁 芮 壬 己 生 癸 迫	陰 馬 功 天 虎 玄 庚 英 丁 沖 休 戊 刑 墓

感情

感情運勢波伏，本月渴望結婚的念頭不停在腦中盤旋，主要因為身邊有家庭的朋友不停遊說，給人美麗的憧憬，而且父母不停催促結婚。注意別受他人影響，急於要人家對這段感情作出承諾，甚至火速「迫婚」，只會造成壓力，嚇怕對方，甚至打退堂鼓。

錢財

本月偏財運不俗，投資有所斬獲。短炒外匯及短期基金可以即時賺取不錯利潤，是不錯的投資。如有意創業者可把利潤作開業資金，可有長遠的回報。

健康

婦女如體重過輕或過重、壓力過大，都會影響受孕機會，想提升懷孕機率，應保持生活作息定時，有足夠休息，以及不要給自己太大壓力。

流月運程

農曆十二月

（西曆一月五日至二月二日）

龍送空小刑 庚 九芮杜 刑 虎癸丙 乙	勾從 丁 天柱景 刑 武己辛	合河雀明 丙 符心死 九戊癸 乙 墓
白勝 壬 武英傷 合辛丁	陽甲 六子 局旬	蛇后 辛 蛇蓬驚 天壬己
太乙玄罡 戊 虎輔生 刑 陰丙庚 墓	陰沖 己 合沖休 蛇丁壬	神大天功 馬 癸 乙 陰任開 符庚戊 空 墓

運勢

「地盤玄武」逢「勾陳」，運程有大起大落之勢，變數陸續湧現，一時之間令人不知如何招架，情緒大受衝擊。然而，萬事有得必有失，如將得失看得太重，就會失去平衡，令自己無法從容地儲起更多正能量，應付未來無數的挑戰。

工作

事業運有暗湧，正當為公司拓展業務奔波勞碌，卻突然傳出公司對前景不樂觀，考慮擱置擴展計劃。經過你的詳細分析，眾人信心大增，上司也全力支持拓展計劃；地位與日俱增。

感情

本月感情和合。與愛侶或配偶擁有相知相惜的默契，能相敬相愛，同甘共苦。彼此不但能互相欣賞和體諒，更會動腦筋和花心思，為對方增添生活情趣。感情幸福美滿，羨煞旁人。

錢財

偏財不易求，曾經令你獲利不少的投資顧問，近來頻頻失準，多番令你蒙受損失，還是暫時停用為妙。人有三衰六旺，待財運回升再作投資便可。

健康

精神狀態緊張，經常失眠、多夢或睡眠質素欠佳，因此日間工作極為疲勞、頭痛、精神不足，可嘗試在睡前燃點香薰，有助入眠。

十二生肖龍年運程

肖狗者出生時間

（以西曆計算）

丙戌年 二〇〇六年二月四日七時二十八分至二〇〇七年二月四日十三時十七分

甲戌年 一九九四年二月四日九時三十一分至一九九五年二月四日十五時十二分

壬戌年 一九八二年二月四日十一時四十六分至一九八三年二月四日十七時三十六分

庚戌年 一九七〇年二月四日十三時四十六分至一九七一年二月四日十九時二十五分

戊戌年 一九五八年二月四日十五時五十分至一九五九年二月四日二十一時四十二分

丙戌年 一九四六年二月四日十八時四分至一九四七年二月四日二十三時五十分

甲戌年 一九三四年二月四日二十時四分至一九三五年二月五日一時四十八分

壬戌年 一九二二年二月四日二十一時五十三分至一九二三年二月五日三時四十六分

肖狗開運錦囊

增運顏色：綠色、紅色

增運飾物：三角形圖案或飾物

化解犯太歲：馬飾物

九壬丙 合蓬休 丙 蛇勝雀乙 刑 墓	天庚辛 虎任生 辛 神小 刑	乙 符丁癸 武沖傷 馬癸乙 天送陰從 害 刑 迫 墓
武戊丁 陰心開 丁 合罡 害 絕 迫 刑	陽六局 甲寅旬	蛇丙己 九輔杜 己 玄河
空 虎己庚 蛇柱驚 庚 勾沖龍功 害 絕 刑 墓	空 乙 合癸壬 符芮死 壬 空大 刑 迫	陰辛戊 天英景 戊 太明白后 迫 墓

運勢

肖狗之人今年沖犯太歲，運勢荊棘滿途，「天蓬星」臨格局「水蛇入火」，官災刑禁，禍不單行。」會出現不少難以預料的衝擊。

相對於之前猶如死水的運勢，衝擊反而會乍現「危中有機」局面。故此，當運勢偏弱時，不妨嘗試改變一下心態，結果可能會很不一樣。其實每一個經歷，都是在成就將來的你。

想找到走出逆境之出口，除要有正向思維，好學不倦、擇善而從亦很重要。本年不論甚麼年紀、職業、身份地位的肖狗人士，也應將學習變成習慣，以增強自己的能力，假使能力不足的話，就算將機會放在面前，亦無法把握。

多出席喜慶聚會，或替自己舉行生日派對，對化解太歲凶象，亦有幫助。

今年沒有貴人從旁協助，所以肖狗人士平時待人接物，宜低調謙卑一點，別覺得自己有點本事，便趾高氣揚，尤其年輕一輩，更要有謙虛的心，聆聽他人意見。

在沖犯太歲之年，較容易作出一些非理性決定，但凡與工作、婚姻、家庭、金錢、人際關係有關的重大轉變，也不適宜實行。

總之，今年保持正向思維，必定能從悶局之中，抽身而出。

工作

今年是肖狗人士的「沖太歲」之年，事業運顛簸不定，「天罡」逢「地盤玄武」，就算拚命去跑，終點仍未在望，久而久之，會演變成工作倦怠，心情不暢。

不想情緒繼續內耗，心煩時不妨找好友傾訴，否則堆積太多壓力，會影響工作時的判斷能力，令人易犯低級錯誤，在龍年原已顛簸的事業路，就會更加舉步維艱。

伴隨著「沖太歲」而來是辦公室小人問題，將使肖狗者煩上加難。每天上班，就好比上戰場決戰，危機四伏；尤其那些表面謙謙君子，背後卑鄙的假面人，不步步為營，細心觀察，實在難以辨識其真正面目。

今年千萬要：「少說話，多做事」，以免得罪小人，弄至永無寧日。平時在辦公室聊天時，說些無關痛癢的瑣事，切勿談同事的不是，更別觸及人家的隱私。總之對任何是非話題，不表態，不發表意見。對於公司推行的政策，更萬萬不可指指點點，否則，將成為小人用來攻擊你的黑材料。

在工作運疲弱之時，想轉工恐怕機會很微，即使身邊的同事相繼離職，也別隨便跟風。所謂「人棄我取」，有時愈多人離開公司，留下來的人的上位機會，可能愈大。今年還是靜觀其變，可能對日後發展，更加有利。

感情

龍年的桃花運散亂不聚，「傷門門迫」逢「天沖星」，表示與一些海外回流的異性，以及外籍朋友，份外有緣。可是，假桃花旺盛，即使遇見心目中的理想對象，亦有可能有緣無分，故此今年對愛情別抱太高期望，以免感情用事，波及事業，對工作無心戀戰，人財兩空收場。

今年「小吉」逢「朱雀」，令單身的肖狗人士害怕表白後遭到拒絕，會留下心靈傷痕，寧願將主動權交給對方，以致今年大有機會膠著在「友達以上，戀人未滿」的曖昧狀態。

短期內，那種沒有承諾束縛的曖昧關係，可能會令雙方壓力減輕，感到無牽無掛。另一方面，潛藏著冒險家精神的肖狗者，從這種若即若離的曖昧遊戲之中，其實獲得不少快感。

然而，除非你是愛情玩家，否則，長此以往處於「穩定的曖昧」關係，將令負面情緒逐漸浮現，包括極度的不安全感，甚至覺得自己被人利用來消磨時間。所以，長痛不如短痛，今年好應當機立斷。

已有固定對象或已婚的肖狗者，容易因工作而弄至心煩氣躁，與另一半的執拗，亦因此增多。來一次短程旅遊或者Staycation，又或者簡簡單單的一頓浪漫晚餐，也有助紓緩情緒，提升情趣，改善關係。

錢財

肖狗之人今年「沖太歲」，財運一蹶不振，「白虎」逢「天任星」臨「擊刑」，表示正財、偏財、橫財均未如理想。另外，要加倍小心保管個人財物，平時外出，貴重首飾、名錶之類，最好少佩戴，以防招損。

經過一整年用心拚博，原以為期待已久的年終獎金，袋袋平安，豈料公司以「經營狀況仍沒有好轉」為由，要求員工繼續共渡時艱，肖狗者唯有無奈接受。

正財不似預期，偏財方面，亦不要期望有理想進帳。受「值太歲」影響，投資觸覺不太敏銳，分析市況時易有偏差，以致難以看清市場走勢。因此，龍年絕不宜作巨額投資。亦千萬別將「內幕消息」，信以為真。更別憑直覺，胡亂入市，以為能夠以小博大，結果可能損失更加慘重。

這一年連博彩的彩數，也同樣偏低，所以一切與錢財有關的計劃，也不宜太過進取。

今年要特別小心網上投資騙案。看見網上社交平台、討論區或即時通訊軟件中，那些「低風險、高回報」的訊息，小心是騙徒使用虛假投資應用程式，以及偽造獲利的交易記錄，誘使受害人上當。

總之，在財運不太好的一年，宜守不宜攻，才是正路。

健康

龍年「地盤白虎」臨「勾陳」逢「入墓、擊刑」，健康無大礙，卻需留意有「意外之災」，尤其交通事故。今年不論駕車或過馬路，都要加倍集中精神。如果肖狗者是新手司機，更要小心。

這一年「沖犯太歲」逢「擊刑」，代表手腳容易「中招」受傷，所以肖狗之人在任何時候，也應「步步」為營。平時走路或使用扶手電梯時，千萬別只顧望著手機，不理周遭環境。

另外，嚮應行山熱潮的肖狗人士，即使選擇的路徑並非難度太高或崎嶇，也要保持警覺，慎防「拗柴」。除起步前做足熱身預備，上落石級和做跨步動作時，也不要操之過急，以降低風險。

如果肖狗者屬健身之人，練習時切勿逞強，而忽略正確姿勢。亦不要因為急於達標，過分操練，令肌肉以至關節受傷。量力而為，才是健身之道。

經常穿高跟的肖狗女士，今年最好減少穿著，以免拇趾長期受壓，引發外翻問題。一旦拇趾外翻，不僅劇痛難受，更有可能併發關節炎，嚴重者有機會要手術治療。

在容易有「意外之災」的一年，很多事也在意料之外，所以就算簡單如使用剪刀，也要謹慎。

健美修身催運小貼士：重點加訓練臀、下身及背部。

重點加強訓練臀部及下身，先由基礎動作深蹲（Squat）開始，另外可以做腿推（Leg Press），鍛鍊腿部肌肉。

訓練背部運動，在家可以做掌上壓（Push Up），在健身房可以做滑輪下拉（Lats Pull down），強化背部，矯正駝背、緩解背痛。

*健美運動強度及次數因人而異，詳情請向專業健身教練咨詢。

戊戌年 二〇一八年

這年齡的肖狗孩子天性活潑好動，加上不懂得怎樣保護自己，今年在玩耍或運動時，有機會令手腳受傷。孩子萬一出現事故，家長必先保持冷靜，才可幫到子女。

狗仔狗女的父母今年不妨抽點時間，學習一下扭傷、受傷後的適當處理手法，這對於有傷患小朋友的康復進度，會有很大幫助。

丙戌年 二〇〇六年

對愛情充滿憧憬的肖狗少男少女，今年會

因為好奇心，而墮入曖昧關係。父母如發現這種情況，擔心影響子女學業及前途，也別太過慌張，而予以嚴厲譴責。

在青春期對異性產生好感，期待戀情，是人之常情，家長如能以關懷和溝通，代替責罵，才可令事情「大團圓結局」。

甲戌年 一九九四年

龍年「地盤白虎」臨「勾陳」，要份外小心交通事故，若然是新手司機，更應加倍留神。

在這個易有「意外之災」的一年，平時連走路，也要一眼關七，別將所有專注力也放在手機，忽略了周遭環境，尤其近來超乎想像的意外，不時出現，故此肖狗者今年最好事事小心，以降低受傷風險。

壬戌年 一九八二年

身在職場，今年要經常提醒自己「少說話，多做事」，以防招惹辦公室小人。在「沖太歲」之年，意味事業運會出現不可預期變化，若然公司今年出現任何人事變動，肖狗者亦宜靜觀其變，別因一時意氣或受其他人唆使，衝動離職。因進入了「職涯中期」階段後，除非你個人品牌異常出眾，否則未必能吸引新僱主眼球。

庚戌年 一九七〇年

今年正財、偏財、橫財均不如人意，所以一切涉及錢銀的計劃，也要採取保守策略。另外，別隨便相信，網上社交媒體訛稱有內幕消息和貼士、「指導」大家去投資的群組，稍一不慎，就會墮入騙局。在財運那麼疲弱的一年，最好還是「按兵不動」，連博彩也暫時不沾手。

戊戌年 一九五八年

龍年宜留意手腳易受傷，上落樓梯或公共車輛、使用扶手電梯時，也要留神。如果有運動習慣，例如緩跑或者行山，也別心急，總之今年宜以慢取勝。

不論駕車或過馬路，都要專注，別只顧興高采烈地交談，忽略周遭一些突發事情。在這一年，「小心駛得萬年船」，便可減少發生意外的風險。

流月運程
農曆一月
（西曆二月四日至三月四日）

運勢

雀勝合乙刑 戊 陰輔杜 陰丁丁	蛇小 癸 合英景 合庚庚	神送天從 馬丙己 虎芮死 虎壬壬 刑 空 丙丙
勾罡 刑 乙 蛇沖傷 蛇癸癸	陽七局 甲戊旬	陰河 害絕 辛 武柱驚 武戊戊 空
龍沖空功 壬 符任生 符己己 墓	白大 丁 天蓬休 天辛辛 刑	玄明太后害 庚 九心開 九乙乙 墓

「驚門」臨「玄武」，整體運勢尚可，不過不失，處事時要有耐性，宜穩中求變，不能過於進取，並應集思廣義，聽取不同聲音，多接受批評，才可避免因武斷而作出不智決定。本月要加緊改善言談時的壞習慣，如打斷別人說話，這對於提升工作運，有頗大影響。

工作

事業運平滯，公司人事紛爭不斷，過往的團隊精神消失殆盡，令你不知如何招架。必須做好自己份內工作，以免招惹是非謠言，令卑鄙小人有機可乘。惹上麻煩令事情更加複雜，糾纏不清。事業上無貴人相助，陷入困局，需要以無比堅定的毅力衝出難關。

感情

桃花運起伏不定，假桃花旺盛，即使遇上心儀對象，恐怕也是鏡花水月，有緣無份，勿太感情用事，亦不宜對初邂逅的人全情投入，應用多一點時間觀察對方，了解過後才展開戀情，慎防關係只屬曇花一現，以免痛苦自招。今年留意一些海外回流的異性或外籍異性，會特別投緣，感情發展比較順利。

錢財

財運平平，容易招來竊匪盜賊，請小心提防，多加留意出入住宅大廈的陌生人；緊記鎖好門窗。出外時要加倍留神，小心保管好財物，錢財和證件要隨身攜帶，切勿掉以輕心，導致不必要的麻煩和損失。

健康

提防手腳有意外，避免過分劇烈的運動，量力而為，不宜太心急，做任何運動都應謹記：先做好熱身動作，便可減少意外受傷風險。

流月運程
農曆二月
（西曆三月五日至四月三日）

運勢

「死門門迫」臨「空亡」，運勢風起雲湧，處於弱勢。本月不少事情也出現波折，幾經辛苦以為完成任務，竟然要推倒重來，總之好事多磨。受小人所累，會惹上麻煩甚至官非，勿胡亂逞英雄，自己走向懸崖仍懵然不知。

雀 乙 九 蛇 合 丁 蓬 辛 罡 休 丁 害 絕 墓	蛇 勝 天 陰 庚 任 己 生 庚	神 馬 小 符 合 天 壬 沖 癸 送 丙 傷 壬 丙 害 刑 迫 墓
勾 沖 武 符 癸 心 乙 開 癸 害 絕 迫	陽 七 局 甲 寅 旬	陰 從 蛇 虎 戊 輔 丁 杜 戊 刑
龍 空 功 虎 天 空 己 柱 戊 大 驚 己 刑 墓	白 空 后 合 九 辛 芮 壬 丙 死 辛 迫	玄 河 陰 武 太 乙 英 庚 明 景 乙 迫 墓

工作

工作運出現阻滯，除了做事欠順利，常常遭到困難或不獲上司支持，在公司裏更有人事不和的問題，帶來口舌之爭，加大了工作的難度，令你煩惱不堪。本月雖然欠缺人事上的助力，遇到困難時，只要憑著不屈不撓的精神，對抗面前的禍患，必能突破障礙，順利度過難關。

感情

感情運模糊不清，容易與知己好友徘徊於「友達以上，戀人未滿」的關係，感情似是而非，總是猜不透對方心意，自己也不清楚自己的想法，關係未能邁進一步。如不想失去知己好友，請不要拖拖拉拉，不要做一些讓人誤會的舉動，要控制自己情感，勿使泥足深陷。

錢財

本年整體運勢困頓，不利於財運。揮霍無度，家人多次相勸，卻是變本加厲，務須加以節制。本月投資策不宜進取，如非必要，不要作沒把握投資，但可作一些長期固定的投資。

健康

本月會有風濕或關節炎等病患，導致關節發熱、腫脹和疼痛。病者需要適當的休息及運動，也可利用藥物控制，以緩和風濕關節炎等病情。

流月運程
農曆三月
（西曆四月四日至五月四日）

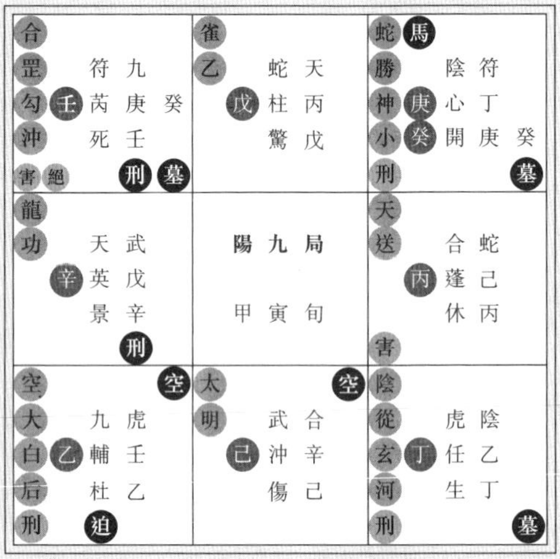

癸 九庚壬 符芮死 壬 合罡勾沖害絕 刑 墓	天丙戊 蛇柱驚 戊 雀乙	癸 符丁庚 陰心開 庚癸 馬 蛇勝神小刑 墓
武戊辛 天英景 辛 龍功 刑	局旬 九寅 陽甲	蛇己丙 合蓬休 丙 天送害
空 虎壬乙 九輔杜 乙 空大白后刑 迫	空 合辛己 武沖傷 己 太明	陰乙丁 虎任生 丁 陰從玄河刑 墓

運勢

「天柱星」逢「朱雀」，本月欠缺吉星，障礙重重，不能順心如意，情緒陷入谷底。縱然渴望將問題解決，行事時也要按部就班，否則只會更糟。情緒低落時，多親近大自然或向朋友傾訴。

工作

事業波折一浪接一浪，公司上下爾虞我詐，各人為圖取私利排除異己，令你十分氣憤，但又不敢揭發惡行。受「沖太歲」所影響，易被奸險小人搬弄是非和放冷箭陷害，導致心中負面情緒不斷，令脾氣更加暴躁，思想變得主觀偏激。切勿作不理智的決定，讓小人有機可乘。

感情

桃花帶凶象，單身者小心自尋煩惱，慎防在安慰失戀好友時，自己不自覺愛上對方。只怕是一廂情願，展開苦戀。

經常與愛侶有爭執，溝通出現問題。花多點心機、時間去關心配偶，讓對方更了解自己的生活模式和喜惡。不妨與對方往郊遊或者Staycation，能有效改善大家的關係，所有麻煩自然會化解。

錢財

財運虛浮，近期雖然不乏賺錢的機會，但有不少環境因素影響回報，過路財神居多，不宜浪費太多時間，得不償失。近日要提高警覺，慎防遇上騙局，如電話騙案和網上騙徒等，一不小心就會導致金錢上的重大損失。

健康

本月腳部偏弱，愛穿穿高跟鞋的女士特別留意，容易扭傷腳部、長雞眼或起水泡等等，盡意避免穿著高於一吋的高跟鞋或新鞋。

流月運程
農曆四月
（西曆五月五日至六月四日）

運勢

「天罡」乘「勾陳」，運勢並無突破，依然積弱，令你心力交瘁，壓力大增，以致經常失眠，切記不要依賴藥物解決睡眠問題，多做運動、接觸陽光，才是治本辦法。本月的家宅運未如理想，易與家人發生爭拗，謹記親情非常重要，更何況「家和萬事興，家衰口不停」。

龍 沖 蛇 蛇 空 戊 輔 庚 功 杜 庚	勾 罡 陰 陰 癸 英 丙 景 丙	合 馬 空 乙 合 合 雀 丙 芮 戊 辛 勝 己 死 戊 辛 刑 刑
白 大 符 符 乙 沖 己 傷 己	陽 二 局 甲 戌 旬	蛇 空 小 虎 虎 辛 杜 癸 驚 癸
太 后 天 天 玄 壬 任 丁 明 生 丁 害 墓	陰 河 九 九 丁 蓬 乙 休 乙 害 絕	神 送 武 武 天 庚 心 壬 從 開 壬 刑

工作

事業下滑，四處皆無助力，加上受環境束縛，工作不單難有突破，甚至阻礙重重，容易失誤出錯，較為艱辛。今年需要默默耕耘，一切還靠自己努力，不問成果。不要計較眼前得失，即使工作不開心，只要今天付出努力，他朝定有回報。

感情

單身已久者，本月碰上合心意對象，但對方表現冷淡，令你忐忑不安。感情運多變，特別是拍拖已久的情侶會面臨大考驗，如不決定共諧連理，恐防有分手危機。努力工作之餘，也要抽空關心愛侶，或安排外地旅遊增進感情，勿視一切為理所當然。

錢財

偏財運一般，本月絕對不適宜高風險投資或投機。好好利用正財運，腳踏實地。有意置業者應好好儲蓄，未雨綢繆，為日後作準備。

健康

手腳有機會因勞損或退化，引致各種軟組織、神經、筋骨出現問題，從而觸發痛楚，甚至行動不方便、活動機能減退。

流月運程
農曆五月
（西曆六月五日至七月五日）

運勢

「天芮星」逢「杜門」，運勢繼續走下坡，本月不單諸事不順，並易出現人事紛爭，如不想進一步破壞氣場，必須放下執念，對別人多點包容，少點批評。思潮起伏不定之月，別作一些關乎未來的重大決定，如轉工、置業等。

龍 功 空 大 刑 蛇 武 辛 心 己 死 乙	勾 沖 空 陰 九 丙 蓬 癸 驚 壬	合 馬 空 罡 雀 乙 害 絕 合 天 乙 任 辛 開 丁 戊
白 后 符 虎 癸 杜 庚 景 丙	陽 五 局 甲 申 旬	蛇 勝 虎 符 壬 沖 丙 休 庚
太 明 玄 河 迫 墓 天 合 己 芮 丁 戊 杜 辛	陰 從 刑 九 陰 庚 英 壬 傷 癸	神 小 天 送 害 刑 墓 武 蛇 丁 輔 乙 戊 生 己

工作

事業運反覆，公司局勢不穩，各人擔心自己前景，為了實踐新的發展理念，上級不斷向下級施壓，上班猶如上戰場，為了生存，人人步步為營，爾虞我詐。今年沒有任何貴人星，不宜輕易轉換工作，要以自己的實力衝破難關。

感情

感情運波折重重，單身者即使結識到合眼緣對象，恐怕也是霧水情緣，只是其中一位候選者。千萬不要被甜言蜜語所迷惑，以致意亂情迷，最終難以開花結果。有愛侶者本月感情不順，彼此猜忌，覺得對方有所隱瞞，行蹤飄忽，令你信心動搖。

錢財

財運欠佳，人緣運甚差，又不知世途險惡，容易受到小人哄騙，而跌入騙財陷阱，使金錢有所損失。暫時應停止一切投機活動。

健康

做劇烈運動時，特別容易扭傷筋骨、肌肉和關節。做任何運動前必先做足熱身運動；運動時要加倍留神，避免拉傷或扭傷。

流月運程 農曆六月

（西曆七月六日至八月六日）

運勢

「傷門」逢「登明」，本月運勢如海上浮標，載浮載沉。因工作一時失意，鬥志下沈，脾氣亦變得暴躁，令家人淪為出氣袋，再這樣下去，只會傷害彼此感情，影響整體運氣。壓力每個人都會有，當心疲累時，聽音樂、做運動或進行簡單的呼吸練習，也有助減壓，驅走負能量。

雀 大 符 陰 合 丙 芮 壬 己 后 杜 庚 害 刑 刑 墓	蛇 功 天 蛇 辛 柱 乙 景 丁	神 馬 沖 九 符 天 庚 心 戊 罡 死 壬 己 刑 墓
空 勾 明 蛇 合 癸 英 丁 傷 辛	陰 六 局 甲 辰 旬	陰 乙 武 天 丁 蓬 癸 驚 乙
龍 空 河 陰 虎 空 戊 輔 庚 從 生 丙 害 絕 刑 墓	白 送 合 武 乙 沖 辛 休 癸	玄 勝 虎 九 太 壬 任 丙 小 己 開 戊 墓

工作

事業運多暗湧，工作排山倒海，經常超時加班，卻沒有得到上司的嘉許及體諒。大部份下屬為新入職，工作效率偏低，未能協助工作之餘，還要在旁指導和督促。在「波譎雲詭」的工作環境下，壓力無從宣洩。切勿借助酒精來放鬆心情，透過運動才能真正減壓。

感情

感情欠缺穩定。渴望戀愛已久，切忌太過感情豐富，在投入感情之前，一定要看清形勢，小心翼翼，深入了解對方，才好進一步發展。不要讓愛情沖昏頭腦，讓人乘虛而入。

錢財

投資運一般，盡量花費在對自己有利的事情，如進修課程，或參加提升職場競爭力的進修班，更有價值和有實際回報。營商者控制成本的方案終見成效，支出大減。

健康

炎炎夏季，好動者進行劇烈運動時要加倍留神，容易發生意外，扭傷手腳。腳關節、腳筋會可能會舊患復發。避開令腳部勞損的運動。

流月運程

農曆七月

（西曆八月七日至九月六日）

運勢

「天沖星」逢「騰蛇」，運勢如無定向風，難以預料，不想受到變數影響心靈健康，本月要有好夢難成的心理準備，碰到困難時，轉換一下視角，嘗試以「有危必有機」的正向心態面對，定能克服障礙，轉化危機為新的能量。

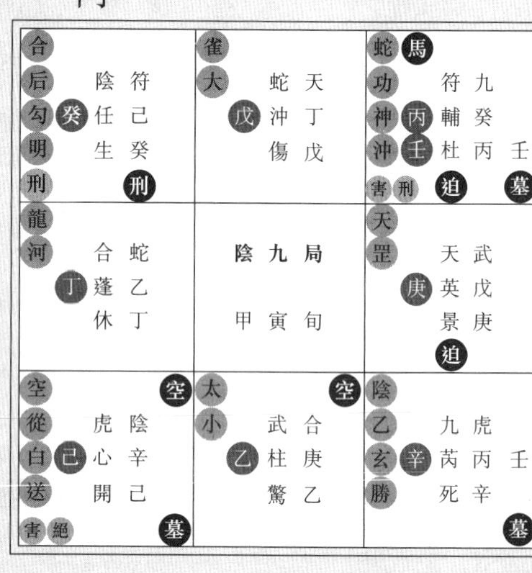

工作

事業運低迷，工作受到阻礙，發展困難，鬱結難舒。本月凡事易生枝節，出現無理取鬧的奸險小人，百般留難，更被人「篤背脊」，加上對上司的不滿情緒，讓人深感困擾。

感情

桃花運飄忽不定，感情波動，容易與傾慕的異性若即若離。對方的態度時好時壞，難以捉摸心意。

個人情緒經常受到牽動，感到心亂如麻，焦慮不安，甚至影響工作。本月單身者可留意其他種族人士，或海外回流的異性，會有不錯的發展空間。

錢財

財運偏弱，投資觸覺甚弱，經常思前想後錯失良機。切勿大意，需要確定投資資訊的真確性，以免被誤導，作出錯誤決定，蒙受損失。

健康

每逢夏季颱風暴雨頻密，有手腳及腰骨風濕舊患者，今年有舊病復發之象，應早作預防。

流月運程
農曆八月
（西曆九月七日至十月七日）

運勢

「白虎」逢「地盤白虎」，運程顛簸，有太多事難掌握，不僅工作壓力大增，並處處受小人針鋒相對，令你百辭莫辯，解脫辦法是管理好情商，以平靜的心情應對。在運勢不佳之時，不宜探病問喪，以免進一步削弱氣場。

空 丁丁 合戊戊 合芮死 壬 己 馬 空大白功刑	虎庚庚 虎英景 丁 龍后	武丙丙 武輔杜 庚 勾明合河
空 陰壬壬 陰柱驚 乙 刑 太沖	局旬 二戊 陰甲	九乙乙 九沖傷 辛 雀從
蛇癸癸 蛇心開 戊 玄罡陰乙	符己己 符蓬休 癸 天勝	天辛辛 天任生 丙 刑 蛇送神小刑

工作

事業運起伏不定，受到客戶投訴，或擱置投資，工作士氣下滑，自信心動搖。切忌因為情緒影響而犯下「低層次」錯誤，被小人有機可乘。上司有心偏坦，令你極為不滿，不宜「喜怒形於色」，自有其他同事代抱不平，坐收漁人之利。

感情

桃花劫出現，單身者與已婚的異性朋友近日來往甚密，如明知大家沒有將來，何必自尋煩惱？應保持距離，擴闊生活圈子，結交單身異性。已婚者與另一半感情愈來愈淡，經常貌合神離，不妨計劃一頓燭光晚餐，在輕鬆的氣氛下，好好溝通，重拾甜蜜感覺，重修舊好。

錢財

財運不佳，有劫財之勢，容易遇到商場小人或騙局，小心提防以免錢財損失。切忌妄想「逢賭必勝」而輕信贏錢秘笈，只有「長賭必輸」。

健康

手腳有勞損、退化機會，日常要為身體補充足夠鈣質，宜多喝牛奶及進食有充足蛋白質的食物，或可向家庭醫生、營養師請教，訂定適合自己的強健骨骼方案。

流月運程
農曆九月
（西曆十月八日至十一月六日）

運勢

「休門」逢「入墓」，運勢未見起色，小人、是非較多，本月必須克盡己任，做事親力親為，勿走捷徑，以免小人乘虛而入。另須注意，有機會出現財務糾紛，本月應盡量不要和親友扯上任何錢銀瓜葛，以防因財失義。

<table>
<tr>
<td>雀
河　虎　陰
蛇　丁　任　癸
從　景　戊
刑</td>
<td>合　空
明　合　蛇
丙　沖　己
死　壬</td>
<td>勾　馬　空
后　陰　符
龍　辛　輔　戊
大　驚　庚　乙
絕　墓</td>
</tr>
<tr>
<td>神
送　武　合
庚　蓬　辛
乙　杜　己</td>
<td>陰　四　局
甲　庚　旬</td>
<td>空
功　蛇　天
癸　英　壬
開　丁</td>
</tr>
<tr>
<td>天
小　九　虎
陰　壬　心　丙
勝　傷　癸
迫</td>
<td>玄
乙　天　武
戊　柱　丁
生　辛
迫</td>
<td>白
沖　符　九
太　己　芮　庚　乙
罡　休　丙
墓</td>
</tr>
</table>

工作

事業運欠佳，公司滿佈小人，總愛搬弄是非，令團隊精神大受影響，切忌盡信一面之辭，以免錯怪好人。對待一些流言蜚語，要保持中立，以免影響判斷力，白白讓機會溜走。洽商時避免配戴金飾，以免減弱當天運勢。

感情

桃花運轉弱，單身者近來與外藉人士或海外回流的異性十分投緣，不妨打開心窗，採取主動。守株待兔只會讓緣份擦身而過。已婚者與配偶欠缺溝通，感情轉淡，容易受異性的引誘見異思遷。要好好把持定力，以免影響夫妻感情，令婚姻出現裂痕。

錢財

財運波動，會因為自己的氣運不穩定，在公在私也有很多波折，心身無法安穩，保守處理財務事宜為佳，暫時絕不宜進取投資。

健康

注意，頭部容易撞傷，又或偏頭痛發作。宜帶備止痛藥，避免劇烈運動。

流月運程

農曆十月

（西曆十一月七日至十二月五日）

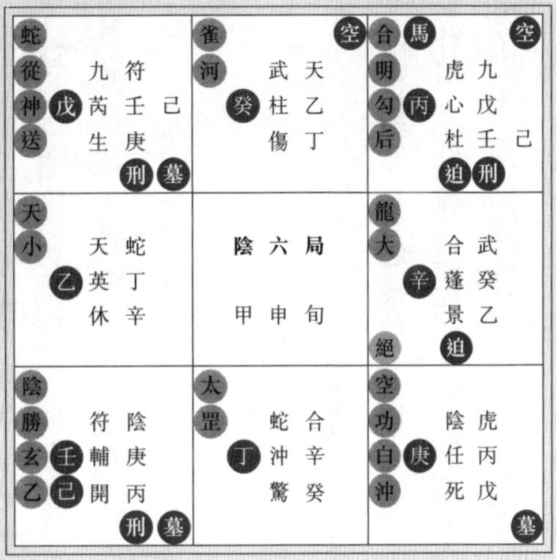

運勢

「開門」逢「天輔星」，運勢漸見好轉。縱使正能量有回升跡象，但因之前好一段時間處於運勢低谷之中，令心靈深處元氣大傷，所以本月仍不宜大舉作出改變，應謹守本分，靜觀其變，才採取適當行動，運氣便會穩步上揚。

蛇從神送 戊 九芮生 符壬庚 己 刑 墓	雀河 癸 武柱傷 天乙丁 空	合明勾后 馬丙 虎心杜 九戊壬 己 迫 刑 空
天小 乙 天英休 蛇丁辛	陰甲 六申 局旬	龍大 絕 辛 合蓬景 迫 武癸乙
陰勝玄乙 壬己 符輔開 陰庚丙 刑 墓	太罡 丁 蛇沖驚 合辛癸	空功白沖 庚 陰任死 虎丙戊 墓

工作

事業運此起彼落，本月會有機會被委派到外地公幹，本可以大顯身手，可惜在處理合約細則時卻是困難重重，特別在洽談價錢和運輸成本方面，更是爭持不下，令你感到「無用武之地」，最終計劃也被拖延。

感情

感情運勢轉順，單身者會有不錯的異性緣，感情生活更豐富。本月有艷遇，令人心花怒放。在外地公幹或旅遊時，可以留意身邊比較投契的有緣人，只要感覺投緣，不用顧慮太多，異地情必能順利開展。

錢財

財運不過不失，沒有計劃日常財務事宜，一直是賺多少便全數花光。應定下儲蓄目標，讓日後生活更加穩妥。洽商時須小心謹慎，簽訂合約須細閱清楚條款內容，乃至諮詢專業人士；完全清楚了解真實情況才好行動。不可過於貪心，以免貪字得貧。

健康

膝蓋軟骨組織長期磨損，致使膝蓋位置疼痛難當。可做物理治療，或服用補充劑。

流月運程
農曆十一月
（西曆十二月六日至一月四日）

神 送 蛇 小 蛇 陰 癸 英 丙 庚 驚 辛 迫 墓	天 從 空 符 蛇 戊 芮 癸 庚 開 丙	陰 馬 河 玄 明 空 天 符 己 柱 戊 休 癸 庚 害 絕 墓
雀 勝 陰 合 丙 輔 辛 死 乙 刑	**陰 七 局** 甲 申 旬	太 后 九 天 丁 心 己 生 戊 害
合 乙 勾 罡 刑 合 虎 辛 沖 壬 景 乙	龍 沖 虎 武 壬 任 乙 杜 丁	白 大 空 功 武 九 乙 蓬 丁 傷 己

運勢

「太常」逢「生門」帶「害」，運勢雖繼續升高，整體指數卻仍徘徊在較低水平，本月切勿因急於要在人前展示實力，勉強自己向目標急起直追，結果形成沈重壓力，適得其反。當時機未完全成熟時，看淡勝負的「佛系」心態，反而令人有所得著。

工作

本月工作轉順，但公司未能給予歸屬感和滿足感。上司不懂「惜才」，常常感到受制於人，沒有發揮機會，有懷才不遇之心。沒有其他工作機會，只能靜待時機，另覓新的出路。

感情

感情運反覆無常，曇花一現，未能開花結果。有機會遇上喜歡對象，可惜只是自己一廂情願，別有太大的憧憬及期望。

愛理不理的態度令你失魂落魄，患得患失。不應苦苦追尋不懂真心真意對待你的人。幸福只會越離越遠。

錢財

本月財運難以把握，財來財去，儘管財來卻不聚，錢財破耗大，嚴重者可能耗掉大筆積蓄。切勿胡亂借錢與人，恐怕難以收回，要多加留意。

健康

眼睛容易疲倦和受損，切勿長時間戴上有色的隱形眼鏡，以免令眼睛受到感染。

流月運程
農曆十二月
（西曆一月五日至二月二日）

運勢

「值符」逢「六合」，本月運勢趨向平穩，切記安份守己，不宜作重大轉變，包括在工作上另謀出路、「上車」做業主，將家居大裝修亦不適宜。本月宜多做「大腦健身」，修練心智，讓自己有更強的精神狀態，面對日後挑戰。

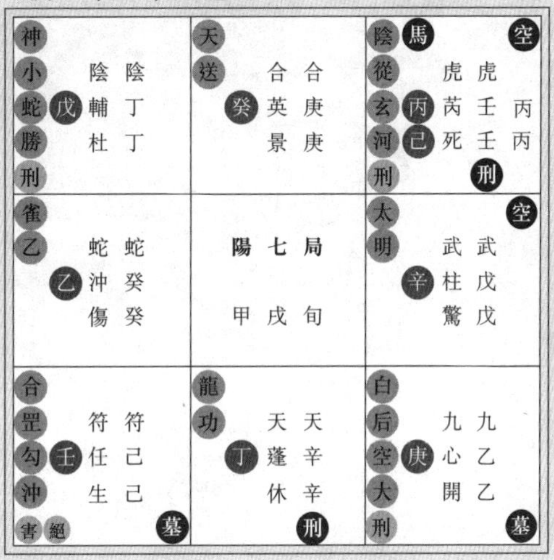

<table>
<tr>
<td>神
小 陰 陰
蛇 戊 輔 丁
勝 杜 丁
刑</td>
<td>天
送 合 合
癸 英 庚
景 庚</td>
<td>陰 馬 空
從 虎 虎
玄 丙 芮 壬 丙
河 己 死 壬 丙
刑 刑</td>
</tr>
<tr>
<td>雀
乙 蛇 蛇
乙 沖 癸
傷 癸</td>
<td>陽 七 局
甲 戌 旬</td>
<td>太 空
明 武 武
辛 柱 戊
驚 戊</td>
</tr>
<tr>
<td>合
罡 符 符
勾 壬 任 己
沖 生 己
害 絕 墓</td>
<td>龍
功 天 天
丁 蓬 辛
休 辛
刑</td>
<td>白
后 九 九
空 庚 心 乙
大 開 乙
刑 墓</td>
</tr>
</table>

工作

事業運回復水平，放下執著與成見，輕鬆面對手頭上問題。雖然沒有具體的方案解決困難，至少可令情況不致惡化。應辦法避開與小人正面交鋒，小心謹慎為上。工作壓力比較大，終會有相應的回報。

感情

感情運不和諧，產生危機。有愛侶或已婚者感情日漸轉淡，加上嚴重缺乏溝通，彼此感覺疏離。需要主動維繫雙方感情，否則造成不能彌補的裂痕。主動邀約對方往Staycation，能改善大家的關係。

錢財

財運不穩定，需小心理財。要維持公司收支平穩發展，從商者應暫時擱置所有擴展業務的重大計劃。本年應穩定資金流轉、節約開支，使公司的發展穩步向前。

健康

精神衰弱，胸口憋悶刺痛，請往醫生處檢查。不用太擔心，當壓力消除，一切自會安穩。

十二生肖龍年運程

肖豬者出生時間（以西曆計算）

丁亥年二〇〇七年二月四日十三時十八分至二〇〇八年二月四日十九時

乙亥年一九九五年二月四日十五時十三分至一九九六年二月四日二十一時七分

癸亥年一九八三年二月四日十七時三十七分至一九八四年二月四日二十三時十八分

辛亥年一九七一年二月四日十九時二十六分至一九七二年二月五日一時十九分

己亥年一九五九年二月四日二十一時四十三分至一九六〇年二月五日三時二十三分

丁亥年一九四七年二月四日二十三時五十一分至一九四八年二月五日五時四十二分

乙亥年一九三五年二月五日一時四十九分至一九三六年二月五日七時二十九分

癸亥年一九二三年二月五日三時四十七分至一九二四年二月五日九時三十五分

肖豬開運錦囊

增運顏色：黑色、白色

增運飾物：菱形圖案或飾物

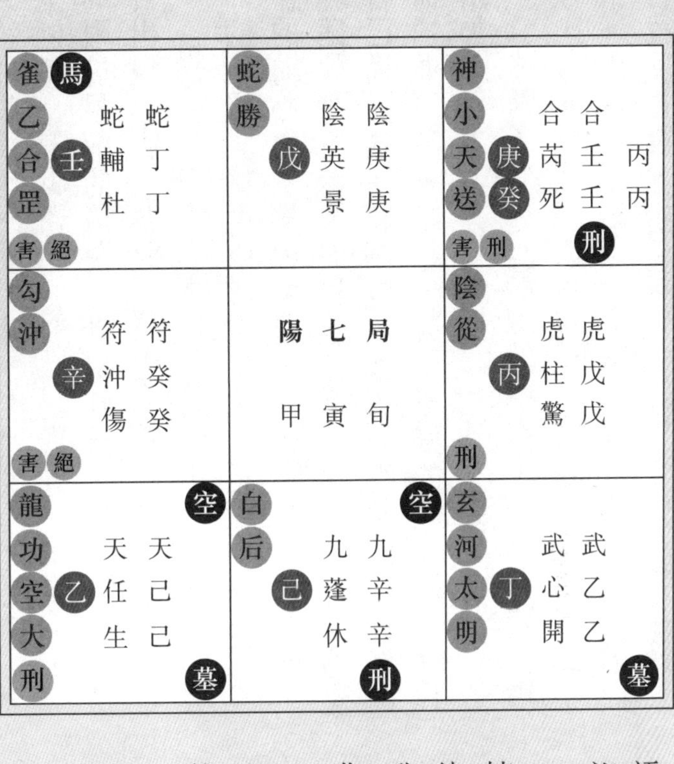

運勢

今年肖豬者運勢反覆向上，「太沖」乘「勾陳」帶害絕，某些計劃會暫時被迫擱置。可是，當有變數存在時，機遇可能更多，不要視變化為負面的事，應視為一個機會去改善，變得更完美。不要輕易氣餒，也別因為人家的閒言閒語而質疑自己，只要能維持穩定的情商指數，必定可以脫出困境。

當一個人身處窘境時，心情必然不會好受，情緒波動，甚至大上大落，在所難免。基於情緒對氣場會造成一定影響，而氣場是帶動運勢升降的要素，經常亂發脾氣或沮喪的話，不僅傷及身心，運勢亦會有障礙。

不想情緒被支配，可嘗試利用生理管理心理，例如通過跑步、打球、瑜伽等運動，或到綠化地方逛一下，均有助改善氣場。

在夏季來一趟旅遊，除可紓解情緒，並能增強運氣。入秋以後，運勢會逐漸好轉，旅途之中，肖豬人士將可獲得探索自己機會，期間所吸收的新知識，會激發潛在的能力，尤其創造力及批判力，成為日後實踐大計及理想的重要資本。年尾時份有望盤算已久的計劃能一一落實，如箭在弦，事成在望。

選擇旅行地點時，宜以北方地區為首選，藉著「借地運」，肖豬者將會取得更大突破，達致更高的人生目標。

工作

肖豬者的事業運在龍年吉中藏暗湧，「登明」乘「太常」，表示在工作方面，運勢此起彼落但偏旺，是「有危自有機」之象。

今年接手的工作項目，原是展示肖豬者獨當一面之契機，然而受外圍因素影響，公司無法在資源方面，全力支援，在人手不足及時間緊迫的情況下，肖豬者突然變得進退維谷，加上團隊士氣低落，以致執行計劃時，進度受阻。局限於眼前的境況，計劃延擱，是讓更好的項目出現。工作運勢起伏不定，但整體也是向上。

想扭轉劣勢，重點在於運用今年在人際方面的氣場，協助團隊重建正向思維，提升對工作的向心力。當中要訣，是與隊員真誠交流，聆聽他們所需及面對著甚麼難題。當各人感覺自己備受關注和尊重，就會做得起勁。良好的溝通並可為下半年，凝聚更好的人緣運，助你增加公信力。

工作上有一定歷練的「八十後」肖豬上班族，今年開始陷入職場中年危機，覺得表現下滑。由於今年藏著「有危有機」的格局，因此自我反省後，鎖定強項，深耕細作，必有轉機。

另外要謹記，若想取得他人認同，必先尊重別人意見，不要因為自己資歷較深，便自以為是，對年輕下屬存有偏見。其實，「00後」的新思維、創意，以及「乳犢不怕虎」的精神，也是值得嘉許。總之，適時地改變一下心態，「危」就可望轉化成「機」。

感情

龍年桃花運一波多折，「死門」逢「傳送」，意味要留意惹上爛桃花，切勿與之糾纏不清。

肖豬者就算急於脫單，亦不宜在仍未認清對方背景、為人之前，隨便開展一段關係，尤其透過交友軟體結識朋友，身份真假難辨，更要份外小心。不少騙徒都善於利用人性怕孤單寂寞的弱點，乘虛而入，如雙方認識沒多久，對方就要求親密交往，或者有金錢往來，需額外留神，應多花一點時間辨清這個人的可信度，再逐步培養感情，一頭栽進去的話，當心會成為詐騙案的受害人。

今年想跟單身日子道別，千萬要慎選交友應用程式或婚介公司，並多作比較。赴約見面時，要注意個人安全，以免墮入騙徒陷阱。

戀愛中的肖豬者，今年要做好「防小三」準備，方法並不是去查對方的手機，或旁敲側擊有沒有出軌，而是「自我審查」，先檢討一下自己是否個性剛烈，經常會為瑣事而大發雷霆；或者公主病、公子病發作，時常要求人家百般遷就，唯你獨尊。改變一下態度，你們的愛情故事，將會變得很不一樣。

已婚的肖豬之人，今年會因錢財、家庭上的小煩惱，忽略對方感受，令關係有降溫跡象。想感情升溫，一些聽來很微不足道的讚美，例如「你今天的妝容很漂亮」、「你這身打扮很帥氣」，其實也可召回初戀時，視對方為男神女神的愛慕感覺。

錢財

龍年財運吉中帶險，「生門」逢「空亡」臨「入墓」，正財方面，回報合理，薪資有正向調整。偏財運比往年弱，所以今年不宜作大手筆消費，應多留一點儲備，作靈活周轉之用。

在偏財運勢疲弱的一年，「貪婪」是忌諱，投資時，宜從高穩定性的產品著手，寧可獲利較低，也不要把錢賠掉。以保本為主的投資策略，本年對肖豬之人較為有利，因龍年的經濟發展不穩定性，依然存在，如屬投資新手，更要加倍謹慎，因在經驗不足情況下，很多時難以及時掌握市場走勢，萬一市道下滑，未及應變，可能連本金都化為烏有。

除注意保本，分配資金的比例亦十分重要，別奢望在短時間內可賺到大錢，將大部分積蓄拿去入市。這種投資策略，不單止不能令自己早日達致財務自由，反而很有機會陷入財困。

風險與回報往往僅一線之隔，因此投資理財的第一課，是做好風險管理，除必先評估各種投資所帶來的風險，並要衡量清楚自己的避險能力。假如毫不準備而隨性投資，或人云亦云，碰到市況波動時，便為時已晚。

今年會因為生活必需品而「破財」，例如更換大型家具、家電用品，甚至家居維修等，所以別讓自己成為「月光族」。消費前，冷靜地想一想，到底是否真的需要這件物品，便可避免無謂的開支。

健康

肖豬人士今年「地盤騰蛇」逢「太乙」臨

「驛馬星」，預示將受情緒問題甚至是情緒病的困擾，再而引發身體各種不適，包括頭痛、失眠、肩頸痛，以及無明的痛症。龍年梳理好情緒，刻不容緩。

肖豬者今年運勢反覆，失意之時容易激起負面心態，加上這個生肖的人，表面樂觀，骨子裡其實很要面子、不肯服輸，一旦在事業或感情事方面絆倒，情緒便很易失控。

對肖豬之人來說，壓力來源很多時是源於對自己的要求過於嚴苛，只要明白這一點，適時作出調節，便可減少受壓力荷爾蒙操控。

在擺脫負面情緒的過程中，肖豬者今年不時會傾向以食物來轉移視線。這種「情緒性飲食」可能暫時能將壞心情安撫下來，然而經常暴飲暴食不僅引致「三高」，並會招來肥胖後遺症，身形膨漲後，自我形象低落，便會成為另一種壓力之源。故此肖豬者這一年就算受皮質醇影響，想「化悲憤為食量」，也不要放縱自己。另外，亦不要墮入「一醉解千愁」的囹圄，踏上酗酒之路。

今年當肖豬者感到時不我予，壓力爆煲時，做適量運動，看搞笑電影，甚至打掃家居，都是有效轉移壓力。秋季來時，運氣有起色，回想一切所謂不如意事，都是助你成長的小插曲。

健美修身催運小貼士：重點加強訓練肩膊及手部（二頭肌、三頭肌）。

初學者可由帶氧運動（Cardio）開始，居家有氧運動推薦例如開合跳，戶外可以選擇慢跑或健走。日常有做運動的朋友，可以選擇HIIT作為熱身運動。

重點加強訓肩膊，先由基礎動作肩上推舉（Shoulder Press）開始，另外可以做啞鈴側三角平舉（Dumbbell Deltoid Fly），鍛練肩膊，改善上身線條。

訓練手部，先由二頭肌彎舉（Bicep curl）開始，例如槓鈴彎舉。另外做三頭肌（俗稱掰掰肉）下推（Triceps Pushdown），各項加強上身肢體運動。在家可以背對桌椅做徒手支撐，在健身房可以做Cable機三頭肌下推。

*健美運動強度及次數因人而異，詳情請向專業健身教練咨詢。

己亥年 二〇一九年

今年較易鬧情緒，但亦開始能察覺別人的

感受，家長只要從旁作出適當管教，便可幫助發展其社交能力。耐心聆聽孩子說話，盡量讓他們充分表達自己，藉此提高其表達能力和技巧，上學和與別人相處時，便更手到拿來。

丁亥年 二〇〇七年

青春期令肖豬者今年容易情緒起伏不定，行事變得衝動，父母只要理解，其實是他們負責控制情商的大腦前額葉皮質，仍未完全發展成熟所致，便不會覺得子女不服從長輩，在玩對抗。情緒，人皆有之，父母也不例外，如想根治問題，不宜禁止子女發脾氣，而是幫助他們學會控制情緒。

乙亥年 一九九五年

龍年要小心處理感情關係，單身的，如選擇以交友應用程式結識異性，要辨清對方身份的可信度。已有對象的，可能會因多疑，誤信有「小三」，或對方不再緊張自己，而令感情有變數，大興問罪之師前，宜先檢討自己，導火線是否因公主、公子病引起，令對方長期得不到體諒和關心，於是導致情感冷淡。

癸亥年 一九八三年

今年事業運有危有機。在職場打拚至今，職階雖已跟管理層接軌，卻覺得向上流動有點乏力，那種「高不成，低不就」的焦慮，突然湧上心頭。既已感覺到有危機，便應盡早替自己做好優勢、劣勢分析，製定策略，強化底氣，才可在事業上，繼續闖高峰，轉危為機。

辛亥年 一九七一年

與其終日呢喃Z世代同事如何「難管」、「難教」、「不肯捱」，不如反思一下傳統的「管教」下屬方式，未必適用於講求靈活、創新的新一代員工。就算今年肖豬主管的工作運反覆，也別將矛頭指向閱歷尚淺的新血，一言堂的管理模式不僅有礙雙方溝通，更會澆熄員工對工作之熱情，造成雙輸局面。

己亥年 一九五九年

生殖系統較弱，今年會因膀胱炎、前列腺炎而感到煩惱，切勿礙於面子或對病徵有誤解，諱疾忌醫，令自己繼續受折磨。早期發現早期治療，便可繼續過健康生活。

流月運程
農曆一月
（西曆二月四日至三月四日）

運勢

「天英星」

逢「從魁」，運勢似升還跌，令情緒又再次陷入不穩定狀態，容易出現波動。

要扭轉乾坤，切記不要任何事也先從壞的一方面去想，即使遇上問題，惦記著「有危自有機」，便可減少被不良情緒綑綁的煩惱，以輕鬆心情，繼續努力。

馬 戊 刑 迫 天 戊 癸 武 任 開 合 乙 勾 罡 刑	雀 勝 癸 迫 符 壬 己 九 沖 休	空 丁 墓 蛇 癸 辛 天 輔 生 丙 己 蛇 小 神 送
龍 沖 乙 迫 九 庚 壬 虎 蓬 驚	陽 八 局 甲 戌 旬	空 天 從 乙 陰 己 乙 符 英 傷
空 功 白 大 壬 武 丙 戊 合 心 死	太 后 丁 害 虎 乙 庚 陰 柱 景	丁 墓 庚 合 辛 丙 蛇 芮 杜 陰 河 玄 明 害 絕

工作

事業運波動，公司出現難題時不要逞強，宜冷靜分析才付諸行動，保持著以退為進的態度，能減低事業上的波動，反而有利往後發展。

感情

單身者本月可透過交友網或網上聊天室結識到成熟穩重的異性。經過彼此溝通了解，發現對方性格跟自己並不相合，喜好各異。

請勿馬上抽身而退，花多些時間互相了解，自會發現對方吸引之處。

錢財

財運下降，心中仲有一連串賺錢計劃，但目前運勢不穩定，屬虛象居多，如要投資，必須作好兩手準備，因為突如其來的狀況會對自己的財運造成障礙。

健康

精神狀態偏弱，容易引起情緒病，如抑鬱病或躁狂症等。

學習外語或文藝興趣活動，如油畫、書法、水墨畫等，令心境平和。

流月運程

農曆二月

（西曆三月五日至四月三日）

合 馬 罡 符 符 勾 壬 輔 癸 沖 杜 癸 害 絕 刑	雀 乙 蛇 蛇 戊 英 已 景 已	蛇 勝 陰 陰 神 庚 芮 辛 丁 小 癸 死 辛 丁 刑 刑
龍 功 天 天 辛 沖 壬 傷 壬 刑	陽 八 局 甲 寅 旬	天 送 合 合 丙 柱 乙 驚 乙 害
空 空 大 九 九 白 乙 任 戊 后 生 戊 刑	空 太 明 武 武 己 蓬 庚 休 庚	陰 從 虎 虎 玄 丁 心 丙 河 開 丙 刑 墓

運勢

「騰蛇」逢「太乙」，運勢如崎嶇山路，今個月不論是工作或投資，也需小心翼翼，切勿行差踏錯，否則後果可以很嚴重。多接受別人意見及批評，尤其家人的忠告，細心聆聽，可提升家宅運及改善個人氣場。

工作

事業運減弱，事業發展欠缺人事助力，還有小人從中作梗，令到好事節外生枝，應保持正面，小人無處不在，只要平時多加防範，凡事謀定而後動，加強溝通，便能減少出錯機會。

感情

已婚人士情感時好時壞，二人雖然經常形影不離，但相處時間愈多，磨擦機會愈大，爭執過後，情緒穩定過來後，又雨過天青。拍拖已久的愛侶對結婚之事舉棋不定，遲遲未能承諾，每次談論結婚事宜，總是支吾以對。本月實在感覺心淡，去到不能容忍的地步。如對方繼續拖拖拉拉，恐有分手可能。

錢財

本月投資焦頭爛額，切忌借貸作任何投機活動，只會難以回本。應作好妥善財政安排，好讓有足夠流動現金應付開銷。

健康

情緒起落甚大，一時朝氣勃勃，自信爆棚，一時頹然喪氣，負面到極，心力交瘁。經常覺得疲累，但晚上又失眠，難以入睡，精神狀態長期難以回復。

流月運程
農曆三月
（西曆四月四日至五月四日）

運勢

「九地」逢「死門」，運勢稍有轉機，重拾鬥志，但令人懊惱的是是非非，依然不絕，令原已穩定下來的情緒，又蒙上陰影。

在本月中期，負能量難以排解，提升安多酚的做法，是去接受有些事不由自己作主，應花時間、精力在一些可控制的事情上。

工作

事業運風起雲湧，一些磋商得八八九九的生意項目，卻因為各種無法預計的變數而被擱置或無限延遲；也會遇到一些諸多刁難的客戶，令人感到十分氣餒。

感情

單身者苦無接觸異性的機會，依舊在情路上原地踏步，感情雖是勉強不來，但應為自己增取機會，不妨大膽嘗試在網上尋覓意中人。

配偶經常無理取鬧，令你極為煩厭，夫妻關係一度進入冷戰，但很快心軟起來，重修舊好，更加甜蜜。

錢財

財運遇阻滯，不能暢通，雖然正財跟往年比較會有不錯的增長，可惜每月日常生活的開銷卻有增無減，不能夠完全抵消這些消費開支，起不到平衡作用，令人感到憂慮和煩惱。

健康

小心一不留神，傷及肩頸神經組織，令痛楚加劇。宜抽時間做瑜伽、太極、柔軟體操等運動，舒緩繃緊的神經和肌肉。

流月運程

農曆四月

（西曆五月五日至六月四日）

符 癸 己 九 任 生 己 刑 馬 龍 功 龍 大 絕	蛇 戊 丁 天 沖 傷 丁 白 沖	空 庚 墓 符 己 乙 刑 蛇 輔 杜 迫 乙 庚 太 罡 玄 乙
天 丙 戊 刑 武 蓬 休 戊 勾 后	局 旬 三 戊 陽 甲	空 合 丁 壬 蛇 英 景 迫 壬 陰 勝
九 辛 癸 虎 心 開 癸 合 明 雀 河	武 壬 丙 合 柱 驚 丙 蛇 從	庚 墓 虎 乙 辛 陰 芮 死 辛 天 小 神 送

運勢

「白虎」逢「河魁」，本月運程依然處於低位。受小人所累，工作不時碰壁，加上人緣運不佳，做事時事倍功半，令壓力大增，經常心神恍惚，沒精打采。在此狀態之下，不宜作重大決定，尤其與錢銀有關的決定，以免招損。

工作

事業運多阻滯，工作表現強差人意，小心一個重要決定判斷錯誤，帶來日後更多容易出錯的漏洞。切忌自以為是，應與同事有商有量，減少犯錯的機會。

感情

桃花運欠佳，宜打開心扉，盡自己能力去尋覓理想對象。可找交友網站或婚姻介紹所，無論最後會否遇上心儀對象，也有助增強人緣運，大大提升找到對象的機會。

夫妻相處之道，其實不外乎四字箴言：「體諒包容」，謹記別將婚姻變成例行公事，扼殺了需要三生三世因果換來的夫妻之緣。

錢財

財運起伏，本月投資運存在太大的不確定氣場，投資策略應安守本份，暫時勿作任何高風險投機或投資。幸好正財平穩，對儲蓄沒有大影響。

健康

運氣不濟，諸事不順，容易有「玻璃心」反應，精神壓力大，引致睡眠質素差，從而增加患上情緒病如抑鬱病或躁狂症風險。

流月運程

農曆五月

（西曆六月五日至七月五日）

運勢

「天沖星」逢「驛馬星」，運勢逐步回升，本月只要不忘初心，就算有困難挫折，也能以平常心看待，不會那麼輕易否定自己。

轉換觀念後，人緣亦見提升，帶動自信增加，做事時充滿熱忱，繼續保持正向思維，機遇將陸續有來。

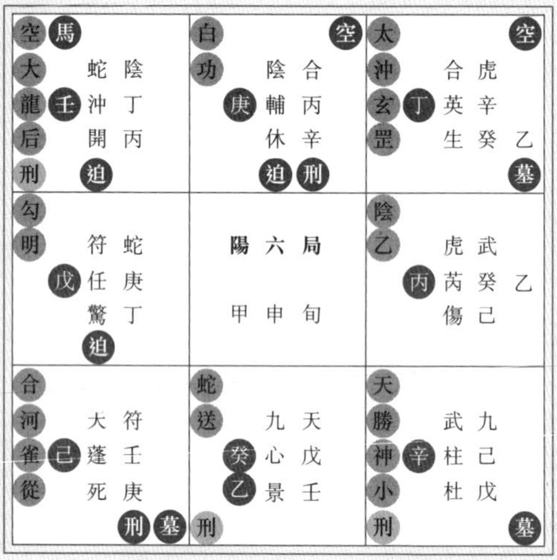

馬 空 大 龍 后 刑 壬 迫 陰 丁 丙 蛇 沖 開	空 白 功 庚 迫 刑 合 丙 辛 陰 輔 休	空 太 沖 玄 罡 丁 乙 墓 虎 辛 癸 合 英 生
勾 明 戊 迫 蛇 庚 丁 符 任 驚	局 旬 六 申 陽 甲	陰 乙 丙 乙 武 癸 己 虎 芮 傷
合 河 雀 從 己 刑 墓 符 壬 庚 大 蓬 死	蛇 送 癸 乙 刑 天 戊 壬 九 心 景	天 勝 神 小 刑 辛 墓 九 己 戊 武 柱 杜

工作

事業運有所好轉，公司上下齊心，鬥志激昂，也得公司的悉心提拔，自己誓要闖一番事業。從商者在洽商時極為順利，客户對你的提議和方案讚不絕口。

感情

桃花運波折重重，容易受爛桃花所纏繞，但愈爛的桃花卻使你愈是意亂情迷，要格外留神。單身者，容易為解寂寞之愁，流連夜店或參加狂歡派對，以為可以覓到真愛，小心因而陷入難以自拔心碎境地。

錢財

本月財運停滯不前，不必浪費心力和時間分析市場。就算全副心思選定有升值潛力的投資組合，到最後都只會徒勞無功，回報曇花一現，最多打成平手，沒有賺取任何利潤。

健康

呼吸系統容易出毛病，應作適量帶氧運動，加強肺部功能。不妨抽空到郊外呼吸新鮮空氣。

流月運程

農曆六月

（西曆七月六日至八月六日）

運勢

「天蓬星」逢「登明」臨「空亡」，在運勢疲弱的一個月。

人際關係首當其衝，受到較大影響，亦容易招惹喜歡放負的人，在你周邊出沒，進一步拖垮氣場，切記勿浪費時間與這類人周旋，所謂「近墨者黑」，他們將會令你變得消極，自我放縱。

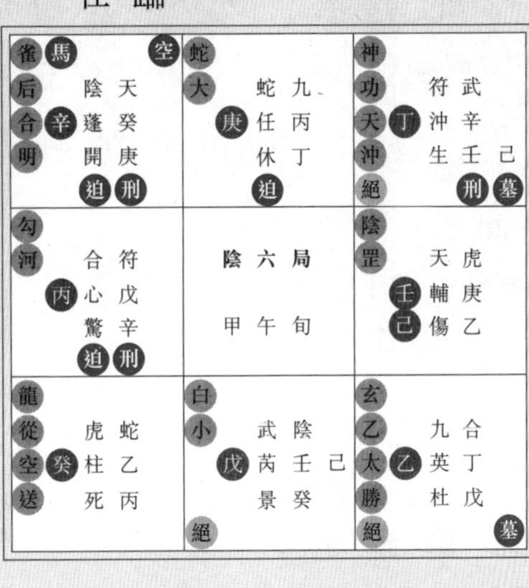

工作

事業運下滑，為配合公司發展，有一連串新的制度，就算極為不滿，但也無權推翻，更要負責執行。同事之間存有芥蒂，因個人的實力令別人感到有所威脅。做好自己本份，地位便不會被動搖。

感情

單身者依然孤獨一人，身邊連一位投契異性朋友也沒有。應好好改善交際能力，再不能坐以待斃。戀人發現感情出現暗湧，何不盡快計劃結婚，令雙方對這段感情更有信心，自然化解「不合即分」的危機。

錢財

財運阻礙重重，難關過完一關又一關。每月日常生活開支不停增加，本月還額外加上一些家居維修，再附加一些生活用品，令開銷劇增。

健康

因日常繁忙的工作，又經常使用電腦，令肩頸部位嚴重酸痛和勞損。暫且放下工作，多作伸展運動。

流月運程
農曆七月
（西曆八月七日至九月六日）

運勢

「值符」逢「天芮星」，運勢回穩，小人逐漸遠離，與舊同事或舊同學聚首交流時，當中的智者使你悟出，換位思考、廣闊胸襟之重要性。

與此同時，在投資理財方面，亦獲益良多，所以本月宜多出席這類社交活動，拓寬視野。

馬 勾 明 龍 河 陰 陰 壬 輔 丁 杜 丁	合 后 蛇 蛇 戊 英 己 景 己	雀 大 蛇 功 符 符 癸 芮 乙 癸 庚 死 乙 癸 害 刑 墓
空 從 合 合 辛 沖 丙 傷 丙 害 絕	陰 一 局 甲 寅 旬	神 沖 天 天 丙 柱 辛 驚 辛 刑
空 白 送 太 小 虎 虎 乙 任 庚 生 庚 刑 墓	空 玄 勝 武 武 己 蓬 戊 休 戊	天 罡 陰 乙 九 九 丁 心 壬 開 壬 刑

工作

事業運吉中藏凶，經過不斷苦幹而爭取到更大的權力或管轄範圍，本來值得慶賀，卻發現低估了新工作的難度，有可能拖垮自己原有的工作和進度，令人不禁惆悵起來。

感情

桃花運吉凶參半，謹記別將自己的情感作賭注，「明知山有虎，偏向虎山行」。

明知對方是玩票性質，卻偏要投入感情，最終可能會因情傷弄至焦頭爛額，甚至遇上桃花劫，人財兩失。

錢財

本月偏財稍旺，適合賺取快錢，可作一些風險低的投資，見好即收。

另一方面，請預留一筆充足的周轉資金作家庭額外雜費，如作家居裝修工程費用或添加傢具擺設。

健康

注意在假期享受陽光與海灘的時候，要做足防曬護膚，不然輕則出現雀斑和脫皮的問題；嚴重者有引起皮膚癌的危機。

流月運程

農曆八月

（西曆九月七日至十月七日）

運勢

「太陰」逢「驚門」，本月運勢一波多折，情緒大受衝擊，引致失眠後遺症，如不理會，小心觸發情緒病。為防止問題惡化，宜向可信賴的親友傾訴，以及多做運動，盡量和陽光玩遊戲。到廟宇轉悠，亦有助洗滌心靈，提升氣場。

工作

事業運波動，正當你以為一切已經盡在掌握，但推行計劃時，卻出現了許多無法預計的阻礙，令到人手要作出新的調動，大費周章。

<table>
<tr><td>合 馬
河 符 陰
雀 癸 芮 己 丙
從 休 乙</td><td>勾
明 天 蛇
丁 柱 癸
生 辛
刑</td><td>龍 空
后 九 符
空 庚 心 丁
大 傷 己 丙
刑 迫 刑 墓</td></tr>
<tr><td>蛇
送 蛇 合
己 英 辛
丙 開 戊
刑 迫 刑</td><td>陰 三 局
甲 戊 旬</td><td>白 空
功 武 天
壬 蓬 庚
杜 癸
刑</td></tr>
<tr><td>神
小 陰 虎
天 辛 輔 乙
勝 驚 壬
刑</td><td>陰
乙 合 武
乙 沖 戊
死 庚
迫</td><td>太
沖 虎 九
玄 戊 任 壬
罡 景 丁
迫</td></tr>
</table>

感情

夫妻間經常有磨擦，卻不察覺有任何問題存在。對方漸漸覺得彼此之間感情已逝。倘若還珍惜這段婚姻關係，可嘗試主動製造一些小驚喜，送一些小禮物給對方，有利消除彼此間芥蒂，對感情大有幫助。

單身者遇上有誠意的追求者，但對方外形不太出眾，性格有點沉悶，令你無意深入了解。何不先做朋友交心，或會有不同的體會。

錢財

財運下跌，本月日常生活的開銷急劇增加，主要因為現今通脹加劇，百物騰貴，消費指數飆升。切忌胡亂揮霍，令生活壓力百上加斤。

健康

本月奔波勞碌，身體異常疲倦。留意肩頸、腰背的痛症，有舊患復發或惡化的跡象。可選偏胖的男中醫師作治療，效果更佳。

流月運程
農曆九月
（西曆十月八日至十一月六日）

馬 蛇從神送 壬 天癸己 九英生 刑	空 戊 九辛癸 武芮傷 丁 雀河 刑	空 戊 武丙辛 虎柱杜 庚 合明勾后 迫
符己庚 天輔休 乙 天小	陰五局 甲申旬	虎乙丙 合心景 己 龍大 絕 迫
蛇庚丁 符沖開 丙 陰勝玄乙 刑 墓	陰丁壬 蛇任驚 辛 戊 太罡	墓 合壬乙 陰蓬死 癸 空功白沖

運勢

「朱雀」逢「登明」，本月運勢轉為明朗，但不代表可以漫無目的地過日子，以運氣搭救。

謹記「臨淵羨魚，不如退而結網」，不積極求進、自我提升的話，就算大好契機在前，亦不會有足夠力量，牢牢抓緊，最後嘆息收場。

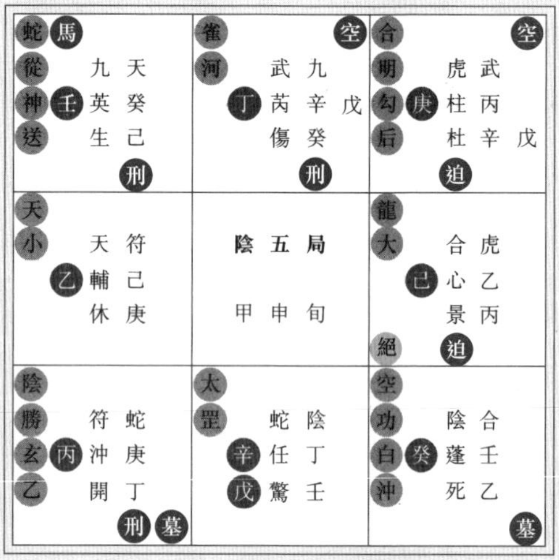

工作

事業運吉凶參半，外在環境存在著變化，工作狀況除了力求穩健之外，手法卻需要有彈性，來作出適當調整，免得自己裹足不前，凡事盡力而為，上司自會得體諒。

感情

桃花尚未絕緣，只是社交圈子愈來愈窄，才與愛情擦身而過。

俗語說「青春一去不復返」，別再浪費時間，今年應以目標為本，往婚姻介紹所和可靠的交友平台，尋覓理想對象。

夫妻間的愛火好像已經熄滅，難免把情愛變成習慣，所有為對方做的事也被視為理所當然。彼此溝通好重要，試向對方講出心事，關係自然好轉。

錢財

財運無起跌，閣下一直安分守己，沒有太多物質上的要求，財務緩緩穩定下來，只要保持知足常樂，儲蓄能穩定上升。

健康

精神狀態繃緊，思緒過度活躍，導致經常失眠、多夢和睡眠質素欠佳，更甚者容易引起情緒病。

流月運程

農曆十月

（西曆十一月七日至十二月五日）

運勢

「白虎」逢「空亡」，運勢反覆向下，不少幾經辛苦部署的計劃，最後卻因爭功諉過的小人從中作梗，壞了大事。運勢低迷，即使據理力爭，對事情的幫助亦不會太大，反而會引起情緒激動，殃及氣場。

<table>
<tr>
<td>神 馬
送 武 陰
蛇 戊 蓬 丁
小 杜 辛
墓</td>
<td>天 空
從 虎 蛇
己 任 乙
景 丙</td>
<td>陰 空
河 合 符
玄 丁 沖 壬
明 死 癸 庚
害 絕 墓</td>
</tr>
<tr>
<td>雀
勝 九 合
癸 心 己
庚 傷 壬
刑</td>
<td>陰 七 局
甲 申 旬</td>
<td>太
后 陰 天
乙 輔 辛
驚 戊
害</td>
</tr>
<tr>
<td>合
乙 天 虎
勾 丙 柱 戊
罡 生 乙
刑</td>
<td>龍
沖 符 武
辛 芮 癸 庚
休 丁</td>
<td>白
大 蛇 九
空 壬 英 丙
功 開 己
墓</td>
</tr>
</table>

工作

事業運勢不錯，凡事逢凶化吉。要留意興風作浪的陰險小人，為求得到別人賞識，製造各種流言。幸好自己遇強越強，毫不畏懼退縮。做事謹慎小心，加上目光遠大，能夠權衡輕重，沒有被牽涉到人事鬥爭。掌控局勢，得到別人認同。

感情

桃花運多衝擊，單身人士遇上心儀對象，彼此難以衝破隔膜，沒有機會深入發展。愛情運危機重重，夫妻面對錢財、家庭的問題，受到各方壓力，如不能確定往後二人的關係，小心有嘈交的凶象。

錢財

偏財運令人失望，本月宜增持現金。注意，如有朋友與你商討合夥投資計劃，務須婉拒，因彼此運勢不足，必定招致損失。本月會因家居佈置、維修等而增加額外開支。

健康

要徹底根治情緒及失眠問題，不能長期依賴藥物，最重要是正視問題癥結，找出適合自己的方式，紓緩緊張，盡量令精神有寄托，情況就會好轉。

流月運程

農曆十一月

（西曆十二月六日至一月四日）

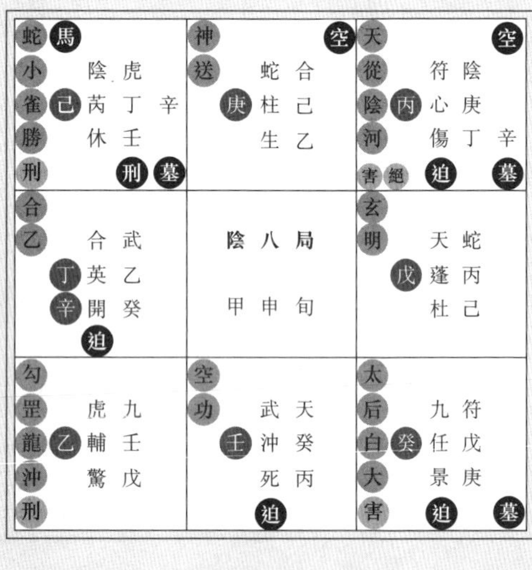

運勢

「休門」逢「擊刑」，運勢逆風而行，並不順暢。心裡老是想著：懷才不遇，遲遲碰不到知人善任的伯樂，以致終日鬱鬱寡歡。

在蝴蝶效應下，對親人、朋友亦變得冷漠，整個氣場也受到牽連。應盡快將思維設定在「正向」模式，好運才會再度跟你連上。

工作

事業運轉順，公司管理層或上出司現變動，然而新變動需要一點時間磨合，過程令人煩擾不安，幸好下屬運好轉，大家團結一心，能夠齊心協力，配合公司的新變動。

感情

桃花運起暗湧，小心容易在一些娛樂場所、夜總會、狂歡派對或跳舞夜場消遣時遇上感情騙子。

「歡場無真愛」，別妄想在此處可尋找到真命天子，只會招來不良氣場，影響到正挑花運。不如直接到婚介公司物識一些合適的對象，還來得實際。

錢財

財運波動，投資頗為波動，財來財去，絕不安穩。需學習如何持盈保泰，脫離波動的財政狀態，讓一切都能夠暢通無阻，穩操勝券。

健康

運勢大減，容易因此情神緊張和情緒低落，引致失眠、手震、抑鬱病等。受「太陰」庇佑，可尋求宗教信仰慰藉。

流月運程

農曆十二月

（西曆一月五日至二月二日）

運勢

「太沖」逢「地盤玄武」，本月運勢偏弱，心情因而煩躁不堪，容易為了別人一些毫不起眼的瑕疵，而大發雷霆。謹記脫韁的情緒只會成為現實目標的障礙，當時不予你時，必須冷靜面對，才可轉危為安。

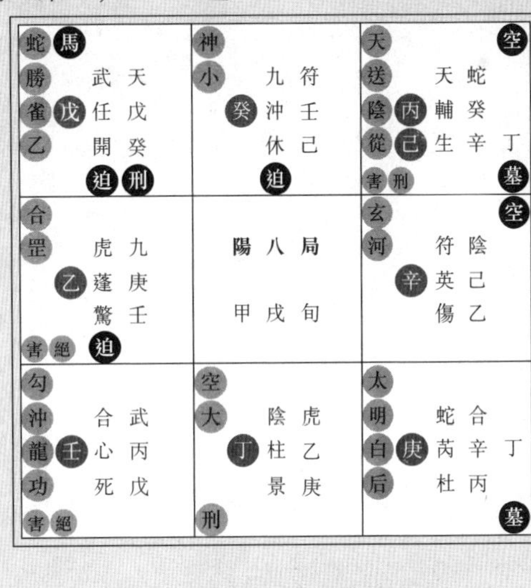

工作

事業運改善，工作將有大躍進，只要確認目標和方向後，在同事盡心盡力的支持下，一切計劃都會進行得順利，大家的工作效率和士氣也大大提升。

感情

感情運反覆無常，已婚人士與另外一半關係更加密切，但又容易因瑣碎小事終日吵吵鬧鬧，令人非常心煩。每次遇上問題，應先冷靜下來，耐心傾聽對方說話，平心靜氣去處理事情。如有計劃生小孩，能令大家感情昇華，對將來的感情也大有幫助。

錢財

財運平平，投資意慾不强，「財來財去」，剩不了錢財，心目中的投資大計也因此一拖再拖，甚至無法實行，感到十分無奈。

健康

本月工作上承受沉重壓力，情緒上落較大。睡前可用熱水泡腳，聽一些輕鬆柔和音樂，燃點香薰，有助入眠。

十二生肖龍年運程

肖鼠者出生時間

（以西曆計算）

庚子年　二〇二〇年二月四日十七時十八分至二月二日二十二時〇七分

戊子年　二〇〇八年二月四日十七時一分至二〇〇九年二月四日零時四十九分

丙子年　一九九六年二月四日二十一時八分至一九九七年二月四日三時一分

甲子年　一九八四年二月四日二十三時十九分至一九八五年二月四日五時十一分

壬子年　一九七二年二月五日一時二十分至一九七三年二月四日七時三分

庚子年　一九六〇年二月五日三時二十三分至一九六一年二月四日九時二十二分

戊子年　一九四八年二月五日五時四十三分至一九四九年二月四日十一時二十二分

丙子年　一九三六年二月五日七時三十分至一九三七年二月四日十三時二十五分

肖鼠開運錦囊

增運顏色：白色、啡黃色

增運飾物：鎖鏈形圖案或飾物

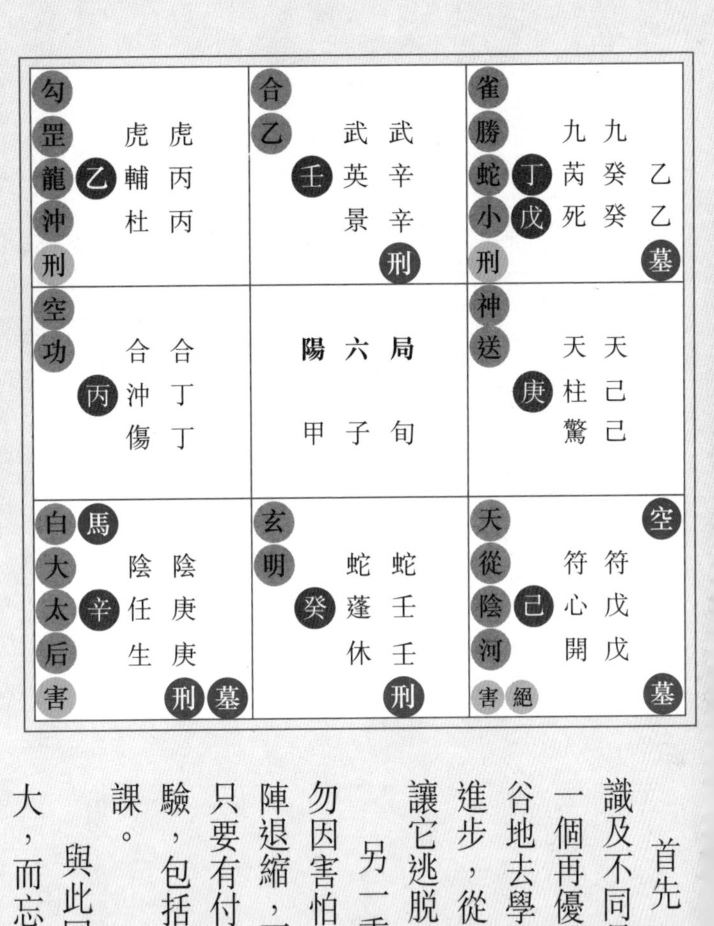

運勢

肖鼠人士在龍年時來運到，受「貴神」逢「傳送」生旺，機遇接踵而至。

機遇縱然不缺，也要有把握的能力，才不會令之白白流失。在鴻運當頭的一年，想機會因你而駐足，以下兩大重點，須加緊注意，並付諸行動。

首先，要經常以開放態度，接收更多新知識及不同見解，因為「尺有所短，寸有所長」，一個再優秀的人，也有其不足之處，能虛懷若谷地去學習和留意各方觀點，才可令自己不斷進步，從而有足夠力量，抱緊機會，不要輕易讓它逃脫。

另一重點，是當肖鼠者面對新機會時，切勿因害怕力有不逮，或要離開舒適圈，於是臨陣退縮，不願去闖。須知道，無論成功或失敗，只要有付出、經歷過，就是一種成功。箇中體驗，包括所遇到的人和事，都是非常寶貴的一課。

與此同時，又別走向另一極端，因野心過大，而忘卻量力而為，結果虎頭蛇尾，一事無成。

謹記，即使今年運勢能如人意，也要採取中庸之道，以免失衡。

龍年人緣運佳，可得女性貴人相助，替肖鼠者釋除不少不必要的疑慮。這一年只要鎖定目標，全力以赴，收成是指日可待之事。

工作

今年在工作上，肖鼠人士充滿競爭力與戰鬥力，「太陰星」逢「大吉」，代表發展契機接踵而來，尤其從事時裝、美容、零食等主攻女性市場的行業，成績將突飛猛進。

龍年如果接獲一些自覺超出能力範圍以內的任務，別第一時間認為上司在針對、刁難，這其實是公司在測試你解難的能力。如願意接受挑戰，竭力闖關的話，勢必獲得上司及老闆讚賞，「上位」、加薪，指日可待。

龍年有「太陰星」加持，女性貴人會成為肖鼠者的職涯導師，其識見與人生歷練，不僅有助肖鼠之人確立更清晰的職涯藍圖，並能引薦更廣闊的人脈，拉闊視野，為事業的新舞台鋪路。

由於女性貴人是個開誠布公的人，所以在啟發肖鼠者的過程中，不會一味給予讚美，而是坦誠地指出弱點。故此肖鼠之人要謹記：別因為玻璃心，忠言逆耳，結果令自己無法成長。

有意開拓第二事業或一嘗做老闆的心願，龍年是大好時機，在貴人協助下，一些創業流程和細節，例如市場趨勢、行銷策略，以至和法律相關的問題等，都可從貴人身上，獲得寶貴資訊。

感情

桃花運生機勃勃，「六合」臨格局為「奇入太陰，文書證件即至，喜事隨心，萬事如意。」今年人緣運佳，從而帶動桃花旺盛，單身的，不愁沒有結識對象機會。

經由女性貴人穿針引線，肖鼠者在龍年有機會遇見真愛，由於對方的人品已經過貴人「鑑定」，所以能有進一步發展的機會頗大。

人緣旺，亦容易吸引不請自來的異性，令仍在尋尋覓覓的單身鼠人，一下子分不清該選「喜歡」的、還是「適合」的人。猶豫不決的態度，會令人家以為你無心啟開展動這段感情。不想被「選擇困難症」誤了好事，就必須盡快了解清楚自己、面對自己。

已有另一半的鼠男鼠女，桃花多，誘惑亦隨之而來。當你發現，異性想和你單獨約會時，如果你心裡仍想守護現有那段感情的話，還是別去橫生枝節，禮貌地拒絕對方的邀請好了。沉迷在不倫關係的結果，往往是令自己進退維谷，浪費光陰。

已成家立室的鼠人，縱然明白激情不可以永久，可是，保持感情的熱度，依然重要。想讓對方知道「我愛你」，不一定要將這三個字說出口，以行動來表達愛意，包括體貼、關心、互相傾聽等，更細水長流。

錢財

肖鼠之人今年財運回升，「地盤值符」逢「天心星」，是一個正財與偏財雙贏之局面。然而，由於肖鼠者的理財技巧一般，往往胡亂揮霍，小心這一年會「財來財去不聚財」。

埋首於職場的肖鼠者，今年的薪酬調整幅度雖不似預期，但培訓機會卻明顯增多，從另一角度看，也是一筆寶貴的職場資本。

偏財運方面，今年投資技巧大大提升，懂得穩中求勝。投資機遇也增加，並會獲得投資經驗豐富的女性貴人相助，令你在理財方面，有不少啟發，例如怎樣保持財政健康、資產該如何配置，以及管理強積金等，都可從她的意見分享中，有所啟迪。

今年既有貴人「教練」從旁指點財策迷津，便應加緊磨練理財技巧，為財富打造堅實基礎。

除了掌握投資之道，在龍年想「聚財」的另一關鍵，是儲錢。對朋友一向體貼又細心的肖鼠之人，今年特別愛透過送小禮物或飯聚，為親友製造驚喜，以致不時將儲蓄拋諸腦後。若想令儲錢變為日常生活一部分，可考慮向銀行設定指示，在每月的出糧日，將特定金額撥入儲備，逐步養成儲蓄習慣。

尤其鼠爸鼠媽，今年的子女教育及學習開支，頗為龐大，故此更需盡快剎停無節制的消費，積穀防饑。

有意創業的肖鼠之人，可在網店平台小試牛刀，會有喜出望外的收獲。

健康

今年「天英星」臨「景門」逢「擊刑」，肖鼠者要注意慢性疾病，尤其高血壓、高膽固醇、高血糖的「三高」風險。

龍年肖鼠者人緣佳、飯聚派對頻密，不想「三高」接近，必須小心控制飲食，勿攝取過多鹽分及熱量，適量飲酒，更是關鍵。

留意病從「口」入之外，心理壓力大亦可

引致血壓升高。如想避免神經系統持續受強烈刺激，充足睡眠是最簡單而有效的化解方法。肖鼠的打工仔如有熬夜工作習慣，應盡量改變作息，因醫學界早已證實，早睡早起不單止對身體好，可防高血壓，並能提升記憶力。

待產中的鼠媽媽，懷胎期間要加緊留意妊娠糖尿病，尤其體型肥胖、有糖尿病家族病史的準媽咪，更需謹慎控制飲食，否則有機會增加產後患二型糖尿病風險。

麵包、蛋糕這類含糖量高的食物，以及添加多餘糖和油的醬汁，都應少吃。另外亦不宜吃太多水果，以免血糖失控。

踏入樂齡的肖鼠一族，由於代謝「三高」的能力，已隨年紀增長逐漸下降，所以今後宜用「三高」飲食原則：高蛋白、高新鮮度、高纖維，讓健康體魄常伴左右。

健美修身催運小貼士：重點加強訓練下身、胸部。

初學者可由帶氧運動（Cardio）開始，居家有氧運動推薦例如開合跳，戶外可以選擇慢跑或每日健走 10000 步。有日常運動基礎的朋友，可以選擇 HIIT 作為熱身運動。

重點加強訓練臀部及下身，先由基礎動作深蹲（Squat）開始，另外可以做腿推（Leg Press），鍛鍊腿部肌肉。

另外，重點加強訓練胸部的胸大肌，首先由基礎練習的臥推（Bench Press）開始，躺在重量訓練的平凳上，將槓鈴或啞鈴向上推。進階可以做胸推（Chest Press），讓胸部更挺、改善駝背等問題。

*健美運動強度及次數因人而異，詳情請向專業健身教練咨詢。

庚子年 二〇二〇年

孩子今年進入凡事也愛問「為甚麼」的階段，父母需要拿出更大耐性，才可滿足他們的求知慾。別因為怕煩而禁止他們說個不停，在子女的心智發展路線圖，築起路障。這一年肖鼠者「貴神」逢「傳送」，表示小朋友的主見和模仿力愈來愈強，如家長因他們太好問而情緒脫軌的話，他們將雙倍奉還。

戊子年 二〇〇八年

想一嘗做暑期工滋味的肖鼠生力軍，今年

在女性貴人指點下，將會獲得一些校園以外的難得體驗。從一些大型集團的實習計劃中，不僅可令年輕肖鼠者加深了解該行業的運作及未來發展趨勢，並能鍛鍊溝通技巧。家長只要瞭解清楚公司背景及工作性質，不妨放手讓子女一試，讓他們從另一層面，拉闊視野。

丙子年 一九九六年

龍年人緣運佳，異性緣旺，很有機會在這一年遇上真愛。不想白白流失機遇，就切勿猶豫不決，令對方誤以為你無意發展感情，結果令桃花凋謝。正在戀愛中的肖鼠男女，小心會困於不倫關係之中，令自己兩面不是人。雖然這是個自由戀愛的世界，但及早與不倫戀割席，對任何一方都只有好處。

甲子年 一九八四年

這一年正財和偏財的收穫也不錯，但假如理財無道，當心最後還是會變成「月光族」。趁今年財運上升，有女性貴人在投資方面助你長知識，宜將部分資金儲下來，養成儲蓄習慣。並應提醒自己必須自律，勿胡亂揮霍，尤其為人家長的肖鼠父母，今年將面對龐大的子女教育開支，再不加緊理財，等於自埋地雷。

壬子年 一九七二年

有意創業的未來鼠老闆，今年是個契機。已建立的人脈當中，將有貴人向你提供不少初創所需的資訊及法律細則，讓你可更安心地圓夢。有了周詳計劃後，應預留一筆對生意舉足輕重的「資本」，就是「心態」；因為顧客是不可能一夜之間都愛上你的產品或服務，故此，耐心和毅力，這一年對營商非常重要。

庚子年 一九六〇年

龍年在飲食方面，必須節制，因隨著年紀增長，代謝「三高」：高血壓、高膽固醇、高血糖的能力逐漸降低，日常如攝取過多鹽分及熱量，將令「三高」風險增加。即使沒有三高或心臟病病史，今年每當天氣反覆、溫差大時，要特別注意保暖，以免血管收縮，有機會引發高血壓甚至中風等問題。

流月運程
農曆一月
（西曆二月四日至三月四日）

運勢

「天英星」逢「六合」，運勢持續向好，圍繞身邊的人，其磁場誘發你作出積極、有建設性的舉動，助你超越自我。本月的日子過得特別充實，信心倍增，尤其創業者，氣場和人緣俱佳，宜放膽一試市場水溫，吸收實戰經驗。

合 罡 勾 沖 害 絕 九 陰 辛 心 乙 景 丁	雀 乙 天 合 己 蓬 辛 死 庚 刑	蛇 勝 神 小 刑 空 符 虎 癸 任 己 驚 壬 丙 刑 墓
龍 功 武 蛇 乙 柱 戊 杜 癸 刑	陽 七 局 甲 戌 旬	天 送 害 空 蛇 武 丁 沖 癸 開 戊
空 大 白 后 刑 馬 虎 符 戊 芮 壬 丙 傷 己 迫 墓	太 明 合 天 壬 英 庚 丙 生 辛 迫	陰 從 玄 河 刑 陰 九 庚 輔 丁 休 乙 墓

工作

事業運勢亨通，貴人多助，發展順暢。本月特別得女性貴人指點提攜，令你如虎添翼，做事得心應手，事半功倍。

宜藉此「出路遇貴人」的良機，努力不懈向目標進發，為事業奠下穩固基礎。應承著運勢穩定順暢之時，更加積極進取，以博取更大的回報。

感情

本月女性貴人運興旺，由她們介紹的單身對象特別投緣，彼此價值觀相近，有說不盡的話題，令你心花怒放，切忌急於進一步發展，會讓對方感到壓力。近來深深感受到配偶或愛侶對自己的關懷和愛護，心裡十分感動，何不打開心扉，向對方訴説情話。

錢財

財運中規中矩，有驚無險。本月投資大上大落，存在不少風險，個人財運不夠強，難以發揮。可跟長輩合作投資，既可以借助他們的氣場，令運勢提升，也能向他們學習投資心得。

健康

人緣運興旺，交際應酬頻繁，經常會出席大大小小飯局，一向愛追求美食的你，能大快朵頤，當然樂此不疲，但不時大魚大肉，又不勤做運動，不僅會令體形暴漲，更有損健康。

流月運程

農曆二月

（西曆三月五日至四月三日）

運勢

「天心星」逢「貴神」，運勢漸入佳境，本月解難能力高，宜多主動協助工作團隊，一起解決難題，你的同理心，將有助提升好氣場。多參與親友聚會，以及慈善活動，可加強正能量指數，令自己及身邊的人同時受惠。

龍 沖 空 功 乙 武 武 輔 丁 杜 丁	勾 罡 壬 九 九 英 庚 景 庚	合 乙 雀 勝 刑 丁 戊 天 天 芮 壬 丙 死 壬 丙 刑
白 大 丙 虎 虎 沖 癸 傷 癸	陽 七 局 甲 子 旬	蛇 小 庚 符 符 柱 戊 驚 戊
馬 太 后 玄 明 書 辛 合 合 任 己 生 己 墓	陰 河 癸 陰 陰 蓬 辛 休 辛 書 絕 刑	空 神 送 天 從 己 蛇 蛇 心 乙 開 乙 墓

工作

事業運先弱後強，只要好好控制情緒，工作忙碌但有滿足感，事業上找到新的發展。得到女性貴人助力，工作會有突破性進展，宜把握機會，在職、投資或經營商貿俱佳。只要營謀得當，加上自身努力和貴人幫助，必能獲得厚財利。

感情

桃花運漸漸增強，天賜良緣，正桃花來臨，趾到理想對象不要太急進，應慢慢由淺入深，培養感情，切忌以外表和主觀的感覺去衡量對方為人，以免扼殺發展的機會。可由朋友關係開始，一同經歷一些事情，度過一些歲月，逐步發展成為戀人，讓感情日漸深厚起來。

錢財

財運上揚，本月得到投資經驗的前輩指點，能趁低吸納，繼而把握時機沽出，雖未能賺取大的利潤，但能填補之前投資的部份損失。宜「見好即收」，月尾財運有下滑跡象。

健康

身體無大礙，要保持良好狀態，應盡量實行三低飲食，即進食較低脂、低糖、低鹽食物，並且勤做適量運動，鍛練體魄。

流月運程

農曆三月

（西曆四月四日至五月四日）

運勢

「從魁」逢「休門」，本月事事皆順。女性貴人之出現，令你錦上添花，做事得心應手，宜善用時機，將計劃付諸實行，別蹉跎歲月。運氣好時，做任何事也較順心，但別自鳴得意，忘了虛心謙讓、努力以赴才是永恆的成功之道。

空 功 天 天 龍 乙 輔 壬 大 杜 壬 絕 刑 墓	白 沖 符 符 壬 英 戊 景 戊	太 罡 蛇 蛇 玄 丁 芮 庚 癸 乙 戊 死 庚 癸 墓
勾 后 九 九 丙 沖 辛 傷 辛 刑	陽 九 局 甲 子 旬	陰 勝 陰 陰 庚 柱 丙 驚 丙
合 馬 明 武 武 雀 辛 任 乙 河 生 乙	蛇 從 虎 虎 癸 蓬 己 休 己	天 空 小 合 合 神 己 心 丁 送 開 丁

工作

運勢強旺，有貴人相助，事業上有進一步的發展，宜抓緊有利時機。受「太陰星」庇祐，工作上容易得到女貴人扶持，應好好跟她們聯誼溝通，能增強運勢。除了實質幫助，她們的指點和教導也值得學習，讓你將來有更大的發展。

感情

愛情運幸福美滿，彼此也努力為關係增添更加多情趣，羨煞旁人。已婚者與配偶之間溝通越來越好，不妨跟配偶多些傾訴關於事業工作或朋友間的事，會從中得到中肯和實用的意見，也能使到彼此之間關係更美滿和密切。

錢財

正財運的表現令人滿意，雖然受環球經濟影響，加薪幅度不似預期，但公司對你的工作表現予以肯定。應有居安思危，積穀防饑的想法，每月穩定儲蓄以防額外開支。本月如要投資，宜採取保守穩健方法，不能過分冒進。

健康

本月飯局和應酬飲宴頻繁，容易不自覺地大吃大喝，加上缺乏運動，令體重暴升。平日要盡量節制飲食，多菜少肉，少鹽少油，每天作適量的運動，讓身心得到健康。

流月運程
農曆四月
(西曆五月五日至六月四日)

運勢

「驚門」逢「玄武」，運勢先抑後揚，本月必須保持耐性，以靜制動，過於急進只會令大事不妙。

訂立目標時，要量力而為，好高騖遠的話，最後可能一事無成。先打穩基礎，待運勢上揚後，再伺機而動，是本月的策略。

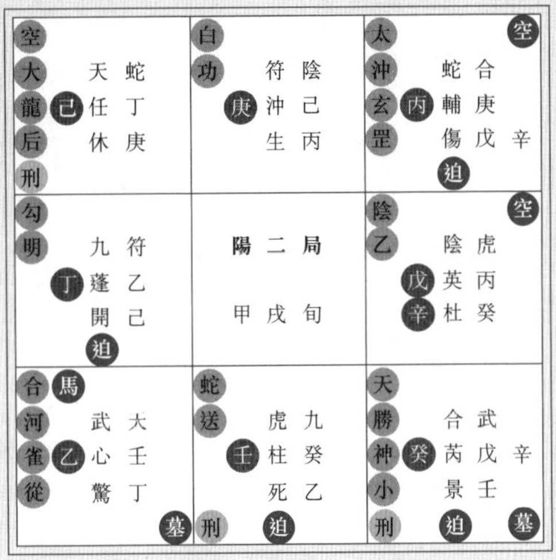

空 大 龍 后 刑 天 蛇 己 任 丁 休 庚	白 功 符 陰 庚 沖 己 生 丙	空 太 沖 玄 罡 蛇 合 丙 輔 庚 傷 戊 辛 迫
勾 明 九 符 丁 蓬 乙 開 己 迫	陽 二 局 甲 戌 旬	空 陰 乙 陰 虎 戊 英 丙 辛 杜 癸
馬 合 河 雀 從 武 太 乙 心 壬 驚 丁 墓	蛇 送 虎 九 壬 柱 癸 死 乙 刑 迫	天 勝 神 小 刑 合 武 癸 芮 戊 辛 景 壬 迫 墓

工作

事業運有點阻滯，因小心無心之失而開罪了大客戶，雖然最終無損彼此合作關係，但上司對你印象大打折扣。

往後要加倍努力，讓各人重拾信心。從商者明白到「推陳出新」的重要性，新產品大賣，盈利豐厚。

感情

桃花暢旺，無懈可擊，不用四處尋覓對象，自會引來桃花。舉手投足都能輕易得到異性愛慕，很快擦出愛情火花，沐浴在愛河之中。謹記珍惜緣分，誠心誠意對待美好姻緣。

錢財

財運波動，不宜心急進行任何求財計劃，先與相關人士商討，當中有很多問題需要重新計劃，若貿然執行必招損失。

從商者因大幅度加租金而困擾，流動資金周轉不靈，應設法減低各項開支，令公司營運更順遂。

健康

注意飲食，作適量運動，以免引發慢性病或引起其他併發症。本月小孩容易出疹、生痘或發燒等，務須馬上求醫。

流月運程
農曆五月
（西曆六月五日至七月五日）

運勢

「天罡」逢「白虎」，運勢將現暗湧，處理人際關係時，要特別小心，表達意見時，留意用詞、語氣，以免引起不必要誤會。時刻提醒自己，別滔滔不絕，多給機會別人發言，用心聆聽他人說話，自能改善人緣，整體運勢亦會同步提升。

雀 后 蛇 九 合 癸 柱 壬 明 景 己 刑 墓	蛇 空 大 陰 天 戊 心 辛 死 丁 刑	神 空 功 合 符 天 己 蓬 丙 沖 驚 乙 庚 絕 墓
勾 河 符 武 丙 芮 乙 庚 杜 戊 刑	陽 三 局 甲 申 旬	陰 罡 虎 蛇 丁 任 癸 開 壬
龍 馬 從 天 虎 空 辛 英 丁 送 傷 癸 迫 墓	白 小 九 合 壬 輔 己 生 丙 絕 迫	玄 乙 武 陰 太 乙 沖 戊 勝 庚 休 辛 絕 墓

工作

事業運波動，做事有疏忽導致損失，以致錯失良機。加倍努力可使運勢增強。

整體工作朝著好的方向變化，只要信心足，不要讓任何狀況影響堅定的信心以致改變初衷，當能遇到女貴人相助。

感情

感情運大增，夫妻相敬如賓，繼漸掌握讓彼此舒服自在的相處之道，也能為生活增添情趣，簡直羨煞旁人。

單身者正桃花暢旺，切忌單憑直覺考慮對方是否合適對象，否則緣份不會停留。

錢財

偏財運不過不失，與其承受不必要的風險，何不選擇低風險的儲蓄定期？靜待運勢好轉才出擊。破財機會大增，面對大大小小不同種類的應酬和聚會，不妨選擇性參予，縮減不必要的開銷，也令你有更多精神心力作投資分析。

健康

最有效減肥方法一定是適量運動，注意本月做劇烈運動時，容易傷及筋骨，務須先做熱身，減少受傷可能。減肥藥有一定副作用，切勿亂試。

流月運程
農曆六月

（西曆七月六日至八月六日）

運勢

「地盤太陰」逢「九天」，運勢有上升趨勢，因緣際會，本月結識的朋友當中，有一位有權有勢的女貴人，對你日後的職涯發展以至人生方向，舉足輕重。

如想謀求更好成就，必須持續進修，令自己有充足實力迎接新的轉變，否則即使有貴人幫助，亦難成大器。

勾 空 明 天 陰 龍 壬 柱 丙 河 柱 己	合 后 九 蛇 丁 心 乙 景 癸	雀 大 武 符 蛇 庚 蓬 壬 功 死 辛 戊 害 刑 墓
空 從 符 合 乙 芮 辛 戊 傷 庚 害 絕 刑	陰 五 局 甲 午 旬	神 沖 虎 天 己 任 丁 驚 丙
白 馬 送 蛇 虎 太 丙 英 癸 小 生 丁 墓	玄 勝 陰 武 辛 輔 己 戊 休 壬	天 罡 合 九 陰 癸 沖 庚 乙 開 乙 墓

工作

事業運轉順，本月有很多新的點子和靈感湧現，令你衝破現在工作模式的框架，面對新挑戰，更加雄心萬丈，目標亦更清晰，漸次鋒芒畢露，更能展現你的領導才能。切忌過於急進，意氣風發，招來是非。

感情

本月桃花興旺，多留意身邊與工作相關的異性。對方待你體貼入微，超乎朋友關懷，是合心意的對象。已婚或蜜運中的朋友，明白一段長久的關係需要付出時間、心力才能經營，懂得珍惜相處的每一刻，令感情邁進一大步。應好好享受今年的融洽甜蜜氣氛，繼續為恩愛到老的目標努力。

錢財

投資機遇多，回報亦不俗，如想增強勝算，可向投資經驗豐富的前輩取經，甚至主動提議一起投資，滾大資本，賺取更可觀利潤，前輩的氣場將有助你提升偏財運。

健康

肺部偏弱，一點辛辣的食物已能引起喉嚨發炎，選擇清淡的飲食為佳。

流月運程

農曆七月

（西曆八月七日至九月六日）

運勢

「九地」逢「功曹」，本月運勢將更上一層樓，整個人充滿活力，頭腦清晰，對很多事也有先見之明。

然而，處事時亦因此而變得較為急進，衝動行事，令身邊的人也受影響。所以本月謹記「過猶不及」，凡事應取中庸之道，不徐不疾。

<table>
<tr><td>合
河 蛇 蛇
雀 己 輔 癸
從 杜 癸
刑</td><td>勾
明 符 符
癸 英 戊
景 戊</td><td>龍
后 天 天
空 辛 芮 丙 壬
大 戊 死 丙 壬
刑 刑</td></tr>
<tr><td>蛇
送 陰 陰
庚 沖 丁
傷 丁
刑</td><td>陰 九 局
甲 子 旬</td><td>白
功 九 九
丙 柱 庚
驚 庚
刑</td></tr>
<tr><td>神 馬
小 合 合
天 丁 任 己
勝 生 己
刑 墓</td><td>陰
乙 虎 虎
壬 蓬 乙
休 乙</td><td>太 空
沖 武 武
玄 乙 心 辛
罡 開 辛
刑</td></tr>
</table>

工作

事業運勢福星高照，本月財源廣進。工作發展十分順利，而且表現突出，回報也提升許多，令你在事業上充滿滿足感和歸屬感。

今年旺創業，不妨先試水溫，從網上商貿開始，減少開業鋪租支出，降低成本。

感情

桃花運轉強，面對令人眼花繚亂的「候選人」，最好不要憑初次見面的直覺，來決定是否發展下去，可能會令你錯失真正姻緣。

遇到心儀的人時，不妨放慢腳步，花多一點時間去了解對方的人品個性，再作決定。

錢財

財運亨通，吉星拱照，事事順利，這段時間會出現貴人從旁協助。

不妨現在好好規劃理財目標，只要有確實想法，會有很大機會順利成事，收穫甚豐。

健康

本月腸胃、消化系統比較弱，要小心飲食，絕對不能暴飲暴食，避免大吃大喝後身體不能負荷。

流月運程
農曆八月
(西曆九月七日至十月七日)

武己丙 符蓬傷 戊丁 蛇從神送	刑 虎辛庚 天任杜 壬 雀河	空 丁 墓 空 合乙戊 九沖景 癸 合明勾后
九癸乙 蛇心生 庚 天小	局旬 二戊 陰甲	陰丙壬 武輔死 己 龍大 絕
天壬辛 陰杜休 丙 馬 陰勝玄乙	丁 符戊己 合芮開 乙 太罡	蛇庚癸 虎英驚 辛 空功白沖

運勢

「景門」逢「勾陳」，運勢依然向好，與目標愈拉愈近。惟要留意，小人會將你的功勞，據為己有，所以對於無事獻殷勤的人，需有所警惕，應保持距離，切記別隨便向同事透露一些重要的工作情報，又或是私人事情。

工作

運勢良好，本月事事漸趨向好，重要的發展計劃最終能趕在期限前完成，如釋重負，要好好與各位手足同僚慶祝一番。

面對大好局面時不能掉以輕心，切忌一切進行得很順利時沾沾自喜，驕傲自滿，鬆懈起來。

感情

桃花運有轉機，異性緣佳，能得到傾慕者的青睞，並大獻殷勤，也會有很多機會，認識到不同階層、性格和外型的異性，雖然未有大的發展空間，但單身者今年不要錯過機會，仔細觀察身邊的人，一拍即合的成功率很高。

錢財

財運暢順，財務得以舒緩，令自己也鬆一口氣。可徵詢好友投資策略，會有不錯的回報。或與友人合作發展飲食、美容生意，也有不錯的成績。

健康

應酬飯局頻繁，好友聚餐又開懷暢飲，加上缺乏運動，令你體重暴升。應節制飲食，作適量運動。

流月運程

農曆九月

（西曆十月八日至十一月六日）

運勢

「生門」逢「勝光」，本月運勢順暢，縱使有困難出現，因有貴人幫助，問題很快便會告一段落。

本月是一展所長的好時機，只要在人際關係方面，多下工夫，改善溝通技巧，虛心接納別人建議，並做好時間及情商管理，契機將陸續有來。

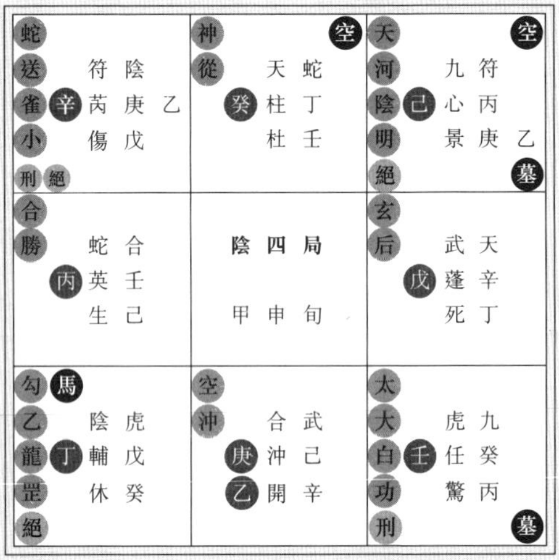

乙 陰庚戊 符芮傷 辛 蛇送雀小刑絕	空 蛇丁壬 天柱杜 癸 神從	空 乙 符丙庚 九心景 己 天河陰明絕 墓
合壬己 蛇英生 丙 合勝	局旬 四申 陰甲	天辛丁 武蓬死 戊 玄后
馬 虎戊癸 陰輔休 丁 勾乙龍罡絕	武己辛 合沖開 庚乙 空沖	九癸丙 虎任驚 壬 太大白功刑 墓

工作

事業運氣勢逼人，有太歲相助，上司突然對你重視。務須在本月爭取好表現，有望升官。上司賦予更大權力，去完成公司重視的項目，管轄的範疇也相應擴大，令你在人事及行政管理方面更加稱心如意，資源調配方面更見靈活自在。

感情

異性緣興旺，吸引力無法擋，容易會發展出曖昧關係，如非合適對象，勿因一時貪玩，或怕尷尬不知如何婉拒人家，而留下一個假希望。總之立場一定要清晰，以免破壞雙方友誼之餘，也有損自己名譽。

錢財

投資理財運暗湧大增，稍有不慎有可能造成嚴重損失，緊記千萬不可以抱著僥幸的心態去投機理財，處理財務時應當小心穩健。

健康

本月進食切忌太急，尤其進食魚類或有骨食物時，要加倍留神，容易被骨卡住或刺傷喉嚨。

流月運程

農曆十月

（西曆十一月七日至十二月五日）

運勢

「青龍」逢「驛馬星」，本月人脈暢旺，貴人特別多，機遇連綿不斷。

雀 小 合 勝 絕 虎 符 乙 心 戊 傷 庚	蛇 送 空 合 天 戊 蓬 癸 杜 丁	神 從 天 河 絕 空 陰 九 癸 任 丙 景 壬 己 刑
勾 乙 絕 武 蛇 壬 柱 乙 己 生 辛	陰 六 局 甲 申 旬	陰 明 蛇 武 丙 沖 辛 死 乙
龍 罡 空 沖 馬 九 蛇 丁 芮 壬 己 休 丙 墓	白 功 刑 天 合 庚 英 丁 開 癸	玄 后 太 大 刑 符 虎 辛 輔 庚 驚 戊 墓

有賴女性貴人賞識，在工作或知識層面上，會助你打開新的一頁，作出新的嘗試。謹記千里馬想獲伯樂提攜，本身必須也是千里馬，才可事成，因此，自我磨練，不斷求進，才會得貴人助力。

工作

事業運興旺，近來工作表現突飛猛進，受到上司、老闆的寵信，成為重點栽培的管理階層，未來管轄的範疇更大。切勿自滿，自然能夠扶搖直上。

感情

單身者遇到思想簡單的傾慕者，而且有意共你開花結果，但你卻嫌棄對方古板無情趣，單憑直覺否定對方是「真命天子」。

請打開心扉進一步發掘他的優點，切忌追求短暫的浪漫。注意，一些女性貴人會穿針引線，進一步拓寬人際網絡，覓得真命天子的機會亦因而增加。

錢財

財運回升，正財有穩步增長的趨勢，人緣興旺，出外消費也有貴人請客，禮物源源不絕，令你喜上心頭；多做善事，令運勢持續加強。

健康

飲食不規律不檢點，易會形成脂肪肝、胃潰瘍、腎炎等疾病，務須注意自己健康，美食當前應適可而止，小心飲食。

流月運程

農曆十一月

（西曆十二月六日至一月四日）

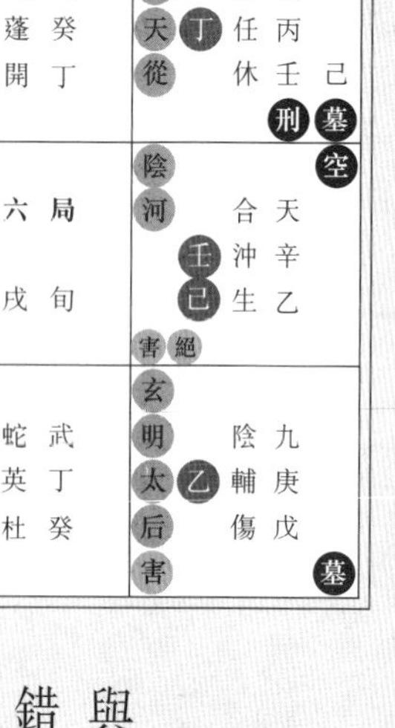

運勢

「騰蛇」逢「天蓬星」，運勢稍為走弱，時機來臨時，切忌貪多務得。

在沒有清楚衡量個人能力的情況下，逞一時之強，同時兼顧多個項目，結果令自己應接不暇，成績未如理想。總而言之，本月謹記「量力而為」四字箴言。

工作

事業運平平穩穩，在公司內的地位和權力逐步提升。不妨大膽接受新挑戰，配合做事勤奮踏實的態度，自會有更多提升機會。只要默默耕耘，公司會更為賞識。

感情

桃花運有點起伏，單身者因工作關係，小心與公司同事有曖昧關係，對方現在的感情狀態錯綜複雜，不宜主動搭上，以免招惹閒言閒語，影響個人專業影象。

愛侶與你相處時，感到無限的安全感，使愛情生活甜蜜，還贏得伴侶的家人朋友歡心，彼此之間的愛意越來越濃。

錢財

財運不穩，本月看似有賺錢的機會，但如大貪，投資不理性，日常開銷揮霍無度，最後遇到的也只是過路財神，左入右出，白費心機。

健康

在「天芮星」的不良影響下，經常感到頭暈、頭痛、精神不振等，中年人士更會有心口鬱悶和呼吸困難等毛病。

流月運程

農曆十二月

（西曆一月五日至二月二日）

運勢

「休門」逢「天輔星」，本月運勢繼續攀升，女性貴人助你悟出不少人生智慧，令工作更加順利。雖受公司器重，卻易招人妒，令你有苦自己知。只要保持謙虛態度，言行謹慎，閒言閒語很快便會中止，所謂「事實勝於雄辯」，所以毋須過分擔心。

陰乙丁 九心景 辛 合乙勾罡刑	合辛庚刑 天蓬死 己 雀勝	空丙墓 虎己壬刑 符任驚 癸 蛇小神送
符戊癸刑 武柱杜 乙 龍沖	陽七局 甲戌旬	空 武癸戊 蛇沖開 丁 天從
丙墓 符壬己 虎芮傷迫 戊 馬 空功白大	天庚辛 合英生迫 壬丙 太后害	墓 九丁乙 陰輔休 庚 陰河玄明 害絕

工作

事業運回升，團隊在自己領導下，業績大大改善。「上下一心，團結一致」，老板對你寵信有加，讓你負責重要的發展項目，不必顧慮太多客觀因素，直接處理事情，目標自然更快達成。從商者遇到實力雄厚的合作夥伴，讓生意拓展至更高層次。

感情

單身者對身邊的異性有如「走馬看花燈」，雖然不乏結交新朋友的機會，但總是碰不上能進一步交心的對象，不妨認真了解對方的內在美，勿單憑直覺，或以外貌判斷是否適合自己。

錢財

正財運穩步增長，有意創業者不妨咨詢和參考長輩的意見，或接受他們入股投資，會是不錯策略。公司整體運勢加上他們的氣場，能令業務發展一帆風順。

健康

生活規律和飲食對身體健康很重要，切勿看輕糖尿病、高血壓、胆固醇等慢性病，處理不善會引起其他併發症。

肖牛者出生時間

（以西曆計算）

己丑年 二〇〇九年二月四日零時五十分至二〇一〇年二月四日六時四十七分
丁丑年 一九九七年二月四日三時二分至一九九八年二月四日八時五十六分
乙丑年 一九八五年二月四日五時十二分至一九八六年二月四日十一時七分
癸丑年 一九七三年二月四日七時四分至一九七四年二月四日十二時五十九分
辛丑年 一九六一年二月四日九時二十三分至一九六二年二月四日十五時十七分
己丑年 一九四九年二月四日十一時二十三分至一九五〇年二月四日十七時二十分
丁丑年 一九三七年二月四日十三時二十六分至一九三八年二月四日十九時十四分
乙丑年 一九二五年二月四日十五時二十三分至一九二六年二月四日二十一時二十四分

肖牛開運錦囊

增運顏色：啡黃色、綠色
增運飾物：星星形圖案或飾物
化解犯太歲：鼠、雞、蛇飾物

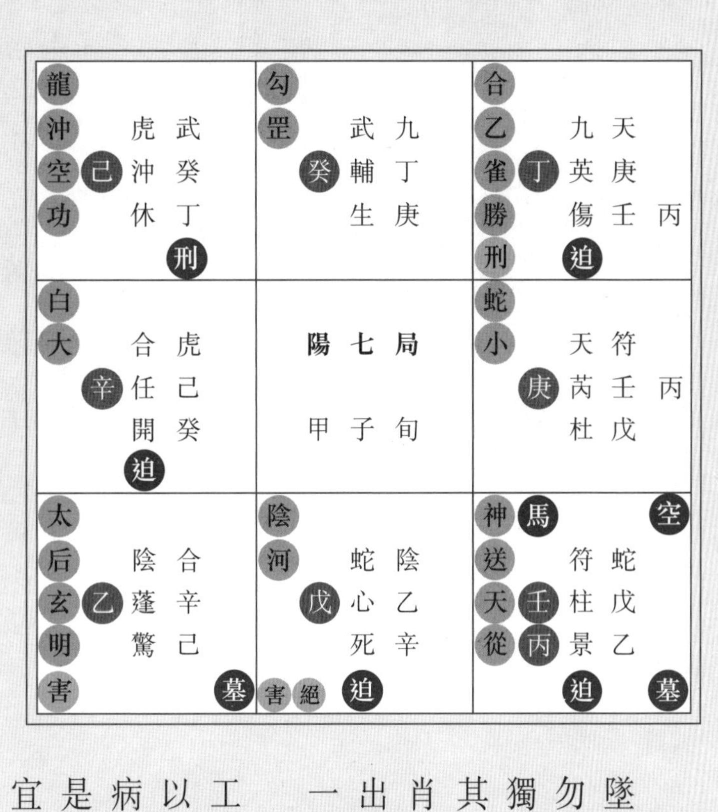

運勢

肖牛今年「破太歲」，運勢迂迴曲折，「河魁」帶害絕逢「騰蛇」，整體而言，積弱的運勢，未必能在一時半刻得到改善。整年表象繁忙勞碌的一年，也因各種在公在私的原因，導致錯配資源，費時失事，徒勞無功，最後得個「吉」。

這一年，要份外小心，受「虛象」蒙蔽，墜入騙局。當要作出一些較為重要的決定時，勿太相信自己的直覺，或者憑過往經驗，獨行獨斷；宜多詢問一下親友意見，以策萬全。尤其一些較為成熟、閱歷較豐富的前輩，將有助肖牛者從多角度，權衡事情的利害輕重，分辨出誰是君子、誰是小人，避免你在運勢偏弱之一年，誤信小人，泥足深陷，更難翻身。

由於龍年運勢疲弱，所以如非必要，例如工作所需，則最好減少外出，尤其晚間活動，以防招致金錢損失，甚至引起官非。此外，探病、出席喪禮這些有可能減弱氣場的場合，還是可免則免。清明、重陽時節要慎終追遠的話，宜在下午三時前辦妥。

總之，今年要有心理準備，不會是多勞多得之年。即使毫不計較地付出，亦未必有預期回報。縱然如此，亦不可以只顧一己私利，要不然，運勢只會更不濟。

如要到外地公幹或外遊，龍年宜短不宜長，否則不會順遂，甚至會招來錢財、健康之損。

工作

今年肖牛之人「破太歲」，事業運危機四伏，「天柱星」逢「從魁」臨「入墓」，意味工作環境充滿負能量，令上班有如受罰，難以投入其中。

公司經過一番人事變動後，新的直屬主管喜歡透過否定下屬，來顯示自己權威。就算肖牛者是多麼努力工作，對方總是諸多批評，諸多挑剔，令人感到既厭惡，又戰戰兢兢。

經常受到否定，心裡自然難受，於是希望找機會反擊，漸漸地，大部分心思都放在如何對付這名上司之上，工作熱誠大減。

終日惦記著自己如何含怨受屈，想盡辦法令這個魔鬼主管下台，對改善事業運其實一點幫助也沒有，反而更損氣場。不如將寶貴時間，花在自我提升方面，包括磨練好可移轉技能，如人際交往能力、組織能力、領導才能等，強化這些軟實力後，他日就算轉換不同工作領域，也游刃有餘。

在事業運低迷的龍年，缺乏貴人助力，做事時容易變得偏執，忽略大局。因此，即使想用轉職來擺脱與上司之間的僵局，恐怕今年未是時機，轉工機會亦微乎其微。

如強行為變而變，情況大可能更糟。潛龍勿用，對於今年工作運處於低迷的肖牛之人來説，反而更有利。

感情

今年的桃花運虛浮不實，「朱雀」逢「天英星」，以為找到真愛，原來只是一場霧水情緣。在愛情運不太強的一年，緣分之事，讓它順其自然，是愛惜自己、吸納好氣場的最佳方案。

情感失落之時，一時間無法接受這個事實，是人之常情。由心痛至放下，是需要時間去過渡和適應。若然強行壓抑情緒，反而並不健康。

今次的愛情故事縱然不能大團圓結局，卻令肖牛之人釐清了誰是「交心」、誰是「交際」的朋友，同時對交友「貴精不貴多」之真理，有更深切體會。

今年與離婚、喪偶者，或年齡跟自己差距七年以上的異性，會有一種很特別的連結，這個人並且會助你不斷成長，將自己經營得更至於最終能否發酵成為情緣，則需要一點時間，因為由相識至相愛，通常不會一蹴而就，尤其肖牛者在龍年的愛情運，較為飄忽，因此只有持續為關係付出努力，沒有隨便放棄機會，到最後就算發現對方原來並非「對的人」，能有緣遇見、彼此真心關心過對方，亦是一種福分。

已婚、關係穩定的肖牛者，因希望有多一點自己的私人時間，以及朋友聚增多，以致和另一半相聚的時間減少，令對方感到備受忽略，甚至懷疑你變心。不想誤解加深，及時溝通，是最有效的解藥。

錢財

龍年是肖牛者財運此起彼落之一年，「天空」逢「天沖星」臨「擊刑」，錢銀很多時「左手來右手去」，不想財來財去，不妨問道於資深的投資顧問，或人生閱歷豐富的長輩，他們的理財規劃建議，對肖牛人士會有一定幫助。

這一年正財運縱無大礙，藉著偏財滾存財富的機會卻如過眼雲煙。可是，塞翁失馬，焉知非福，當你以為自己錯過了入市佳期，卻原來錯有錯著，反而避過了被困熊市之一劫，讓肖牛者可重新靈活配置投資組合，將資金分散在不同項目當中，免卻承擔不必要之風險。

剛「入五」的熟齡肖牛者，是時候開始為將來的退休生活未雨綢繆，今年選取投資路向時，宜將目光放在價格不易大幅上落的產品，將「被動收入」納入投資組合，盡量減低投資帶來的風險。。

今年的社交使費，頗為驚人，喜宴、婚宴、派對特別多，連一些不太熟絡的工作伙伴，也向你投擲「紅色炸彈」，基於禮貌，一大筆的人情支出，在所難免。

加上現時網購足不出戶也可消費，花錢的誘惑就更加大，肖牛者如不謹慎理財，很快便會入不敷出。

健康

今年「天任星」臨「開門門迫」，代表健康指數上升，但腸胃方面卻容易出問題，主要原因是肖牛者今年公司人事有變，新主管為牛下屬帶來不少壓力，加上生活習慣不利健康，經常食無定時，於是容易觸發腹痛、腹脹、腹瀉等腸胃不適情況。

由於今年導致腸胃症狀的源頭之一，是與精神緊張、心理層面有關，因此學習控制壓力，十分要緊。

肖牛之人在這一年想解千愁，不妨運用顏色產生的能量，令不安情緒，退避三舍。不少精神科專科的研究調查發現，當一個人感到煩躁、焦慮時，望著橙、紅、黃這類可刺激快樂情緒的暖色系，有助調節情緒。至於綠色，則可平衡掌管愉快心情的血清素，令人消除緊張，減少消極情緒向你勒索的機會。

從心理角度解決問題之餘，亦需同步保持良好生活習慣，包括：工作再忙也要撥出用膳時間，並最好三餐定時定量；當需要應酬或朋友聚餐時，亦要有所節制。吃得太急、太飽、過多的咖啡因、糖和脂肪，都要避免，便可減低對腸道功能造成不良影響。

總之今年謹記，從日常做起，對自己的健康好一點，不要待身體發出求救訊號，才腸痛醫腸，胃痛醫胃。

健美修身催運小貼士：重點加強訓練腹、腳。

重點加強訓練腹部並增強核心肌群，由基礎動作仰臥起坐（Sit-ups）開始，或做更有效、更簡單的卷腹（Ab Crunch），鍛鍊腹直肌、側腰線。

訓練腳部運動，如弓箭步（Lunges）、深蹲（Squat），各項加強下身運動。

*健美運動強度及次數因人而異，詳情請向專業健身教練咨詢。

辛丑年 二〇二一年

今年肖牛者容易在腸胃方面出問題，這個年紀的小朋友喜愛將東西往嘴裡放，便更易病從口入。萬一孩子出現痾嘔，家長毋須過分恐慌，因有可能是吃得太飽所致，未必與細菌、病毒有關。如問題持續，就要盡快就醫，了解病因，然後遵循醫生指示用藥。腸胃炎期間，保持飲食清淡，便無大礙。

己丑年 二〇〇九年

牛學生今年即使如何努力，成績卻依然未見有很大進步，加上肖牛的完美主義特質作梗，很易形成壓力以至焦慮。遇上此情況，家長不應將注意力集中在成績單上，而是要多關心子女情緒，幫助他們提升逆境智商，將來若然遇到失敗，孩子才懂得如何運用適當方法，調控情商，而不是一味鑽牛角尖，給自己更大壓力。

丁丑年一九九七年

今年職場貴人難以靠近，所以即使有轉職意向，恐怕機會渺茫。不如先加強鍛鍊一些能用諸於四海的技能，例如人際溝通能力、說服力、以及個人價值涵養等，待時機和運勢來臨，便可破繭而出。想在職場保持高度競爭力，持續學習和進修，是永恆的黃金法則。

乙丑年一九八五年

在感情生活方面，已有固定對象及已婚者，因今年工作壓力大，所以希望有多一點時間獨處，或者透過朋友聚會，暫時忘憂。然而，另一半卻因此而懷疑這段關係已出現危機。為免誤會加深，必須坦誠溝通。當一個人深愛著另一個人時，往往會變得特別敏感，只要明白這一點，就不會小事化大。

癸丑年一九七三年

今年步入人生的下半場，開始喜歡回顧過去，與以前的自己作比較，加上龍年運勢非常一般，以致不時會懷疑自己，覺得人生有很多目標，仍未達成；愈去想，就愈感到失落。要避免心理能量流錯方向，就一定要接受，凡人不會完美，即使力有不逮，甚至失敗，只要努力過，已是一大成就。

辛丑年一九六一年

今年財運有「財來財去」之象，可能因一時大意，引致投資失利，從而觸發夫妻之間起爭執，這其實是頗為常見的「退休夫妻相處綜合症」，因從工作崗退下來後，雙方在一起的時間增多，很容易因一點小事，藉題發揮，挑剔對方。只要能包容多一些，就可化干戈為玉帛，這亦是夫婦的相處之道。

流月運程
農曆一月

（西曆二月四日至三月四日）

運勢

「傷門」逢「地盤白虎」，本月運程毫無進展，不論工作或感情事，都令你有身不由己的喟嘆。心煩意亂時，絕不宜開展新計劃，否則對人緣運會構成負面影響，甚至會遇上詐騙。本月要加緊防盜，外出時不宜穿戴太名貴物品。

勾 沖　九　天 龍　乙　沖　壬 功　死　癸 害　絕　刑　墓	合 罡　天　符 丙　輔　癸 驚　己	雀　空 乙　符　蛇 蛇　庚　英　己 勝　開　辛　丁 刑　墓
空 大　武　九 辛　任　戊 丁　景　壬 刑　刑	陽　八　局 甲　戌　旬	神　空 小　蛇　陰 戊　芮　辛　丁 休　乙 刑
白 后　虎　武 太　己　蓬　庚 明　杜　戊 迫　刑　墓	玄 河　合　虎 癸　心　丙 傷　庚	天　馬 送　陰　合 陰　壬　柱　乙 從　生　丙 害　刑　墓

工作

事業運稍弱，工作承受極大阻力，忙碌而欠收成。切勿意氣用事，貿然辭職，新工作或發展不比現在優勝。從商者應採保守策略，今年盈利反覆，勿大規模的擴充，或改變行政架構。

感情

單身者能遇上心儀對象，但也只是「鏡花水月」，沒有深入發展的機會。或只屬「神女有心，襄王無夢」，最後雙方關係不了了之。緣份未到，想急也急不來。今年不妨結識一些離婚、喪偶或年紀比自己大七年以上的異性，當會發現彼此思想接近，不妨給大家發展機會。

錢財

運勢難以穩定，財運更見波動。開始買賣投資時有所斬獲，轉眼間卻由盈轉虧。本月喜事繁多，頻頻出席親戚朋友喜慶晚宴，賀禮和禮金開銷劇增，遠遠超出預算，到月尾要節衣縮食。宜節省日常消費。

健康

健康指數大大改善，只是腸胃容易不適，會出現胃痛、消化不良、腹瀉、便秘，主要是飲食不正常所致。刺激性、難消化、煎炸油膩、生冷食品，包括魚生、冷飲等，還是少食為妙。

流月運程

農曆二月

（西曆三月五日至四月三日）

運勢

「天空」逢「天柱星」，本月的思緒特別紊亂，加上變數較多，引致心中的疑慮也多。一些人生閱歷豐富的前輩，會在你最無助時，充當人生教練，應多與他們交流。本月使用道路時，不論是駕車或橫過馬路，也要加倍小心。

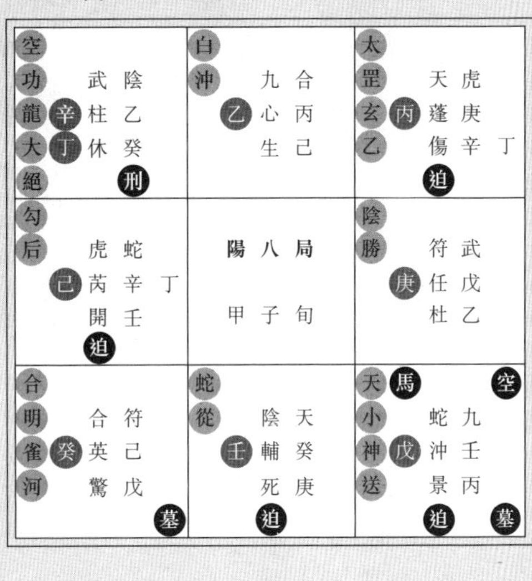

工作

事業運勢有點起伏，容易陷入兩難困境。公司疲弱不堪，發展方向完全欠奉。嚴重缺乏資源及人才，卻要強行推出一系列應變計劃。公司並沒有給予各方面支持，成績當然令人失望，嚴重影響自己士氣，萌生轉換工作的念頭。

感情

夫婦或情侶，各自有自己的社交活動，聚少離多，想法出現分歧，只要心平氣和地表達意見，相處遇到問題時，理智地作出討論，便能減少不必要的磨擦。單身人士今年如希望發展穩定的關係，可留意一些離婚、喪偶和年紀比自己年長或年輕七年以上的異性，會有較大的機會。

錢財

財運此起彼落，為工作煩事而終日處於精神緊張狀態，投資觸覺薄弱，也沒有什麼心水項目。不宜硬去投資。偏財沒有收穫。

健康

慎防禍從口入，盡量不要吃生冷食物，辛辣刺激食物也應避免。本月腸胃極度敏感，容易受到感染，飲食宜偏向清淡和健康為主。

流月運程
農曆三月
（西曆四月四日至五月四日）

運勢

「景門」逢「入墓」，與好運有點背道而馳，加上自信心不足，所以即使出現新機遇，亦無勇氣一試，唯有先裝備好自己，再見機行事。

當運勢偏弱時，亦較易招惹小人，化解方法是做好自己本份；只要克盡職守，小人就算出盡九牛二虎之力，亦很難加害於你。

龍 大 勾 后 絕 庚 天心驚 合癸辛 迫 刑 墓	空 功 辛 符蓬開 虎戊乙	白 沖 太 罡 乙 蛇任休 武丙己 壬 刑
合 明 丙 九柱死 陰丁庚	陽一局 甲子旬	玄 乙 己 壬 陰沖生 九庚丁
雀 河 蛇 從 戊 武芮景 蛇己丙 壬 墓	神 送 癸 虎英杜 符乙戊	陰 勝 天 小 馬 丁 合輔傷 天辛癸 空

工作

事業運波動，工作環境出現不少暗湧，各人為了自保，待人處事小心翼翼，很多事情看似有妥協機會，但事實並非如此，難以達成共識，使人非常困擾。

運勢不足，助力不夠，難遇上其他更好發展。

感情

感情運平穩，與另一半同樣忙於工作，經常分身乏術，欠缺時間培養感情。不管怎樣忙碌，簡單的一個短訊問候也是必須的，彼此繼續為恩愛到老而努力。對方自然會體諒你的苦況。

錢財

財運好轉，守得雲開見月明，終於出現新的投資機遇，盡量分散投資，令財務出現突破。要好好把握時機，令財政基礎更穩固。

健康

胃部不適，就要看醫生，勿自行購買胃藥紓緩痛楚了事，如胃痛是因焦慮引致，可能需要醫生處方藥物，對症下藥，改善緊張，根治問題。

流月運程
農曆四月
（西曆五月五日至六月四日）

運勢

「驚門」逢「傳送」，運勢如脫韁野馬，難以駕馭。處理人際關係時，要特別留神，說話謹慎，以免禍從口出。本月欠貴人助力，凡事需親自打點，雖則令人感覺勞累，但「業精於勤而荒於嬉」，不努力付出，哪有回報？

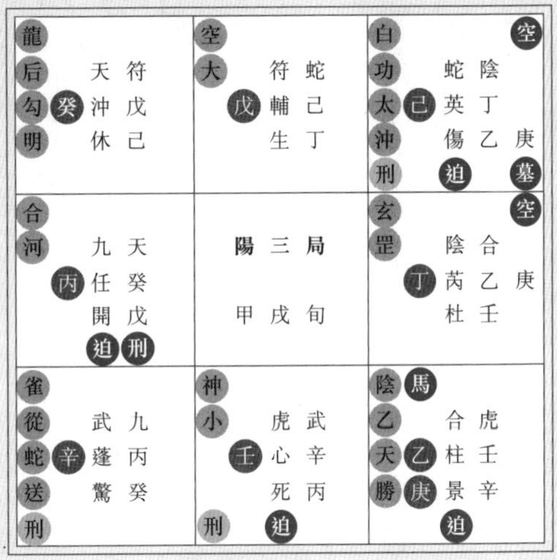

龍 后 勾 明 癸 符 戊 己 天 沖 休	空 大 戊 蛇 己 丁 符 輔 生	白 功 太 沖 刑 己 空 庚 墓 陰 丁 乙 蛇 英 傷 迫
合 河 丙 天 癸 戊 九 任 開 迫 刑	局 旬 三 戊 陽 甲	玄 罡 丁 空 庚 合 乙 壬 陰 芮 杜
雀 從 蛇 送 刑 辛 九 丙 癸 武 蓬 驚	神 小 刑 壬 武 辛 丙 虎 心 死 迫	陰 乙 天 勝 馬 乙 庚 虎 壬 辛 合 杜 景 迫

工作

事業運不濟，本月要做好心理準備，迎接重重困難。公司對同事沒有任何實質支持，自己也無能為力，只能唯命事從。若問題發生，恐怕殃及池魚，慘被無辜牽扯在內。安份守己，不要輕舉妄動，以免別人在背後說三道四，對事業造成不良影響。

感情

愛情運薄弱，單身男士遇到心儀的異性會展開熱烈追求。送花、送小禮物也未能打動芳心，漸漸發現對方貪慕虛榮，根本沒有用心交往。單身女士對油腔滑調的男士極為傾慕，但對方只視你為「好兄弟」。

錢財

財運不過不失，投資上需繼續穩持保守態度，經營好現有投資組合即可，不宜貪心，另外應加強控制風險，有望穩中求勝。也不要聘用一些年過四十歲的投資顧問，成績會令你大失所望。

健康

本月腸胃比較弱和敏感，小心病從口入，易有細菌入侵腸胃，引發腸胃炎，痾嘔肚痛。緊記飯前洗手。

流月運程
農曆五月
（西曆六月五日至七月五日）

運勢

「九地」逢「天芮星」，本月運勢暮氣沈沈，並無大變化，人也了無生氣，對很多事亦提不起勁，一再拖延。是時候為身心靈充一下電，多看勵志金句、文章或電影，均有助怡情養性，減輕壓力，再加上有條理的生活作息，精神狀態便可重回正軌。

合 明 九 虎 勾 戊 芮 丙 己 河 死 戊	雀 空 后 天 武 癸 柱 辛 驚 癸 刑	蛇 空 大 符 九 神 丙 心 庚 功 己 開 丙 己 絕 刑 墓
龍 從 武 合 乙 英 癸 景 乙	陽 四 局 甲 申 旬	天 沖 蛇 天 辛 蓬 丁 休 辛
空 送 虎 陰 白 壬 輔 戊 小 杜 壬 絕 迫	太 勝 合 蛇 丁 沖 乙 傷 丁 絕	陰 馬 罡 陰 符 玄 庚 任 壬 乙 生 庚

工作

事業運減弱，工作非常繁忙，馬不停蹄，為各項工作的死線而奔波勞碌，團隊精神完全欠奉，同事之間的欠缺溝通，導致公司整體工作效率減低。注意本年非創業的好時機，太多變數影響業務發展，最後可能虧本離場。

感情

愛情運平滯。本月異性緣不錯，遇上理想對象，卻沒有勇氣去表白和追求，只有跟對方做知己良朋。見到意中人身邊每日都有很多追求者而大感難受，不如鼓起勇氣，向意中人表達愛意。有志者事竟成，真心和誠意必定能感動對方。

錢財

財運起伏不定，出現破財危機，須小心理財，切勿「先使未來錢」。信用卡的超額簽賬遠遠超出每月所能負擔，令人憂心。投資不妨重新調整投資組合，將投資分散在不同項目當中，可減低風險，增加勝算。

健康

本月易腸胃不適，避免進食路邊小吃。切勿光顧衛生環境較差的餐廳。食物應該徹底煮熟，方好進食，務須把細菌感染的機會減至最低。

流月運程
農曆六月
（西曆七月六日至八月六日）

運勢

「天心星」臨「景門」逢「入墓」，本月先苦後甜，謹記「乘風破浪」四字，鼓勵自己迎難而上，最後必定能克服難題。人生考驗，十常八九，如能換角度思考，所有經歷可變成人生寶貴一課。本月外出旅行，只宜短途。

龍 空 河 天 天 空 癸 輔 庚 從 休 庚 害 絕	勾 明 九 九 丙 英 丁 生 丁	合 后 武 武 雀 辛 芮 壬 己 大 傷 壬 己 害 刑 迫 刑
白 送 符 符 戊 沖 辛 開 辛 迫 刑	陰 六 局 甲 午 旬	蛇 功 虎 虎 庚 柱 乙 杜 乙 害 刑
太 小 蛇 蛇 玄 乙 任 丙 勝 驚 丙	陰 乙 陰 陰 壬 蓬 癸 己 死 癸 迫	神 馬 沖 合 合 天 丁 心 戊 罡 景 戊 迫 墓

工作

事業運稍稍改善。公司內憂外患，上下忐忑不安。難以預期的問題，接踵而來，疲於招架。身邊既無貴人相助，同事士氣低下，亂成一團。個人做事深思熟慮，有大將之風，能穩定軍心。只要堅毅不屈，日後可得理想回報。

感情

桃花運波濤洶湧，因朋友關係遇上令你心動的有緣人。查明對方是否已婚或有異性朋友，才好發展關係。謝絕陷入三角孽緣，免得把氣場拉低，影響未來姻緣。已婚者在各方遷就對方，配偶不但毫不領情，還諸多挑剔，兩人「三日一小吵，五日一大吵」，小心感情出現裂痕。

錢財

財來財去之象，突如其來的開銷，令你失去預算，可能入不敷出。本月偏財運欠佳，盡量避免任何高風險的投資。切勿妄想以小博大。宜長線投資，以及分散投資，會有穩定的利潤。

健康

夏天來臨，愛美人士為了擁有完美的身軀，大膽嘗試各類修身產品。小心被騙財又傷身。勿胡亂節食或服用減肥藥，以免腸胃不適。

流月運程
農曆七月
（西曆八月七日至九月六日）

運勢

「死門」逢「白虎」，本月運程偏弱，容易心神恍惚，情緒起伏，以致工作易犯錯，進一步拖垮情緒，令你抗拒社交。長輩的智慧，會有助你解困，應多聯絡他們。本月時常心緒不寧，要加倍留神，以免成為網上騙案的受害人。

雀 從 陰 武 蛇 己 杜 辛 送 開 丁 刑 迫 墓	合 河 蛇 虎 乙 心 壬 癸 休 己 迫	勾 明 符 合 龍 辛 蓬 戊 后 生 乙 癸 墓
神 小 合 九 丁 芮 乙 癸 驚 丙 刑 迫	陰 一 局 甲 子 旬	空 大 大 陰 壬 任 庚 傷 辛 刑
天 勝 虎 天 陰 丙 英 己 乙 死 庚 刑 墓	玄 罡 武 符 庚 輔 丁 景 戊	白 馬 空 功 九 蛇 太 戊 沖 丙 沖 杜 壬 刑 墓

工作

事業運困厄，凡事不吉。公司管理層處事時又總是猶疑不決、愛理不理，所提出的各種應變方案，都無法順利實施。出現很多額外的工作要去完成，上司視為理所當然；遇有不妥善之處，便馬上糾正，沒有引來太大麻煩。

感情

感情運勢中規中矩，未能稱心如意。今年單身人士切勿對愛情寄予太大期望，縱使能遇上可發展感情對象，恐怕亦不能天長地久。要好好控制自己感情，切勿在最初階段便全身投入，以免自己遍體鱗傷。

錢財

財運下滑，切勿輕信曾經幫你賺錢的投資顧問，對方若推銷高風險而口稱回報大的投資，緊記高回報有高風險。詳細分析及完全瞭解風險後，再作決定。

健康

注意本月腸胃偏弱，宜節制飲食，切勿過量。消化不良會引致其他疾病。避免進食未煮熟的食物，容易有胃抽筋、食物中毒、細菌感染等毛病。

流月運程
農曆八月
（西曆九月七日至十月七日）

運勢

「生門」逢「天輔星」，運勢有回升趨勢，但做任何事仍應採取「穩守突擊」策略，才可避免不必要的麻煩及損失。

本月要小心惹上口舌是非和官非訴訟，除了慎言，亦不要逞強，千萬不可衝動行事，否則覆水難收。

神 送 虎 陰 蛇 壬 任 壬 小 開 乙 迫 刑 墓	天 從 合 蛇 戊 沖 戊 休 辛 迫 刑	陰 空 河 陰 符 玄 乙 輔 乙 明 生 己 丙 害 絕 刑 墓
雀 勝 武 合 庚 蓬 庚 驚 戊 刑 迫 刑	陰 三 局 甲 戌 旬	太 空 后 蛇 天 辛 英 辛 傷 癸 害
合 乙 九 虎 勾 丁 心 丁 罡 死 壬 刑 墓	龍 沖 天 武 癸 柱 癸 景 庚	白 馬 大 符 九 空 己 芮 己 丙 功 丙 杜 丁 墓

工作

事業運回穩，遇上一些棘手的問題，最終也能順利解決。上司沒有體恤你的辛勤努力，不斷測試你的底線。不妨在放假時郊遊，休養生息，令正能量回升。做好準備，接受新的挑戰。

感情

單身者對被動而保守的異性心動。對方暫時沒有心儀對象，但有其他追求者，心中蠢蠢欲動。不妨主動與他搭訕。就算對方沒有強烈反應，也能增強自己交際技巧。

夫妻領略到相處之道，懂得互相扶持，感情融洽，暫時把工作上的煩惱放下，度過甜蜜溫馨的日子。

錢財

財運阻滯，投資的計劃需要按部就班，所謂財不入急門，處理財政事宜必須冷靜和審慎，以免招致無謂損失。

本月適宜以靜制動，以保安穩。喜事賀禮超出預算，又多額外使費，金錢耗損在所難免。

健康

別再沉迷玩手機，只會導致肌肉勞損。適當的娛樂可減壓，但別過份沉迷，要有充分的休息。一切問題與脊椎無關。

流月運程
農曆九月
（西曆十月八日至十一月六日）

運勢

「值符」逢「地盤九天」，運勢逐漸回順，社交活動亦開始回復正常，整個人一洗頹氣，重拾朝氣。

隨著人際網絡擴大，各種機遇陸續萌芽，本月應抓緊人脈上的優勢，進一步將之加固，為自己的未來製造更多契機。

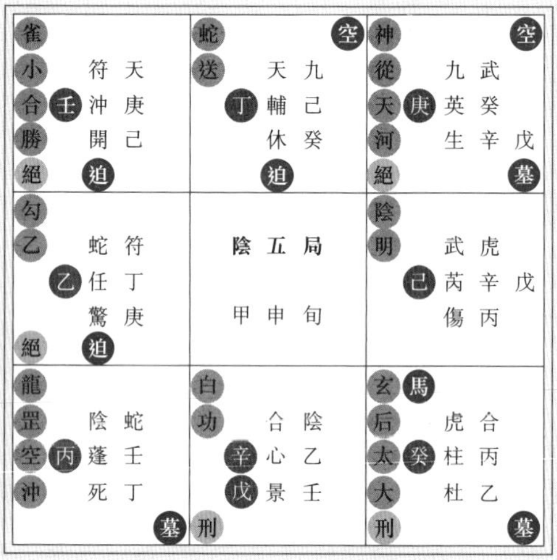

天庚己 符沖開 壬 迫 雀小合勝絕	空 九己癸 天輔休 丁 迫 蛇送	空 戊 墓 武癸辛 九英生 庚 神從天河絕
符丁庚 蛇任驚 乙 迫 勾乙絕	陰五局 甲申旬	戊 虎辛丙 武芮傷 己 陰明
墓 蛇壬丁 陰蓬死 丙 龍罡空沖	陰乙壬 合心景 辛戊 白功刑	墓 合丙乙 虎柱杜 馬癸 玄后太大刑

工作

事業運停滯，好大喜功的高層同事，為了表現自己的實力，經常夸夸其談，提出吃力而不討好的方案，要大家配合進行，為了避免影響軍心，只能勉強執行任務，成績當然不堪入目。

感情

桃花運表象曙光，但原來只是一場霧水情緣，失望之餘，甚至失卻追尋真愛之熱誠；不時感到，緣分這回事，不可預期，也無法在自己掌握之中，內心不斷交戰，彼此不停猜測各自底牌，不知如何是好，火花最終熄滅。

錢財

投資時，往往會未經深思熟慮便採取行動，或因沒有看準時機出擊，讓機會白白流走。但有時以為錯失投資良機，反而是塞翁失馬，令你不用承受市場突如其來的波動，結果得不償失。

健康

本月身體沒有大毛病，由於公私事務繁瑣，出現記憶力不足的情況，安排計劃錯漏百出。

流月運程
農曆十月
（西曆十一月七日至十二月五日）

運勢

「天英星」逢「天后」，本月運勢中等，宜繼續以靜制動，做好自己本份，才可萬無一失。

想增強運勢，做事時事半功倍，必須放下成見，虛心接納他人意見，博採眾長。下半年學習能力強，應乘著優勢，持續進修，加強實力。

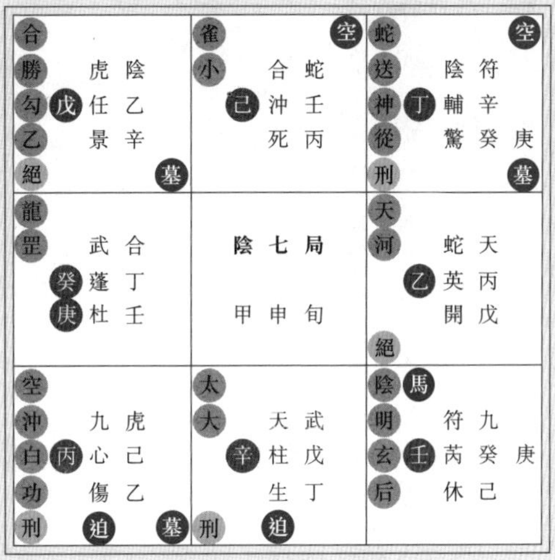

合 勝 勾 乙 絕 戊 虎 陰 任 乙 景 辛 墓	雀 小 空 己 合 蛇 沖 壬 死 丙	蛇 送 神 從 刑 空 丁 陰 符 輔 辛 驚 癸 庚 墓
龍 罡 癸 庚 武 合 蓬 丁 杜 壬	陰 七 局 甲 申 旬	天 河 乙 蛇 天 英 丙 開 戊 絕
空 沖 白 功 刑 丙 九 虎 心 己 傷 乙 迫 墓	太 大 刑 辛 天 武 柱 戊 生 丁 迫	陰 明 玄 后 馬 壬 符 九 芮 癸 庚 休 己

工作

事業運偏弱，工作吃力不討好，令你沮喪，人事變動使人不安，要處理海量工作，也要應付頻密應酬，令你心身疲憊；為了向上司交待，明知徒勞無功，也要全力以赴，絕不鬆懈。

感情

桃花運不理想，遇到心儀對象，大膽向對方表白，可惜未如理想，感到悶悶不樂。可再接再厲，希望用真誠打動對方。

感情運起風浪，與配偶或愛人容易因閒人瑣事而爭吵不休，應以冷靜態度面對。待心平氣和之時才繼續討論。宜改善個人脾氣，勿因一時火起而出口傷人。

錢財

財運不濟，不宜投資炒股，衛生麻雀多打無妨，沉迷賭博只有累己累人。

開銷不停增加，宜積穀防饑，勿變大花筒，因一時受中年女性朋友唆擺，購買昂貴的名牌用品或飾物。

健康

工作要經常看電腦，眼睛容易疲倦、發炎、生眼瘡。工餘時避免看電腦、電話，遠眺綠色植物，對眼睛有益處。

流月運程

農曆十一月

（西曆十二月六日至一月四日）

運勢

「天蓬星」逢「入墓」，本月氣場稍弱，一些聚集負能量的場所，例如夜店、醫院、殯儀館等，還是少去為妙；多親近大自然。宜多出席喜慶場合，補充正能量，有助身心健康。

合 乙 武 虎 勾 乙 沖 壬 罡 休 辛 刑 刑 墓	雀 勝 虎 合 壬 輔 辛 生 丙 刑	蛇 空 小 合 陰 神 辛 英 丙 送 傷 癸 庚 迫 墓
龍 沖 九 武 丁 任 乙 開 壬 迫	陰 七 局 甲 戌 旬	天 空 從 陰 蛇 丙 芮 癸 庚 杜 戊
空 功 天 九 白 己 蓬 丁 大 驚 乙 墓	太 后 符 天 戊 心 己 死 丁 害 迫	陰 馬 河 蛇 符 玄 癸 柱 戊 明 庚 景 己 害 絕 迫 墓

工作

事業運下滑，公司政策經常改動，目標方向搖擺不定，令你無所適從。無論多努力去完成一項議程，下一分鐘可能已被刪改。意興闌珊，加深轉工念頭。本月轉工機會較微，寄出的應徵信石沉大海，毫無消息。

感情

愛情運諸事不順，心情掉至谷底。容易對情人表現不耐煩，對方感到不被尊重，開始對這段關係失去信心。請馬上改善態度。

已婚者對配偶頗為冷淡，感到大家思想有距離，彼此相處欠缺情趣，令對方極為難受，開始微言。

錢財

財運波動，不但不能寄望於正財，連偏財也屢次碰壁，難以挽回虧損。現時一動不如一靜，先嘗試縮減不必要的開支，才能讓財運穩定。

健康

不時出現作嘔、胃脹、上腹疼痛、反酸等問題，很可能與壓力大、情緒繃緊有關，可由紓緩情緒方面入手。

平日多做運動，或多做一些自己感興趣的事，也有助減壓。

流月運程
農曆十二月
（西曆一月五日至二月二日）

運勢

「天芮星」逢「空亡」，本月運勢翻來覆去，陰晴不定，工作問題遲遲未有對策，令你寢食難安。愈是顧慮重重，人便愈變得粗心大意，容易忽略事情細節，本月查看文件，尤其需簽署合約、協議書時，必須仔細端詳，以防有詐。

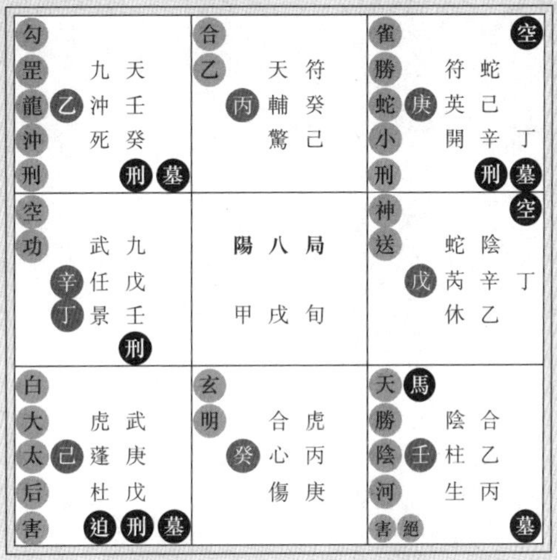

勾 罡 九 天 龍 乙 沖 壬 沖 死 癸 刑 刑 墓	合 乙 天 符 丙 輔 癸 驚 己	雀 空 勝 符 蛇 蛇 庚 英 己 小 開 辛 丁 刑 刑 墓
空 功 武 九 辛 任 戊 丁 景 壬 刑	陽 八 局 甲 戌 旬	神 空 送 蛇 陰 戊 芮 辛 丁 休 乙
白 大 虎 武 太 己 蓬 庚 后 杜 戊 害 迫 刑 墓	玄 明 合 虎 癸 心 丙 傷 庚	天 馬 勝 陰 合 陰 壬 柱 乙 河 生 丙 害 絕 墓

工作

事業運銳減，面對吃力不討好的工作，令你異常沮喪。人事變動令你惶恐不安。切忌高調表現不滿，毫無幫助之餘，還會招來口角是非。

感情

愛情運起波折，運勢看似不錯，卻是充滿暗湧，務必小心提防，尤其是爛桃花，先要了解對方才好交往，以免泥足深陷，影響情緒。

夫妻因居住或買樓問題而爭吵，雙方各持己見，最後也能言歸於好，找出最有效的解決辦法。

錢財

本月生活使費頗大，無可避免，購置衣物、電子產品時，應慎重考慮，不應貪圖新款和外型討好。實用性才是最重要的考慮。

如無必要，宜減少消費，每月穩定儲蓄，以備不時之需。

健康

因飲食不定時，營養不足，引起腸胃不適。宜愛惜自己，稍作改善。外遊時容易水土不服，請帶備成藥。

肖虎者出生時間（以西曆計算）

庚寅年二〇一〇年二月四日六時四十八分至二〇一一年二月四日十二時三十一分

戊寅年一九九八年二月四日八時五十七分至一九九九年二月四日十四時五十六分

丙寅年一九八六年二月四日十一時八分至一九八七年二月四日十六時五十一分

甲寅年一九七四年二月四日十三時至一九七五年二月四日十八時五十八分

壬寅年一九六二年二月四日十五時十八分至一九六三年二月四日二十一時七分

庚寅年一九五〇年二月四日十七時二十一分至一九五一年二月四日二十三時十三分

戊寅年一九三八年二月四日十九時十五分至一九三九年二月五日一時十分

丙寅年一九二六年二月四日二十一時二十五分至一九二七年二月五日三時十六分

肖虎開運錦囊

增運顏色：黑色、紅色

增運飾物：方形圖案或飾物

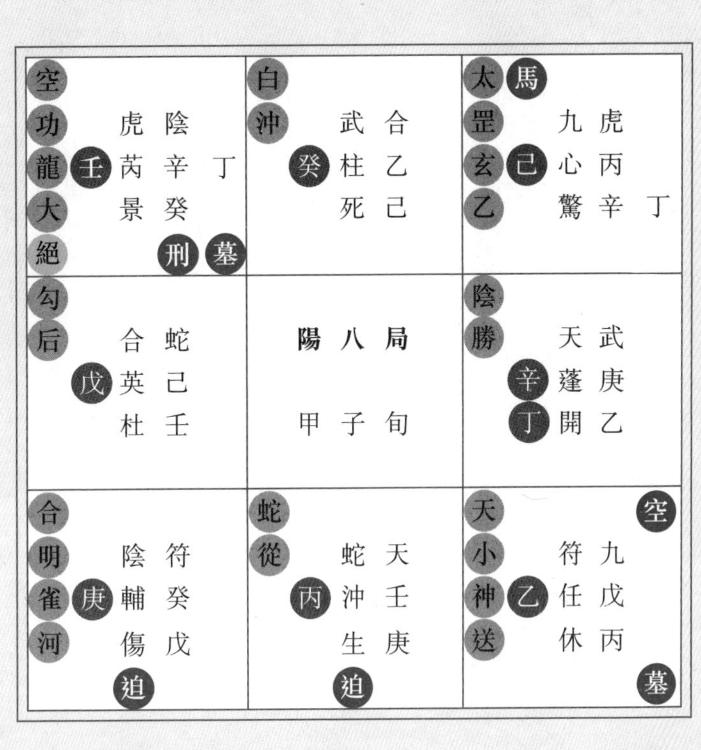

運勢

肖虎者本年運勢吉中藏凶，「太乙」逢「白虎」，代表運程起伏不定，不少事情也受掣肘，不由自己掌控，但運勢不會受到太大沖擊，最大的敵人是你自己，避免情緒變得不穩。

鬥智高昂，過於自我膨脹，處事不夠踏實會誤事；情緒低落，抗壓能力低，做事時腦袋的靈活性亦相應下降，結果也會形成惡性循環。

當事如願違，處於低谷時，意味要完成的任務將更複雜和艱鉅，需付出的努力亦比運勢好時多，但換個角度看，亦是一次加深了解自己強弱項之契機，兼且能辨認清楚，到底誰可以跟你共患難。

今年肖虎之人應給予自己一份「功課」：提起勇氣，釋出耐力，逆流而上；闖過這一關後，往後應付各項大小事情的能力，就會加倍。

隨便放棄的話，多管閒事機心重的小人將乘虛而入，進一步削弱肖虎者的運勢。

另外，今年並要注意，做足防盜工夫，保管好財物。

平時加緊為家居「瘦身」，清理雜物，學習收納技巧，將有助改善氣場，招徠好運。

待夏季來臨，遇到的高人將以其歷練及智慧，幫助肖虎者衡量大局，突破難關。從高人身上，更可悟出一套提升「情商」及「德商」

之技巧，令人際關係大有改善。之前的陰霾亦將逐漸消散，陽光再現。

工作

龍年的事業運吉凶參半，「勝光」逢格局為「太白蓬星，退守吉，進攻凶，謀為不利。」在工作上，恐怕是好事多磨、壓力沉重之一年。

壓力源頭除來自公司精簡人手，肖虎者力臻完美的做事態度，亦令自己百上加斤。今年每當事與願違，極度不滿的情緒和挫敗感將令肖虎者做事時心緒更亂，結果形成惡性循環，無助感愈加嚴重。

這一年還是調整一下心態，不要事事為求完美，而不顧一切，埋首苦幹。宜在工餘發展一些個人興趣，維持健康生活模式，才可有效管理壓力，平衡身心靈。

由於龍年上半年的氣場偏弱，以致容易跟價值觀不一樣的同事甚至上司，產生磨擦。小心因而種下禍根，遭懷恨在心的小人向你報復。處理人際關係時，留意説話技巧。將視角放遠一點，不要專注人家的缺點，是今年防小人暗箭的方法之一。

夏季來臨時，運勢漸有起色，宜把握機會，加上高人指點，按步就班建立良好的個人品牌，包括制定計劃，付諸實行，並且不時自我反省，加以改進。另外，必須接納別人的批評和意見，工作運便會漸入佳境。

有轉工意欲的，下半年將十拿九穩，尤其從事技術性行業的虎人，是轉換環境的好時機。遞辭職信後，謹記要做好交接工作，凡事好頭好尾，才可建立出優質的個人品牌。

感情

龍年愛情運弱勢難升，「天芮星」逢「景門」臨「擊刑」，引致情緒反覆不定，情緣亦難以靠近肖虎之人。想避免桃花運一再下行，方法之一是好好「裝」備自己，透過悉心打扮，人緣運可望提振起來，帶動桃花指數回穩。

今年就算提不起精神參與社交活動，甚至感到抗拒，亦不宜經常將自己關起來。一些摯友、舊生聚會，特別是喜慶場合，如婚禮、喜宴、生日派對之類，均有助強健肖虎者的「桃花體質」，增加與異性結緣的機率。

假如所有聚會也逢請不到的話，桃花將變

得更弱，若然任由運勢積弱的話，便神仙難救。

關係趨穩定的肖虎者，今年因缺乏適當溝通，或對某事的價值觀有分歧，令雙方距離拉遠。要打破隔閡，謹記不要迴避溝通，否則只會更加無法了解對方所想，令關係愈來愈淡。

已婚者，一些日常瑣事，例如家庭開支，會成為兩人發生衝突的源頭。有子女的，在育兒方式上看法不一致，結果導致終日吵吵鬧鬧。如不冷靜對話，互相合作，將有機會弄至關係破裂。

偏向「自我中心」的虎夫虎妻今年要份外小心，不尊重與體諒另一半所想的話，最終會演變成互相埋怨，破壞家庭關係。

錢財

今年財運漸趨平穩，「值符」逢「九地」臨「空亡」，正財雖沒有甚麼突破性進帳，但收入維持穩定。偏財方面，投資時絕不宜過分進取，應採取穩中求勝策略，尤其初入門的肖虎投資者，切勿以為短炒，可令自己在短期內獲取可觀回報。不理性的投機心態，只會帶來風險負擔，並非健康理財之道。

肖虎者於龍年若想減低市況逆轉時的投資風險，便要切記：勿操之過急；因當運勢仍在緩緩上升之時，當事人其實仍未有足夠能量洞悉存在的風險，決策時亦不夠深思熟慮。心急入市的話，將是很危險之做法。

今年如不想與大幅上落的投資產品苦纏，可將焦點放在有助平衡風險的長線投資項目。

在龍年「開源」另一要項，是即使外界投資氣氛非常熾熱，也應避免一次過投入資金，否則市場一旦有變，就會立於危牆之下。

除要懂得「開源」，在財運平平之一年，「節流」同樣重要，尤其現時物價指數一升再升，不盡早檢視自己的消費習慣，萬一有突發事件而荷包空空的話，便會不知所措。

對於肖虎老闆，「開源節流」是龍年每月公司上下要達到的目標，但切記人力資源是公司的命脈，不能是要砍的成本。

健康

龍年「地盤九天」逢「從魁」，一些看似普通的健康小毛病，例如頭暈，在這一年不宜掉以輕心，因有可能是血管出問題，是中風先兆。

近年中風患者有年輕化趨勢，與高鈉、高糖、高脂的飲食習慣，以及缺乏運動有直接關係。「八、九十後」的肖虎者，如有上述生活習慣，兼且體型有一定「份量」，千萬別以為自己年紀尚輕，不用理會，根據近年的醫學紀錄顯示，年僅十八歲的年青人，也在中風病發者之列。

故此，頭暈、頭痛時，如同時發現面部或身體一側發麻乏力，視力模糊，口齒不清的話，需馬上求助。因中風者延醫一分鐘，神經細胞受損的數目可以多達一百萬以上，後果非同小可。

另外，肖虎者今年亦要好好保護雙眼，平時就算工作忙，也要謹記控制使用手機、電腦的時間，以免因長時間接觸這些電子產品，而出現「電腦視覺症候群」，令眼部乾澀、發紅，甚至出現間歇性視覺模糊，兼且波及頭、肩、頸部位，引致痠痛。今年如感到眼部不適，別隨便亂滴眼藥水，尤其已經開了封的藥水。因開封後超過一個月的眼藥水，即使並未過保存期，卻有機會滋生細菌，用後對眼球的影響，可大可小。為保健康，定期作眼睛檢查，是今年待辦事項清單上，不可缺少的重要一項。

健美修身催運小貼士：重點加強訓練肩膊、背部。

重點加強訓肩膊，先由基礎動作肩上推舉（Shoulder Press）開始，另外可以做啞鈴側三角平舉（Dumbbell Deltoid Fly），鍛練肩膊，改善上身線條。

訓練背部運動，在家可以做掌上壓（Push Up），在健身房可以做滑輪下拉（Lats Pull down），強化背部，矯正駝背，緩解背痛。

*健美運動強度及次數因人而異，詳情請向專業健身教練咨詢。

庚寅年二〇一〇年

今年想提升學業成績，恐怕要加兩、三把勁，「太乙」逢「白虎」，代表做事時專注力不足，因此需注意自律，放學回家後，別被手機、手遊誘惑，要認真複習當天學過的知識，溫習時，關掉電話和社交媒體通知，習慣了，就能提升專注度。縱使求學不是求分數，但如缺乏認真學習精神，就會延誤個人成長。

戊寅年一九九八年

今年公司出現變動，令踏入職場一段時間

的肖虎者，對「職涯規劃」感到迷茫，甚至覺得工作熱誠開始磨蝕。眼見舊同學有的轉型，有的辭職求學，有的為自己製造一個空檔年，展開工作假期。臨淵羨魚，令你也蠢蠢欲動。可是，龍年運勢一般，所以還是一動不如一靜。

丙寅年一九八六年

今年與另一半的關係，總帶著距離感，熱戀期的親密情景，都已經久違。已婚的，甚至不時會為家中瑣事而起爭端。假如已有下一代，執拗源頭往往源於管教小朋友的方向不一致。想與另一半重新談一次戀愛，今年必須敞開心房，保持對話，唯有透過分享感受，才可了解大家所想，將愛的溫度再度提升。

甲寅年一九七四年

今年正財運平穩，偏財方面，未見有突破性進展，因此不要抱太大期望，重點是要控制投機心態，否則市場出現波動時，有機會賠本收場。看緊財政支出，量入為出，是這一年應做的事。都快要踏進人生的下半場階段，故此，制定長遠儲蓄計劃，比起不時冒險尋求短暫錢財增長，更加實際。

壬寅年一九六二年

放下多年來的工作包袱，今年是時候享受退休不退場的新生活。在這階段，不一定所有目標和興趣都是全新，也可以把舊有嗜好，再雕琢一下，將之精益求精，保持活力之餘，也可和社會連結。

今年的整體運程雖不會為生活帶來甚麼地動山搖的驚喜，然而，平淡是福，心靈豐盈，才最值得珍惜。

庚寅年一九五〇年

今年如感到頭暈，或頭部突然非常痛楚，千萬要小心，別以為是小事一樁，因這有可能是中風徵兆。當頭暈、頭痛時，如在短時間內同時出現言語不清、流口水、嘴歪、身體一側感覺麻木，就必須盡快求醫。否則腦部受損程度嚴重的話，對身體日後機能，例如語言和身體活動能力，可構成很大影響。

流月運程
農曆一月
（西曆二月四日至三月四日）

運勢

「白虎」逢「太陰」，運勢如天氣一樣幻莫測，反覆無常，心理狀態備受影響，終日無精打采，做事難以專注。本月應避免作出重要決定，並要提醒自己，保持笑容，凡事寬容一點，別那麼挑剔，才可減少對人緣運帶來負面影響。

龍 功 天 合 空 辛 心 丁 大 驚 壬 刑 迫 刑 墓	勾 沖 符 虎 壬 蓬 己 開 戊	合 馬 空 罡 蛇 武 雀 戊 任 乙 乙 休 庚 癸 害 絕 墓
白 后 九 陰 乙 柱 丙 死 辛	陽 九 局 甲 戌 旬	蛇 空 勝 陰 九 庚 沖 辛 癸 生 丙
太 明 武 蛇 玄 己 芮 庚 癸 河 景 乙 刑 墓	陰 從 虎 符 丁 英 戊 杜 己 刑	神 小 合 天 天 丙 輔 壬 送 傷 丁 害 刑

工作

事業運略帶起伏，做事不能接受馬馬虎虎，草率了事，無形的壓力不斷在增加。海量的工作與漫長工時使你倦怠不堪，再加上公司那些野心勃勃的小人，不停在針對，擺出一幅咄咄逼人姿態，令你的鬥心慢慢動搖，提不起勁上班。

感情

戀愛運起伏不定，愛侶近來比以前冷淡，只怪自己每天只管工作，沒有放心思在這段關係，盡快修好關係，否則後悔莫及。單身者遇上的都是短暫桃花，你卻偏偏對一些行蹤飄忽的對象大感興趣，有如飛蛾撲火，自找麻煩。

錢財

財運不見順遂，應安守本份，勿作慣性投資，偏財不可強求。

以目前薪酬升幅，根本不能追上樓價升幅，置業大計無望。經商者為了突圍而出，令整體營運更加完善，本月決定裝修一番，因而出現額外開支，令盈利大減。

健康

眼部偏弱，會突然出現小毛病，不容忽視。有機會出現眼瘡、紅眼症，怕光和發炎等。本月適宜作激光手術矯正視力。宜隨身帶備眼藥水來保護眼睛，預防雙眼乾澀、敏感、痕癢。

流月運程
農曆二月
（西曆三月五日至四月三日）

運勢

「傷門」臨「入墓」，運勢處於低潮，加上欠缺貴人從旁協助，本月令你產生孤軍作戰的無奈感覺。運氣不順時，情緒難免會受影響，心情愈差，運氣便更每下愈況，形成惡性循環，本月當務之急，是控制情緒，設法調校好心情。

天乙壬 武任傷 戊 龍大勾后絕 刑 墓	符辛戊 九沖杜 庚癸 空功 刑	馬 癸 蛇壬庚 天輔景 丙 白沖太罡 墓
九己辛 虎蓬生 壬 合明	陽九局 甲子旬	陰戊丙 符英死 丁 玄乙
武丁乙 合心休 辛 雀河蛇從 墓	虎丙己 陰柱開 乙 神送	空 癸 合庚丁 蛇芮驚 己 陰勝天小

工作

運勢減弱，工作壓力超乎想象，要面對人手流失的問題，也要處理公司排山倒海的工作，加上屢勸不改的失魂下屬，令人有另謀高就之意。切忌衝動行事，事過境遷，大勢有望回歸。

感情

桃花相當薄弱，單身了一段長時間，很難認識到心儀對象，加上生活圈子狹窄，沒有機會認識到異性對象。宜打開心扉，主動出擊，請求親友介紹單身對象。多多出席親朋戚友的喜宴或飯局聚會，能提升桃花運勢。

錢財

財運上升，只要小心提防那些華而不實的傢伙的投資意見，求財計劃便能越來越順利。

本月須額外準備一筆開銷，報讀各項興趣增值課程，或花費在一些自學教材。在競爭激烈的現代社會，維持原有資歷已不足以應付社會轉變。要提升個人競爭力，這些花費無可避免。

健康

本月頭部比較弱，要特別注意。頭部容易撞傷受損，或有突如其來的偏頭痛。應做好準備，有備無患，隨身帶備止痛藥。避免劇烈運動。

流月運程

農曆三月

（西曆四月四日至五月四日）

運勢

「死門」逢「天英星」，本月運勢並無大喜，亦無大憂。縱然渴望工作取得突破，卻苦無出路，只能在胡同裡打轉。

人緣運一般，與朋友容易意見不合，如不想友情進一步受壓，牽涉錢銀的事情，例如借貸、合資做生意等，一律可免則免。

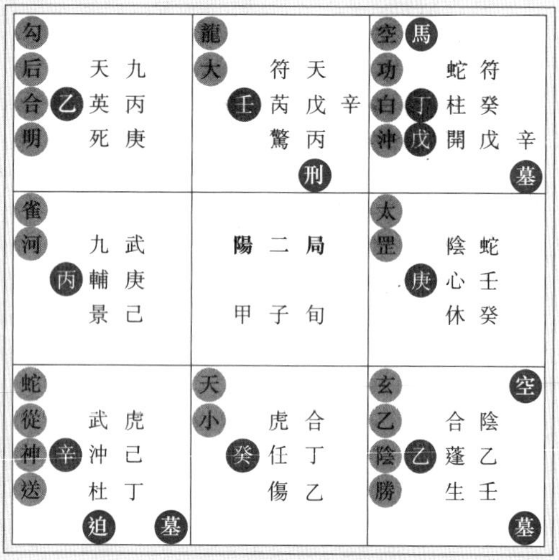

勾后合明 乙 九丙庚 天英死	龍大 辛 天戊丙 符芮驚 壬 刑	馬 空功白沖 丁戊 辛 符癸戊 蛇柱開 墓
雀河 丙 武庚己 九輔景	局旬 二子 陽甲	太罡 庚 蛇壬癸 陰心休
蛇從神送 辛 虎己丁 武沖杜 迫 墓	天小 癸 合丁乙 虎任傷	玄乙陰勝 乙 空 陰乙壬 合蓬生 墓

工作

運勢偏弱，本月公司上下暗藏禍端，各部門明爭暗鬥。不宜高姿態，以免四面受敵被排斥。做好份內事，對公司內元老謙恭有禮。某些客户有心拖延款項，或存心欺騙。出貨前須核實對方已轉款，或簽定交易條款，以免蒙受損失。

感情

桃花運低沉，苦無接觸異性的機會，皆因社交圈子越來越狹窄，長此下去，長期處於單身狀態，與異性溝通技巧也變得生疏，往後更難與異性交往。不妨踴躍出席親友的喜宴或生日派對，主動提出介紹單身的請求，他們定樂意幫助，也能提升整體運勢。

錢財

財運帶暗湧。與家人或小朋友一起歡度開心難忘的假期，但旅遊花費甚多，超出預算，令原本計劃好的儲蓄無法於本月實行。投資意欲低，沒有心水。暫時不宜作任何投資，免得下錯決定，導致損失。

健康

本月或會出現頭風病患。避免經常捱夜，引致肝功能欠佳。抵抗能力減弱，容易受邪風入侵，增加患上頭風機會，令痛楚延伸至頸部。

流月運程

農曆四月

（西曆五月五日至六月四日）

運勢

「傳送」逢「騰蛇」，運勢尚算平穩，但機遇總與你擦肩而過，一切處於被動狀態。

本月不論是工作抑或投資，也只宜守，不宜攻，只要努力深耕，整體運勢將無大礙，別因為好勝心強而自討苦吃。

勾 明 符 九 合 乙 芮 丙 己 河 景 戊	龍 后 蛇 天 戊 柱 辛 死 癸 刑	空 馬 空 大 陰 符 白 癸 心 庚 功 驚 丙 己 刑 刑 墓
雀 從 天 武 壬 英 癸 杜 乙	陽 四 局 甲 戌 旬	太 空 沖 合 蛇 丙 蓬 丁 己 開 辛
蛇 送 九 虎 神 丁 輔 戊 小 傷 壬 刑 迫	天 勝 武 合 庚 沖 乙 生 丁 迫	玄 罡 虎 陰 陰 辛 任 壬 乙 休 庚

工作

事業運下滑，工作遇上不能避免的枝節，只要耐心解決，對運勢並無影響。注意在公司表達意見時，態度必須圓滑，就連平時跟同事閒聊，也要小心用字，別胡亂講冷笑話，得罪了小人也懵然未覺。

感情

單身者參與一些社交聚會，可有機會經朋友介紹，認識到一些不錯的單身對象，可惜自己缺乏自信，十分被動，彼此缺乏了解的機會，小心機會一轉即逝。與另一半日漸失去愛情火花，感情由濃轉淡，彼此間的愛情彷彿像家人般的愛，暫時沒有結婚的念頭。

錢財

財運不俗，守得雲開見月明，之前的晦氣日漸消退，在財務上會有不錯的提升，一些保本的投資項目也能夠順利獲取收益。

健康

頭部容易感到不適，眼睛也有機會感到不舒服。有意作激光矯視手術者，可在本月進行，以化解凶象。容易受細菌感染、近視、老花。

流月運程
農曆五月
（西曆六月五日至七月五日）

勾 河 武 武 龍 庚 輔 乙 從 蓬 乙 迫	合 空 明 九 九 己 英 壬 開 壬 刑	雀 馬 空 后 天 天 蛇 癸 芮 丁 戊 大 休 丁 戊
空 送 虎 虎 丁 沖 丙 戊 死 丙	陽 五 局 甲 申 旬	神 功 符 符 辛 柱 庚 生 庚 絕
白 小 合 合 太 壬 任 辛 勝 景 辛 絕 刑	玄 乙 陰 陰 乙 蓬 癸 杜 癸	天 沖 蛇 蛇 陰 丙 心 己 罡 傷 己

運勢

「休門」逢「天芮星」，運勢停滯不前，如參加考試或者比賽，出師不利。謹記臨場前，別給自己太大壓力，假若在試場失利，要從容面對，才可在下一回合，捲土重來。

本月結識的志同道合朋友，令你有不少新視野，宜好好經營這段難得的友誼。

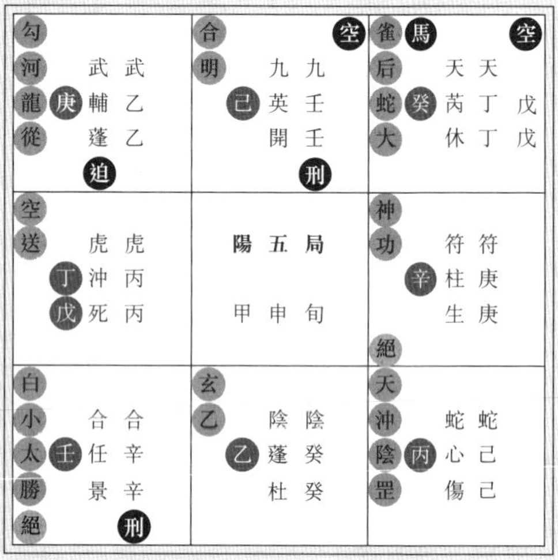

工作

事業運下跌，容易因一時失言而備受口舌是非困擾。切忌強出頭為別人排難解紛，無法解決問題之餘，更會加深眾人誤解，受到對方埋怨，可謂好心做壞事。注意機心重的女小人，要加以提防。

感情

桃花運無起色，單身男女感情生活有如一潭死水，經常有孤身一人的感覺。雖說良緣天注定，但自己也要盡點力，為自己增取多些機會。嘗試擴大社交圈子，參予男女聚餐交友活動，可認識不同層面的異性。

錢財

投資運不俗，乘勢作穩健投資，會有合理回報。本月有額外開銷，花費在父母長輩身上。只要用得其所，不用過於吝嗇。

健康

精神狀態緊張，經常失眠、多夢或睡眠質素欠佳。日間工作極為疲勞，頭痛、精神不足。睡前燃點香薰，有助入眠。

流月運程

農曆六月

（西曆七月六日至八月六日）

運勢

「地盤太陰」逢「太乙」，運勢連番受挫，是非不斷。被小人中傷、詆毀；就算多麼的意難平，也要避免互相攻擊，否則只會兩敗俱傷。這個月遇到工作上的不如意，千萬別找同事做聆聽者，以防止戴著面具的小人，將你的說話散播出去，惹來流言滿天飛。

空 墓 符丙辛 天英生 丁 空從龍送 害刑絕	庚 天癸丙 九芮傷 乙 白河	墓 庚 九戊癸 武柱杜 壬 迫 馬 太明玄后
蛇辛壬 符輔休 己 勾小	陰七局 甲午旬	武己戊 虎心景 辛 迫 陰大
陰壬乙 蛇沖開 戊 合勝雀乙	合乙丁 陰任驚 癸 庚 蛇罡 絕	虎丁己 合蓬死 丙 天功神沖

工作

事業運有暗湧，處理文件合約方面，應打醒十二分精神，慎防因一時疏忽而錯漏百出。同事沒有為你解圍，更趁機惡意中傷。應再三檢核所負責的文件，以免小人得逞。凡事小心為上。

感情

單身者桃花運下滑，因缺乏社交生活，無法結交到異性。宜擴闊社交圈子，放開懷抱，認識更多朋友，從而覓得有緣人。已婚者，更會因處理家事而出現爭拗，特別是因管教子女的方式有分歧，各執己見。應耐心地了解另一半的想法，主動關懷對方，只要多點溝通，關係自有好轉。

錢財

財運頗為波動，絕不安穩，宜積穀防饑，不宜先使未來錢，或大手投資買賣。本月多花費在小孩的興趣小組和學習工具上，額外開銷無可避免。

健康

工作壓力令致經常頭痛不止，偏頭痛者會有復發可能。常備止痛藥傍身，以免影響工作。

流月運程

農曆七月

（西曆八月七日至九月六日）

運勢

「開門」逢「地盤九天」，本月運勢終現曙光，充滿睿智的「高人」，令你做人處事獲益不淺。

宜善用這股正能量，將積存在心的一些陰霾，例如自信不足、自我設限等，來一次「斷捨離」，待運氣回復正軌，將可一飛沖天。

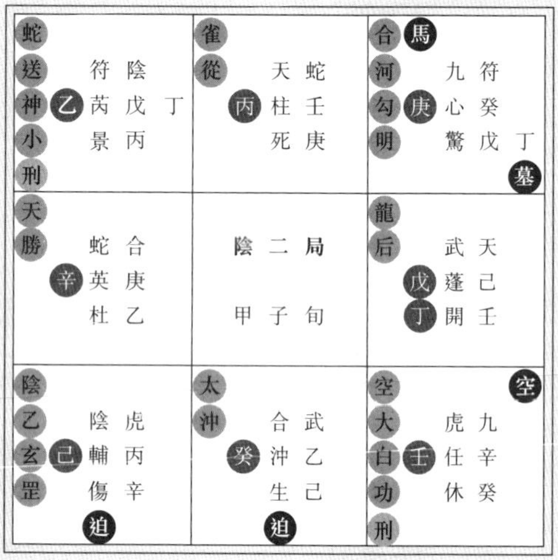

蛇送神小刑 乙 符芮景 陰戊丙 丁	雀從 丙 天柱死 蛇壬庚	合河勾明 馬 庚 九心驚 符癸戊 丁 墓
天勝 辛 蛇英杜 合庚乙	陰 甲 二 子 局 旬	龍后 戊 丁 武蓬開 天己壬
陰乙玄罡 己 迫 陰輔傷 虎丙辛	太沖 癸 迫 合沖生 武乙己	空大白功刑 壬 虎任休 九辛癸 空

工作

事業運中規中矩，工作出現波折，幸得上天庇祐，憑實力把難關一一衝破。倘有訂單、工程或計劃與人合作，會出現意見不一致的情況。切記以和為貴，以免拖慢進度。運勢將逐漸向好，待正面氣場儲滿能量，自可吸引好人好事，在你身邊轉過不停。

感情

本月愛情運波折重重，情場初哥更受到重大打擊，初嘗失戀滋味，心如刀割。宜盡快收拾心情，尋找更美滿的戀情。夫妻關係疏離，二人為工作廢寢忘餐，日漸隔膜。增取時間溝通，彼此了解，勿讓感情逝去，無法挽回。

錢財

財運好轉，投資出現「先虧後賺」的情況，要鎖定目標，不用顧忌太多，把握每個時機。切忌「得一想二」。

健康

酷熱天氣警告下，應減少戶外活動，多喝開水，以防中暑。颱風暴雨頻密，令風濕腳或關節炎復發。

流月運程
農曆八月
（西曆九月七日至十月七日）

運勢

「功曹」逢「生門門迫」，運程吉中帶凶，行事前參考多方意見，不宜輕信一面之詞，辨明消息真偽，才作決定。想處事時頭腦冷靜，本月應整理家居環境，清除雜物，改善氣場。

<table>
<tr><td>天己戊
符沖景
庚乙
蛇小雀勝刑</td><td>九戊壬
天輔死
丁
神送</td><td>空 乙 墓
武壬庚
九英驚
馬丙
天從陰河害 絕</td></tr>
<tr><td>符癸己
蛇任杜
壬
合乙</td><td>陰四局
甲戌旬</td><td>空 乙
虎庚丁
武芮開
辛
玄明</td></tr>
<tr><td>蛇辛癸
陰蓬傷
戊 迫
勾罡龍沖刑</td><td>陰丙辛
合心生
己 迫
空功</td><td>墓
合丁丙
虎杜休
癸
太后白大害</td></tr>
</table>

工作

事業運日漸提升，期待已久的機會出現，雖然不是易事，但也是發揮表現的機遇，請好好把握。

注意氣場仍然偏弱，很容易因無心快語，開罪機心重的小人，令你在工作時，添煩添亂。

感情

感情運不穩，工作不順，令心情極為煩躁，不知不覺間把情緒發洩在配偶或愛侶身上。對方沒有怪責或生氣，令你更加愧疚。小心久而久之令感情出現裂痕。好好控制個人情緒，彼此加深了解，二人便能恩愛如昔。

錢財

財運緩緩轉勢向上，投資方面眼光獨到，分析全面，能夠承受市場波動，可以考慮乘勝追擊。投資策不可太過進取，選擇較低風險而又利潤穩定的投資。盡量提高資本增值，會有喜出望外的回報。

健康

頭痛、偏頭痛、頭暈、麻痺等，情況嚴重，反覆發作。不要頭髮帶濕去睡覺。可嘗試針灸和香薰治療。

流月運程
農曆九月
（西曆十月八日至十一月六日）

運勢

「杜門」逢「天沖星」，運勢有微升趨勢，可是，「大叔」「大媽」輩的中年小人，將對你窮追猛打，鍥而不捨，全賴親人在你情緒最受困擾之際，充當著貼心聆聽者，助你告別煩惱。

想令運勢有進一步轉機，應戒除日常的壞習慣，讓正能量與你為伴。

雀 勝 合 乙 刑 癸 陰 符 任 丁 傷 己	蛇 小 辛 戊 蛇 天 沖 庚 杜 癸	空 神 送 天 從 馬 丙 符 九 輔 己 景 辛 戊 刑 墓
勾 罡 己 合 蛇 蓬 壬 生 庚 刑	陰 五 局 甲 戊 旬	空 陰 河 乙 天 武 英 癸 死 丙 害 絕
龍 沖 空 功 庚 虎 陰 心 乙 休 丁 墓	白 大 丁 武 合 柱 丙 開 壬	玄 明 太 后 害 壬 九 虎 芮 辛 戊 驚 乙 墓

工作

事業運先苦後甜，工作運日漸好轉上揚。還需要一些時間令運勢提升，在短期內未能完全扭轉大局。

工作不時遇到阻礙難關，想拆解問題也不知從何入手，工作未能達到預期效果。

感情

戀愛運退減，閣下為婚事而焦急如焚，愛侶卻是猶疑不決，但又找不出憂疑的理由。其實兩人相親相愛，對方只是由於經濟不穩定，加上對「婚姻」存有恐懼，只要加以輔導，便能清除障礙。

錢財

財運漸入佳景，在這一年要致勝，應採取穩中求勝投資策略，只著眼於短期效益的投資項目，不宜沾手，否則會招致損失，虧本離場。

健康

眼睛容易不適，有機會出現細菌感染、眼瘡、視網膜受損、白內障等。

視力減退、紅眼、乾眼等小毛病也會浮現，注意日常飲食，吸收護眼維他命。

流月運程
農曆十月
（西曆十一月七日至十二月五日）

<table>
<tr><td>勾 乙 龍 罡 絕
虎 虎
己 輔 壬
驚 壬
迫 刑 墓</td><td>空
合 勝
合 合
庚 英 乙
開 乙</td><td>雀 馬 空
小 陰 陰
蛇 丙 芮 丁 辛
送 休 丁 辛
刑 絕 刑</td></tr>
<tr><td>空 沖
武 武
丁 沖 癸
辛 死 癸</td><td>陰 八 局
甲 申 旬</td><td>神 從
蛇 蛇
戊 柱 己
生 己</td></tr>
<tr><td>白 功 太 大 刑
九 九
乙 任 戊
景 戊</td><td>玄 后
天 天
壬 蓬 丙
杜 丙</td><td>天 河 陰 明 絕
符 符
癸 心 庚
傷 庚</td></tr>
</table>

運勢

「驚門門迫」逢「天罡」，運勢稍為下跌，行動前，宜三思而行。

月初出現波折時，謹記咬緊牙關，全力以赴，就算事與願違，亦不會懊悔。月中運勢將會反彈，在貴人相助下，前路不再茫茫，放下心頭大石。

工作

事業運平滯，工作非常吃力，儘管全公司上下齊心協力，但市場競爭激烈，要分一杯羹談何容易。整體氣場雖見好轉，仍不足以推動事業大步向前，要靠天時、地利、人和，不是只靠努力就必然成功。盡了力問心無愧便可。

感情

桃花運薄弱，感情路上身經百戰，無意再浪費時間為愛情奔走。專注工作，卻令單身氣場增強。夫妻感情多波動，面對異性的誘惑，應保持定力，切勿因一時色迷心竅而恨錯難返。

錢財

經濟陰霾漸漸散去，仔細評估理財訊息，用心努力研究，便可以找到獲利渠道及機會，投資策略以穩健的增長為大前提。開銷大大提升，特別在孩子的興趣班、自我增值課程上，花費甚大，可視作長遠投資。

健康

冬季來臨，便已急不及待狂吃火焗。本月腸胃偏弱，切勿吃得太飽太油膩，以免腸胃炎或便秘。

流月運程
農曆十一月
（西曆十二月六日至一月四日）

運勢

「貴神」逢「天輔星」，本月運勢穩步向上，經歷過崎嶇之路，使你領悟到凡事不可強求，當人生遇到阻滯，平常心是為自己開闢新路的最有力工具。

本月宜讓自己享受一下期假樂趣，休養生息後，以更佳狀態，走更遠的路。

勾 罡 九 合 龍 癸 蓬 丙 沖 開 壬 刑 迫 刑 墓	合 乙 武 陰 壬 任 戊 休 乙 迫	雀 馬 空 勝 虎 蛇 蛇 乙 沖 癸 小 生 丁 辛 刑 墓
空 功 天 虎 戊 心 庚 驚 癸 迫	陰 八 局 甲 戌 旬	神 空 送 合 符 丁 輔 壬 辛 傷 己
白 大 符 武 太 丙 柱 己 后 死 戊 害 墓	玄 明 蛇 九 庚 芮 丁 辛 景 丙	天 從 陰 天 陰 己 英 乙 河 杜 庚 害 絕 墓

工作

本月工作漸順暢，公司仍未能給予歸屬感，因上司沒有委以重任，工作上有不少限制，自己未能發揮。

感到大才小用，缺乏滿足感。無需太擔心，運勢隨後逐步增強，便能一展所長。

感情

感情運反覆無常，已婚人士容易因一些瑣碎小事而終日吵吵鬧鬧，令你覺得非常心煩，夫妻關係陷入無止境的冷戰。每次遇上問題，應先冷靜下來，嘗試耐心傾聽對方說話，平心靜氣去處理事情。

錢財

從商者，本月市場擴展策略不宜急進，應把重點放在營運上。緊記開源節流，令整體財務更加穩健。得到意外之財，應好好運用。

或收到一份意想不到的禮物，令你眉開眼笑。勿過分得意忘形，應懂感恩，可把部份意外之財作慈善用途，或捐助有需要的人。

健康

每當傍晚感到隱隱作病，全身乏力，精神難以集中。心緒不寧，無法工作至晚上時間。身體發出警號，需要多作休息。

流月運程

農曆十二月

（西曆一月五日至二月二日）

運勢

「景門」逢「擊刑」運勢突然下行，難關此起彼落，一些重大的改變，例如裸辭、創業、置業等，一律按兵不動。探病、吊喪，不宜出席。

敗運連連時，謹記懷著感恩之心，做好每件事，如能將心中的善念提升，必可時來運轉。

龍 沖 空 功 辛 天 合 心 丁 驚 壬 迫 刑 墓	勾 罡 壬 符 虎 蓬 己 開 戊	馬 空 合 乙 雀 勝 刑 戊 蛇 武 任 乙 休 庚 癸 墓
白 大 乙 九 陰 柱 丙 死 辛	陽 九 局 甲 戊 旬	蛇 小 空 庚 癸 陰 九 沖 辛 生 丙
太 后 玄 明 害 己 武 蛇 芮 庚 癸 景 乙 刑 墓	陰 河 丁 虎 符 英 戊 杜 己 害 絕	神 送 天 從 丙 合 天 輔 壬 傷 丁

工作

事業運改善，苦盡甘來的日子很快降臨，雖然經濟環境減弱，令公司出現難題，應以平常心去面對。在這個重要的時刻，切勿鬆懈，更應一鼓作氣，把手上工作好好完成，很大機會獲得賞識及嘉許。

感情

愛情運大減，雖鼓起最大勇氣向意中人採取主動攻勢，可惜對方無動於衷，或經常借故迴避你的好意、推辭約會，令你感到沮喪。宜耐心去建立彼此關係，才能修成正果。

錢財

本月財政緊張，出現突如其來的開銷，令收支不平衡。不自覺地花費在奢侈又不實用的物品上。緊記控制瘋狂購物慾，以免背負過多債務。

健康

頭部偏弱，容易出現頭暈頭痛毛病，有偏頭痛問題的朋友，更有舊病復發可能，或痛症次數增加。切勿過分依賴止痛藥，否則會引起後遺症。

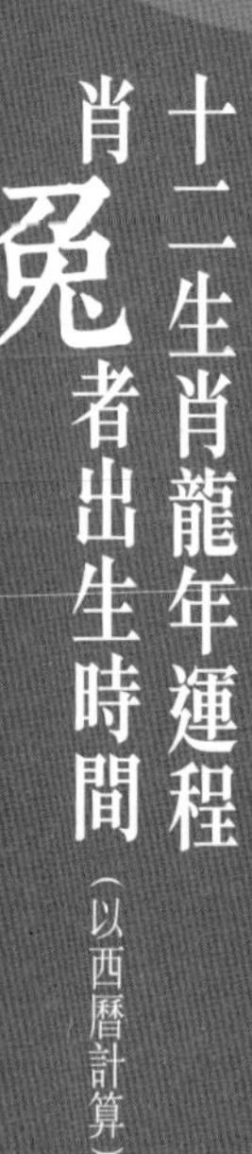

十二生肖龍年運程

肖兔者出生時間（以西曆計算）

辛卯年二〇一一年二月四日十二時三十二分至二〇一二年二月四日十八時三十九分

己卯年一九九九年二月四日十四時五十七分至二〇〇〇年二月四日二十時四十分

丁卯年一九八七年二月四日十六時五十二分至一九八八年二月四日二十二時四十二分

乙卯年一九七五年二月四日十八時五十九分至一九七六年二月五日零時三十九分

癸卯年一九六三年二月四日二十一時八分至一九六四年二月五日三時四分

辛卯年一九五一年二月四日二十三時十四分至一九五二年二月五日四時五十三分

己卯年一九三九年二月五日一時十一分至一九四〇年二月五日七時七分

丁卯年一九二七年二月五日三時十七分至一九二八年二月五日九時二分

肖兔開運錦囊

增運顏色：白色、紅色

增運飾物：格仔、網形圖案或飾物

化解值太歲：豬、羊飾物

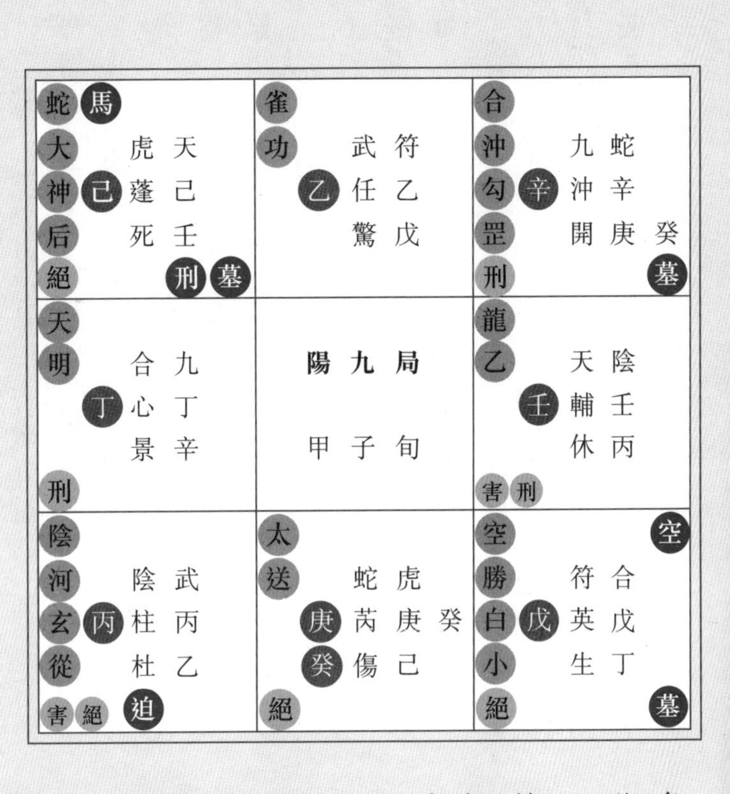

運勢

兔子今年不會受「害太歲」帶來太大負面的影響，運勢漸入佳景；「景門」逢「六合」，表示龍年是肖兔者的「是非之年」。

另一方面，多是非反而助長人氣，形成一股擴闊社交圈的氣場，令不少人對肖兔者留下印象，新機遇亦隨之而至。懂得打鐵趁熱、善用此機遇者，勢必可在今年享有多勞多得成果。

人氣上升，接觸的人愈來愈多樣化，說話技巧就要同步提升，才足以應對新的轉變。所謂「語言的藝術」，其中一個重點，固然跟口才有關。可是，口才了得，並不是侃侃而談而已，背後還包括知識、內涵、素養。

除此以外，構成說話藝術的另一要項，是開口說話之前，先傾聽別人在說甚麼。這對於性子總是比較急的肖兔之人來說，切記莫忘，要不然，若因一時心急，沒有聽好小人的潛台詞，而去搶先開腔，有可能會成為小人中傷的藉口，反惹來不必要麻煩，人緣運更會架起重重路障。

今年想加強整體運勢，發言前除需加倍留神，多參與公益活動，關心社會上有需要人士，亦會令負能量和壞氣場與你分道揚鑣。

在不同的慈善活動中，肖兔者所遇見的思維正向有心人，將凝聚出一股力量，令幸運之神對你加以注視。

工作

肖兔之人今年「害太歲」，事業曲折上揚，「勾陳」逢「地盤騰蛇」、「是非之年」，表示多勞多得。勤奮加上堅持，部署已久的計劃，便可望在龍年超額完成。

今年的事業運雖佳，但是非亦較多。所謂「誰人背後無人說」，是非源頭很多時都與妒才有關，拆解方法是努力做好自己。很多時事實勝於雄辯，就是最佳的闢謠辦法。

若然讓自己糾纏在這些無建設性又缺乏意義的流言蜚語之中，不僅浪費時間，亦令小人得逞，更加不值的是，情緒被負能量影響，拖累工作進度，職涯發展便會因此而受到影響。

即使肖兔覺得這些無理指控，對自己太過不公，但長期讓這些嬲怒情緒累積起來的話，傷害的只是自己的身心健康；倒不如平心靜氣，專心工作，然後讓時間去平息風波。

龍年人氣旺盛，將寶貴時間用於鞏固及擴大人際網絡，才是上策。拓寬社交圈時，別因為面子問題，擔心自己會比下去，於是害怕與強者交往。當一個人希望與新視野、新點子連結，就要接觸不同類型的人，尤其有本領的人。把自己封鎖在窄小的舒適圈裡，即形同拒好運數於千里之外。

感情

這一年桃花運暢順亨通，「九天」逢「休門」，個人魅力飆升，很受異性歡迎目。

想發展長遠關係的兔人，今年謹記：不要掩飾真我。若然強裝成為對方心中的男神女神，在初邂逅階段，可能會令你贏在起跑線；然而，現實生活不是劇場，也不是一齣劇集或電影，就算你是「男一」、「女一」，也不可能永無止境地演下去。

做回自己，才可與真心欣賞及包容你的人，同步過著大家也期待的戀愛生活。

今年遇上理想對象的場合，都與朋友社交圈有關，閨蜜和兄弟們，會悉心替你製造機會，介紹理想對象，助你脫離「一人家庭」生涯。

至於密運中的肖虎之人，莫忘互相諒解，不把對方的付出，視為理所當然，這段感情便可在龍年，進入良性循環狀態，為日後的關係，奠定堅實基礎。

在戀愛中曾經歷過風霜的肖兔者，在「天

蓬星」影響下，感悟到兩人在一起，真摯的溝通、設身處地為對方著想，十分重要。茅塞頓開，感情亦變得更加穩定。

已婚的，今年子女緣佳，有意「更新」家庭成員數目的話，將天從人願。因此是時候作出更周詳的財政策劃及儲蓄計劃，為迎接下一代未雨綢繆。

錢財

龍年的財運有「危機四伏」之象，「甲子戊」臨「入墓」、「空亡」，正財需經歷一番苦幹，才可得財。自僱者的財運亦無任何驚喜。至於偏財運，亦屬一般，投資難有理想回報，故今年不宜作任何高風險的投資舉動。

整體而言，這一年財氣難聚，尤其投資方面，回報微薄，因此當受到高回報高風險的投資產品吸引時，必須控制自己，即使這類產品有機會為你帶來非比尋常的回報，但它們亦有可能令你招致同樣程度的損失，所以還是敬而遠之。

就算肖兔者天生喜歡接受挑戰，在龍年亦不要跟運勢硬拚，當運偏低時，採取較保守的防禦型投資策略，長期而穩定地投入資金，以賺取長線收益，才是較安全的上策。

這種策略縱然不會令人一下子賺到很可觀的回報，但受經濟狀況影響的程度卻相對較低，換言之，肖兔投資者損失巨額資金的可能性亦下降。

兔人今年如在投資方面，心大心細的話，可向資深的財策顧問取經，他將有助肖兔者加深了解本身承受風險之能力，甚至協力度身訂造理財計劃，減少兔人一時衝動，亂買一通的風險。

今年醫療保健的支出大增，所以要經常提醒自己：別過度消費；尤其習慣使用信用卡簽帳、「先使未來錢」的人，要更加小心，會令開支大失預算。

健康

這一年「害太歲」，「死門」逢「白虎」，意味肖兔者的健康運疲弱，抵抗力差，容易被細菌病毒滋擾，所以「先下手為強」，要鍛練好身體，杜絕熬夜，注意飲食營養，還要留意暗中「埋伏」在家居的惡菌。總之今年要360

度全方位加強防範，不要讓細菌有機可乘。

想保健康，今年要特別注意廚房、浴室這些位置，容易成為細菌溫床。洗碗用的海綿或抹布、砧板、牙刷座、盥洗盆，都是最易令人忽略，而又最會滋生細菌的「大本營」。若然家中有兔年出生的嬰兒，更應加倍小心，做好清潔消毒工夫，以免細菌病毒擾亂孩子健康。

體質較差的時候，往往很易感到疲倦，於是更少讓身體郁動。但愈不活動四肢，就愈提不起勁動起來，結果變成無限迴圈，令精神、體力更加不濟，抵抗力每下愈況。

今年提升免疫力的另一要訣，是有充足睡眠，醫學界已證實，睡眠時間經常少於七小時的人，不單止患傷風感冒的機率大增，亦容易惹來腸胃毛病。因此，這一年肖兔者應做好「睡美人」、「睡帥哥」角色，健康過龍年。

健美修身催運小貼士：重點加強訓練肩膊及下身。

初學者可由帶氧運動（Cardio）開始，居家有氧運動推薦例如開合跳，戶外可以選擇慢跑或健走。日常有做運動的朋友，可以選擇HIIT作為熱身運動。

重點加強訓肩膊，先由基礎動作肩上推舉（Shoulder Press）開始，另外可以做啞鈴側三角平舉（Dumbbell Deltoid Fly），鍛練肩膊，改善上身線條。

訓練下身運動，首先由基礎動作深蹲（Squat）開始，另外做硬舉（Deadlift），硬舉訓練可以鍛鍊到臀大肌、膕繩肌、核心肌肉、和肩膊。

*健美運動強度及次數因人而異，詳情請向專業健身教練咨詢。

辛卯年二〇一一年

在學校和同學建立良好關係，有一個健康的交際圈，對孩子的學習和生活，也有正面影響。趁今年肖兔者人緣運升，宜多引導孩子明白尊重、體諒別人之重要性。平時見到長輩、朋友，主動去打招呼，待人有禮，樂於助人，身邊的人便會愈來愈喜歡與這種孩子交往，子女亦會樂在其中。

己卯年一九九九年

單身的肖兔者今年桃花運非常旺盛，遇到的異性都是質素高、與自己投契的人。加上龍年人緣運上升，好友都會盡力助你脫離單身生活，製造物色對象機會。今年只需謹記「做回自己」，別在心儀之人面前，假裝是個百年一遇的完美男神女神，將可望在這一年內，發展出穩定關係。

丁卯年一九八七年

今年的事業運逐步上揚，工作效率高且工作效果好，只要謹守「勤有功」的處事態度，成功大道就在前面。趁這一年運勢佳，可深入思考一下，自己有甚麼與眾不同之處，並將這些優點加以琢磨，再配以明確的工作目標，逐步實踐，那麼，今年在事業上，將是非常充實之一年。

乙卯年一九七五年

今年健康運較弱，不論工作或照顧家庭有多忙，也要注意高度提升免疫力，包括補充足夠營養，進食優質蛋白質，以及含豐富維他命A的食物，以加強黏膜健康，防止細菌病毒入侵。再輔以有規律的運動，加快身體營養輸送速度，提升代謝能力，便可健康過龍年。

癸卯年一九六三年

今年的財運偏低，銀髮族規劃財務時，宜採取防禦型的投資策略，投資前，要確保有足夠應急資金，以防市況出現波動，需急於套現而引致損失。此外，並應謹慎了解投資產品的性質，下決定前，可向子女或親友詢問意見，不要因為面子問題，裝作專家，結果招致無謂損失。

辛卯年一九五一年

在樂齡階段，只要相信自己的價值，一樣可創造精采人生。由於今年運勢向好，心情也更為開朗，不妨將這份正能量傳播開去，透過參與公益活動，令有需要人士得到關心與支援之餘，亦可令肖兔者活絡社群關係，與不同的人接觸，例如社工、義工，繼續與社會連結。

流月運程

農曆一月

（西曆二月四日至三月四日）

運勢

「河魁」逢「休門」，運勢吉中藏凶。

本月人緣強勁，社交多采多姿，因而容易遇上唯利是圖的小人，跟你糾纏不清。所以擴闊人脈時，勿一下子太輕易相信別人，要帶眼識人，「親君子，遠小人」，以免被人利用，令清譽受損。

神大蛇后 馬庚 九輔傷 九辛辛 刑 墓	天功 辛 天英杜 天乙乙	陰沖玄罡 乙 符芮景 符己己 刑 空 壬壬 墓
雀明 丙 武沖生 武庚庚	陽甲 一戊 局旬	太乙 己壬 蛇柱死 蛇丁丁 空
合河勾從 戊 虎任休 虎丙丙	龍送刑 癸 合蓬開 合戊戊	白勝空小刑 丁 陰心驚 陰癸癸

工作

事業運吉中帶凶，本月工作效率提升，待人處事更為成熟，心思也縝密得多，即使手頭資源有限，仍可造出成績，令公司上下對你另眼相看，下屬更馬首是瞻，言聽計從。

人氣愈高，流言蜚語所難避，豁達的胸襟，是成功的關鍵。

感情

單身者本月桃花現虛象，遇到兩情相悅的對象。可惜日子久了，認識對方更深，覺得彼此感情只屬「曇花一現」，懷疑沒可能開花結果。其實是個人要求太高，人無完美，發掘對方內在美，感情便能發展順利。夫妻恩愛，宜收斂脾氣，二人更能融洽相處。

錢財

財運靠穩，掌握先機，爭取到許多賺錢機會，也可找到管理財務的好幫手，對日後投資有一定助力。

突然需錢應急，如家人醫藥費、律師費等，需要繳付額外支出。破財無可避免。

健康

「害太歲」氣場減弱，健康狀況首當其衝。抵抗力下降，容易被病菌侵襲。要減少病痛，必先改善健康狀況、增強抵抗力，適量運動配合有營養的食療，是最有效的自然療法。

流月運程
農曆二月
（西曆三月五日至四月三日）

神 馬 后 武 合 蛇 丁 芮 己 壬 明 休 辛 絕 刑 墓	天 大 九 虎 癸 柱 丁 生 乙	陰 功 天 武 玄 戊 心 癸 沖 傷 己 壬 刑 迫 刑 墓
雀 河 虎 陰 己 英 乙 壬 開 庚 迫	陽 一 局 甲 子 旬	太 罡 符 九 丙 蓬 戊 杜 丁
合 從 合 蛇 勾 乙 輔 辛 送 驚 丙	龍 小 陰 符 辛 沖 庚 死 戊 迫	白 空 乙 蛇 天 空 庚 任 丙 勝 景 癸 刑 迫 墓

運勢

「天英星」逢「朱雀」，運勢回升，但要倍加留意言行，容易捲入朋友糾紛。人氣漸旺，但自踏入「是非之年」，中傷、抹黑你的謠言，一直不絕於耳，對情商無疑是一大考驗，但只要能忍耐，真相總會水落石出，大家終會明白，來說是非者，便是是非人，最終能得人心。

工作

事業運偏弱，人事關係欠佳。本月有同事為求爭取表現而製造是非，挑撥離間。不應受對方影響，擾亂軍心。不會對你造成任何重大威脅。在公司內人氣依然旺盛，地位無所動搖。

感情

桃花運順暢，可藉此好運，把握機會。利用不錯的人緣運，大膽嘗試請親友穿針引線，介紹對象。只要不怕尷尬開口麻煩別人，他們必定會助你一臂之力，幫你尋求幸福。愛人在工作上遇到挫折，應充當其聆聽者，切勿囉唆，以行動去表示對他的支持和愛護。

錢財

財運此起彼落，應專注正財發展，暫時不宜作任何投機賭博活動。容易受各種因素影響而致投資失利。切記本月要採取保守穩健的投資策略，可買金保值，但不宜過分進取。

健康

天氣變化莫測，氣溫忽冷忽熱，導致氣管敏感，容易引致哮喘病發、不停咳嗽或傷風感冒。每天隨身帶備外衣或披肩，有備無患。

流月運程

農曆三月

（西曆四月四日至五月四日）

運勢

「天心星」逢「地盤九天」，運勢漸見好轉，新機遇迎面而來。縱使流言、是非仍未休止，但在情商管理技巧愈見成熟，懂得如何為自己卸下不必要的壓力，並了解到「少說話，多做事」是減少是非之王道。

本月宜多撥時間，鞏固親子關係，對提升氣場，會有幫助。

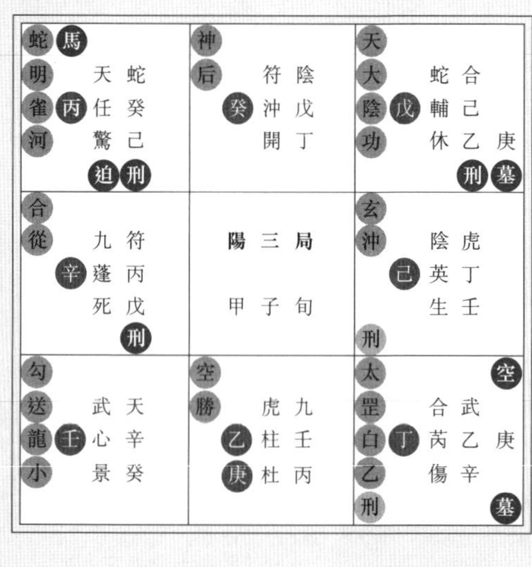

工作

事業運不錯，本月工作上帶來很多新發展機會。工作能力得到上司認可，有陞官加薪之勢。頭腦靈活，日常工作得心應手，不受是是非非所影響。配合超旺人氣、人際關係的助力，令到每個計劃容易實行，每事都不會有大阻礙。

感情

桃花運漸趨順遂，時刻散發著個人魅力，異性不知不覺間會被你的磁場吸引，喜歡接近，勿故作矜持，亦毋須過分掩飾內心感受，更不必為了迎合他人，惺惺作態，只要自然流露真性情，真命天子一定會因你的氣質而著迷。

錢財

財運一般，本月在醫療保健的支出會大增，如身為家長，子女教育費、生活雜費各項開銷的壓力頗大，但這些經常性開支並沒有減省餘地，唯有減少其他個人消費，拉上補下。

健康

注意有牙齒疾病和口腔問題，如蛀牙、牙周病、牙齦發炎、牙骹發炎、牙肉腫痛等問題，務要定期接受口腔檢查。

流月運程
農曆四月
（西曆五月五日至六月四日）

運勢

「白虎」逢「天輔星」，運勢有起伏，卻見穩步上升。經歷了是是非非，抗壓力開始增強，勿再優柔寡斷。

勤練體魄，經常保持腦活神通狀態，才可在大小風波出現時，盡快衝出難關。

馬 合 河 勾 從 丁 戊 虎 虎 輔 乙 死 乙	雀 明 庚 武 武 英 壬 驚 壬 刑	空 蛇 后 神 大 己 九 九 芮 丁 戊 開 丁 戊
龍 送 壬 刑 合 合 沖 丙 景 丙	陽 五 局 甲 戌 旬	空 天 功 癸 天 天 柱 庚 休 庚
空 小 白 勝 刑 乙 陰 陰 任 辛 杜 辛 迫 刑	太 乙 丙 蛇 蛇 蓬 癸 傷 癸	陰 沖 玄 罡 辛 符 符 心 己 生 己

工作

事業運停滯，小人時刻出沒，工作受人事關係受阻，但只是暫時而已，切勿氣餒，現在可當給自己一個機會透透氣，休養生息。

方寸大亂，之前所付出的努力會功虧一簣。只要將種種閒言閒語當作無關痛癢的夢囈，事情轉眼就過。

感情

感情運和諧美滿，如沐春風。夫妻或愛侶間的感情越來越幸福美滿。彼此噓寒問暖，關懷備至。一起參加興趣班，讓彼此更多互動，發掘更多共同興趣，令關係更和諧美滿。若能給予對方適當的私人空間，能讓感情更進一步。

錢財

財運一波三折，比較反覆。不但不能寄望於原有投資，就連偏財也屢次碰壁，難以幫助挽回虧損勢頭。現時一動不如一靜，先嘗試縮減不必要的開支，順勢而行，不要強求大的突破，等待運勢增強，財運便能好轉。

健康

每逢季節轉變，要特別小心，以免感冒乘虛而入，令肌肉酸痛難當，原以為只是小病小痛，殊不知病情易反覆，輾轉之下，方可藥到病除。

流月運程
農曆五月
（西曆六月五日至七月五日）

運勢

「生門」臨「六合」，運勢縱有變數，卻能維持在高水平。人氣旺盛，表現備受認同，亦因此招妒，但「不招人妒是庸才」，只要小心處理人際關係，明辨哪些是佛口蛇心的人，整體並無大礙。本月繼續保持「謙卑以自持」態度，運勢將可穩步上揚。

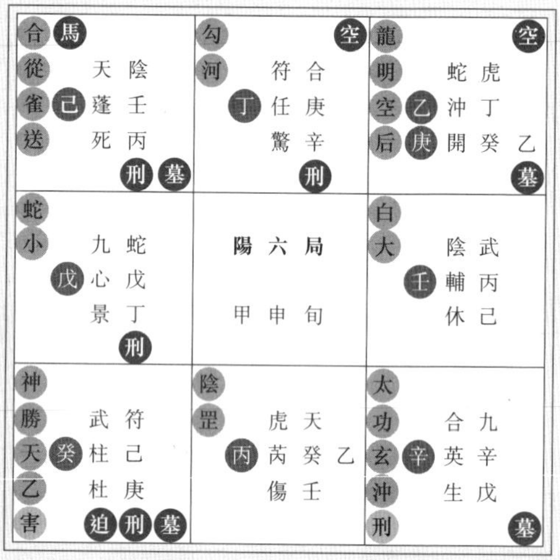

合 馬 從 天 陰 雀 己 蓬 壬 送 死 丙 刑 墓	勾 空 河 符 合 丁 任 庚 驚 辛 刑	龍 空 明 蛇 虎 空 乙 沖 丁 后 庚 開 癸 乙 墓
蛇 小 九 蛇 戊 心 戊 景 丁 刑	陽 六 局 甲 申 旬	白 大 陰 武 壬 輔 丙 休 己
神 勝 武 符 天 癸 柱 己 乙 杜 庚 害 迫 刑 墓	陰 罡 虎 天 丙 芮 癸 乙 傷 壬	太 功 合 九 玄 辛 英 辛 沖 生 戊 刑 墓

工作

事業運逐步加強。有長遠的目光和思想，做每事都有打算和實際行動，得到多方面的支持和信任。公司裏盡得人心，過往添煩添亂，對你諸多挑剔的同僚，見到閣下得勢，也感無地自容，旺盛的氣場持續，期待更上一層樓。

感情

桃花運上揚，魅力沒法擋，主動出擊，不要讓機會溜走，只要心中所想，就有很大機會成事，認識到夢寐以求的人。已婚或有固定伴侶者，雙方一起經歷過風風雨雨，思想更成熟，明白一段關係，需要二人同心經營，才會長久。

錢財

投資運低沉，不宜大手買賣，難有斬獲。不要盲目相信媒體的貼士，宜採取保守投資策略，客觀分析市場走勢，才作決定。有意置業者，本月仍未遇上合心意的「筍盤」。即使遇到能極速成交的樓盤，也不是心目中的理想單位。

健康

盡早改善一些習以為常、但對身體有長遠影響的不良習慣，例如晚睡晏起、飲食不定時、嗜吃煎炸及高糖高鹽高脂「三高」食物、以及經常留在空調地方活動等。

流月運程
農曆六月
（西曆七月六日至八月六日）

運勢

「地盤太陰」臨「天柱星」，運勢雖處於正軌，卻暗藏凶象。本月屢遭小人挑戰底線，令你情緒不穩，可是，只要問心無愧，與小人劃清界線，終能順利擺脫陰霾。本月人緣佳，安守本份，一些意想不到的美事便會隨之而來。

馬 空 合 天 陰 送 丙 柱 己 雀 杜 壬 小 刑 墓 絕	勾 從 九 蛇 戊 心 庚 景 乙	龍 武 符 河 癸 蓬 丙 空 死 丁 辛 明 墓 絕
蛇 勝 符 合 庚 芮 丁 辛 傷 癸	陰 八 局 甲 午 旬	白 后 虎 天 壬 任 戊 驚 己
神 乙 蛇 虎 天 己 英 乙 罡 生 戊	陰 沖 陰 武 丁 輔 壬 辛 休 丙	太 大 合 九 玄 乙 沖 癸 功 開 庚 刑

工作

事業運下降，本月忙碌得要命，不停為各項限期疲於奔命，注意同僚間缺乏溝通，團隊合作性減弱，因而引起是非，影響公司整體的工作效率。融洽的人際關係永遠是成功的第一步，主動與上司和下屬互動，讓他們在工作上支持。

感情

人緣運甚佳，帶動桃花運上升，不妨請交遊廣闊的貴人介紹對象，大有機會結良緣。朋友替你物色的人選，都是「非誠勿擾」之「筍盤」，只需善用人緣運，讓朋友打點一切就可以了。

錢財

本月財運消耗較大，身邊小人較多。不可輕易聽信如何發財、無本生利的流言，以防上當，尤其是傳銷、資本管理投資等方面。凡事三思而後行，保持頭腦清醒，不要被別人哄騙。

健康

想保健康，加強體魄，必定要多做運動，包括瑜伽、氣功，都是鍛鍊呼吸方法的有益運動。另可用湯水、中藥配合，雙管齊下，調理身體。

流月運程

農曆七月

（西曆八月七日至九月六日）

運勢

「死門」逢「天后」，運勢一般。本月欠缺吉星拱照，專注力較弱，不時有渾沌感覺，容易受小人蒙蔽，對忠言逆耳。當心小人令你跌入是非境地，使人不勝其煩。本月必須實事實幹，勿利用人事關係走捷徑，自可逢凶化吉。

空 馬 小 虎 天 龍 己 柱 癸 勝 生 乙 刑 刑	白 送 合 九 癸 心 丁 傷 辛 刑	太 從 陰 武 玄 辛 蓬 庚 河 戊 杜 己 丙 迫 刑
勾 乙 武 符 庚 芮 己 丙 休 戊 絕 刑	陰 三 局 甲 子 旬	陰 明 蛇 虎 丙 任 壬 景 癸 迫
合 罡 九 蛇 雀 丁 英 辛 沖 開 壬 害 絕	蛇 功 天 陰 壬 輔 乙 驚 庚 害 刑	天 空 后 符 合 神 乙 沖 戊 大 死 丁 墓

工作

事業運半吉半凶，閣下領導有方，掌握下屬的長處，分配職務得宜，加上和同事相處融洽，助力甚強。工作流程更順暢，得到最大效益。雖然老板對你沒有大大嘉許，但個人的才能已深受下屬佩服。

感情

本月桃花盛開，單身人士有機會在朋友聯誼活動上遇上投緣的另一半，彼此情意相合。不要只顧著朋友聚舊，也可多留意在場的異性，遇到合眼緣可主動叫朋友介紹認識。

情侶夫妻恩愛，收斂個人脾氣，二人相處融洽，讓人羨慕不已。

錢財

投資運不過不失，盡量避免用不認識的投資經紀或中介人，以免減弱財運。突如其來的開銷令財務失去預算，錢財有如留不住。本月日常開銷嚴重超出預算，要量入為出。

健康

牙齒及牙肉出現問題，宜好好保養。應加強口腔清潔。培養良好飲食習慣，盡量避免喝太酸或太甜的飲料。

流月運程

農曆八月

（西曆九月七日至十月七日）

空 馬 勝 符 符 龍 辛 輔 己 乙 戊 死 己 害 刑	白 小 天 天 丙 英 癸 驚 癸	太 空 送 九 九 玄 乙 芮 辛 戊 從 開 辛 戊 絕 刑
勾 罡 蛇 蛇 癸 沖 庚 景 庚 刑	陰 五 局 甲 戌 旬	陰 空 河 武 武 壬 柱 丙 休 丙 害 絕
合 沖 陰 陰 雀 己 任 丁 功 杜 丁 迫 墓	蛇 大 合 合 庚 蓬 壬 傷 壬 刑	天 明 虎 虎 神 丁 心 乙 后 生 乙 刑 絕 墓

運勢

「大吉」逢「騰蛇」，運勢有改善。宜多做戶外活動，大自然的正能量將有助紓緩壓力，做事時更加起勁。今個月朋友緣佳，在他們的鼓勵和支持下，對工作及人生目標，也更為清晰明確，只要積極行動，成功在望。

工作

事業運緩緩順暢，在事業工作上能建立穩健的基礎，做事有遠見，計劃謹慎長遠，不再貪圖眼前利益，而忽略往後發展的回報。從事勞動性行業、武職或運動有關的行業者，今年大有發揮的機會，應好好把自己的本事和才幹顯露出來，升職加薪指日可待。

感情

桃花運順暢，切記「真誠」是今年在愛情路上一路順風的「通行證」，除了不用掩飾真我，亦千萬不要因為桃花運有起色、可選擇的對象多了，就貪求刺激，用情不專。

不宜玩地下情，隱瞞戀情，否則會把姻緣斷送，追悔莫及。

錢財

偏財運積弱，本月更明顯下滑。投資連番失利，追加本錢，最後也是虧蝕離場。要仔細計算每項開支，看看如何緊縮開支之餘，還要預留定一筆救急現金，以備其他意料之外的使費。

健康

工作關係，肩頸部位嚴重勞損。本月更會傷及神經組織，痛楚倍增。

流月運程

農曆九月

（西曆十月八日至十一月六日）

運勢

「貴神」逢「天任星」，運勢漸入佳境，社交圈子進一步擴大，之前的努力，終見回報，自信心因而大增，趁機盡量發揮潛力，不要想著技不如人，或跟別人作一些無謂比較。只要保持積極信念，更好的契機就在眼前。

<table>
<tr><td>龍 馬
乙 陰 陰
勾 丁 輔 庚
罡 景 庚
害 刑</td><td>龍
勝 蛇 蛇
壬 英 丁
己 死 丁</td><td>白 空
小 符 符
太 乙 芮 壬 己
送 驚 壬 己
絕 刑 墓</td></tr>
<tr><td>合
沖 合 合
庚 沖 辛
杜 辛
刑</td><td>陰 六 局
甲 戌 旬</td><td>玄 空
從 天 天
戊 柱 乙
開 乙</td></tr>
<tr><td>雀
功 虎 虎
蛇 辛 任 丙
大 傷 丙
迫</td><td>神
后 武 武
丙 蓬 癸
生 癸
絕 迫</td><td>陰
河 九 九
天 癸 心 戊
明 休 戊
害 刑 絕 墓</td></tr>
</table>

工作

事業運大吉，個人思路清晰，思想活躍，工作能力明顯提升，鬥志昂揚，幹勁十足。能力得到充分發揮，容易得上司提拔。人際關係趨理想，發展順遂，期待事業運會出現更大突破。

感情

愛情運興旺，與另一半越來越有默契，只要一個眼神，一個小舉動，便能明白對方心意。知道什麼時候需要關心對方，也有私人空間的時刻，令人羨慕。

單身者要注意自己對人的態度。公主性格和浪子個性會令異性退避三舍。

錢財

財運波動，本月在家人或個人的醫藥保健、藥物或醫療保險上花費更多，這些額外開銷無可避免。為了保障家人和個人健康，此等使費不能節省。

健康

本月身體免疫能力下降，遇上天氣反覆無常，乍暖還寒，一不小心便會着涼，或悶焗致病，甚至轉化為感冒。務須及時處理，馬上求醫。

流月運程

農曆十月

（西曆十一月七日至十二月五日）

運勢

「開門」逢「值符」，運勢順遂，經過之前多個月的磨練，逆境商數明顯增加，處理壓力和挫折時，也不會被負面思維左右正確決定，能以樂觀心態看待逆境。只要繼續保持這種心態，不作妄語，以真誠待人，好運勢將延續。

<table>
<tr><td>勾 馬
罡 合 合
合 乙 輔 壬
沖 景 壬
刑 刑 墓</td><td>龍
乙 陰 陰
丁 英 乙
辛 死 乙</td><td>空 空
勝 蛇 蛇
白 己 芮 丁 辛
小 驚 丁 辛
絕 刑</td></tr>
<tr><td>雀
功 虎 虎
壬 沖 癸
杜 癸</td><td>陰 八 局
甲 戌 旬</td><td>太 空
送 符 符
庚 柱 己
開 己
絕</td></tr>
<tr><td>蛇
大 武 武
神 癸 任 戊
后 傷 戊
絕 迫</td><td>天
明 九 九
戊 蓬 丙
生 丙
刑 迫</td><td>玄
從 天 天
陰 丙 心 庚
河 休 庚
害 絕</td></tr>
</table>

工作

事業運走強，有其他公司高薪挖角，令你自信心提升，辦事能力受到肯定。不要只管眼前利益，應考慮將來發展機遇。面對是非小人時，凡事應留有餘地，多一位朋友便少一位敵人。宜以團隊精神為本，互相幫助，才能官運亨通。

感情

桃花運大旺，感情生活愜意稱心，情侶享受拍拖時的樂趣，感情與日俱增，自己獲益良多，頹喪絕望的情緒不再，愛侶確是你的心靈雞湯。

錢財

本月財運較差，宜守不宜攻。在一些親戚或朋友聚會裏認識到新朋友，對方非常主動與你拉關係，會落力游說合作投資或開業，務請三思而後行，量力而為，皆因本月財運欠奉，有機會周轉不靈，或容易誤墮商業騙局而招致錢財損失，須小心提防。

健康

本月容易患上流行性感冒，宜保持家居空氣流通，與公司裏生病的同事保持距離，以免因免疫能力低而被傳染。

流月運程
農曆十一月
（西曆十二月六日至一月四日）

運勢

「景門」逢「青龍」，運氣勢不可擋，卻苦無貴人相助，本月如要取得成果的話，必須踏實而為，要有高度自律性，凡事親力親為，假手於人的話，有機會因溝通出現問題，誤了大事，令計劃功虧一簣。

<table>
<tr><td>馬 合 沖 雀 功 丁
九 九
輔 癸
傷 癸
刑</td><td>勾 罡 癸
武 武
英 戊
杜 戊</td><td>空 龍 乙 空 勝 戊
虎 虎
芮 丙 壬
景 丙 壬
害 刑 刑</td></tr>
<tr><td>蛇 大 己
天 天
沖 丁
生 丁</td><td>陰 九 局
甲 戊 旬</td><td>空 白 小 丙 壬 絕
合 合
杜 庚
死 庚</td></tr>
<tr><td>神 后 天 明 乙
符 符
任 己
休 己
刑 絕 墓</td><td>陰 河 辛
蛇 蛇
蓬 乙
開 乙
害 絕</td><td>太 送 玄 從 絕 庚
陰 陰
心 辛
驚 辛
刑</td></tr>
</table>

工作

事業運轉順，工作效率及做人處事明顯進步，受上司賞識，令自己再進一步。

今年宜跟上司和同事多加聯繫，既可以增強彼此的關係，減少是非，又能更加了解對方想法，增加默契和歸屬感，讓自己可以找到更多的機會。

感情

桃花運穩步上升，遇上心儀對象的時侯，不必刻意修飾自己的個性，只要真情流露，做回真實的自己就可以。

有緣人都是被你率真的性格所吸引，切勿自作聰明，要弄手段或心理戰，只會適得其反，影響真愛發展。

錢財

財運多波折，為了宣洩工作帶來的沉重壓力，連日瘋狂購物，小心信用咭過了額度。偏財運弱，有破財之兆，有苦難言。

本月絕對不宜賭博、投資，逢賭必輸之餘，還會令到情緒異常波動，影響到健康。

健康

健康指數急跌，入冬後呼吸系統轉弱，遲遲未有好轉，一時咳痰不癒，一時乾咳難止。

流月運程

農曆十二月

（西曆一月五日至二月二日）

馬 雀 功 九 九 蛇 庚 輔 辛 大 傷 辛 刑 墓	合 沖 天 天 辛 英 乙 杜 乙	空 勾 符 符 罡 芮 己 壬 龍 乙 景 己 壬 乙 害 刑 刑 墓
神 后 武 武 丙 沖 庚 生 庚 絕	陽 一 局 甲 戌 旬	空 空 勝 蛇 蛇 己 柱 丁 壬 死 丁
天 明 虎 虎 陰 戊 任 丙 河 休 丙 害 刑 絕	玄 從 合 合 癸 蓬 戊 開 戊	白 小 陰 陰 太 丁 心 癸 送 驚 癸 絕

運勢

「傷門」逢「白虎」，運勢略停滯。本月不時被人斷章取義，曲解你的說話原意，你以為能夠愈辯愈明，卻偏偏更偏離軌道，愈描愈黑，使你心煩意亂。

所謂「清者自清，濁者自濁」，謹記時刻慎言，流言蜚語終有真相大白的時候，人緣運亦會逐步回復正常。

工作

事業運平穩，公司內部政策需要重新檢討和修改。上司故步自封，令所有推展計劃膠著不前，只好繼續按本子辦事，以免被誤會是結黨立派，或在搞「辦公室政治」。待重新相討議程時，問題便能一一解決。

感情

感情運佳，機會良多。注意，不可花心，切忌左挑右選，猶豫不決。應選擇能以誠相對、真心真意愛你的人。

專一交往，免得被別人認為你對感情不認真，使到緣分無疾而終，影響原有的好運。

錢財

財運欠佳，應停止投機活動，以免蒙受損失。本月可謂「逢賭必輸」，特別是賽馬博彩，切勿輕信內幕貼士，否則後果自負。

健康

睡眠質素欠佳，經常不能熟睡，多夢。起床時覺得疲倦，睡眠不足。

【第四章】龍年奇門遁甲風水陣

東方—官祿位

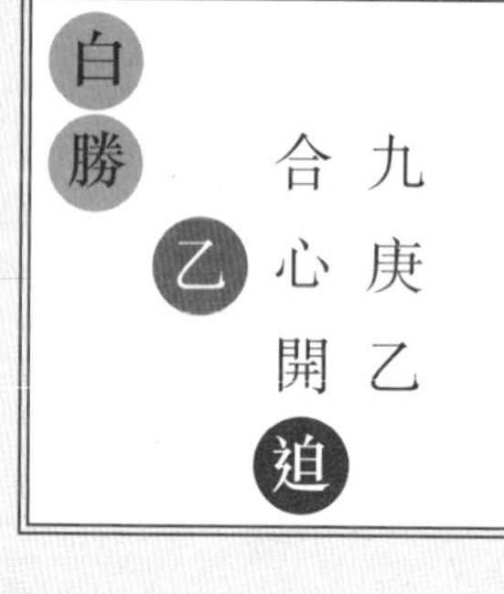

催旺方法

「開門」主官祿、事業；「天心星」主領導、官勢、權勢。在東方放置一條「白水晶龍」便可官運亨通，工作順順利利，也可安排辦公室或辦公枱在東方，有助陞官大吉。

不宜在此處放置魚缸，會令官運變得不穩定，浮浮沉沉，難有晉升機會。權力架空，並無實權。

東南方—喜慶／人緣／添丁位

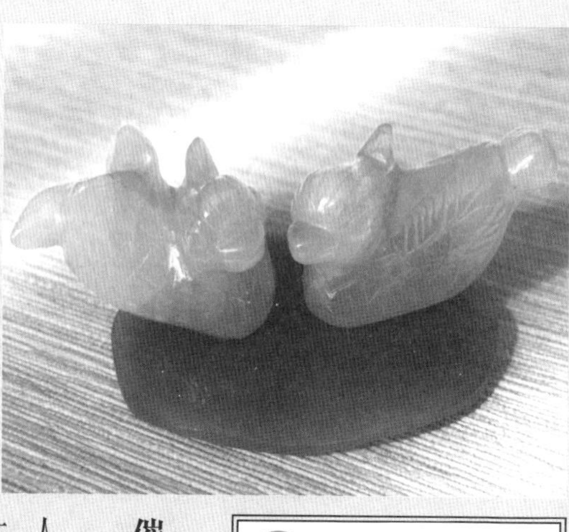

天丁戊
虎蓬休
戊
龍送空小刑

催旺方法

「休門」主貴人、人緣；「青龍」主喜慶事宜、吉祥。

在東南方放置一對「粉晶鴛鴦」，可有利婚嫁，催旺人緣運，招來貴人。

切忌在此處放置任何「水種」植物，或鮮花如百合、玫瑰花等，以免減弱人緣，招惹小人。

「丁奇」為「添丁」，「青龍」為喜慶、喜事臨門，在東南方放置「粉晶鴛鴦」便可增強子女緣。不宜放置水種植物，或鮮花如百合、玫瑰花等，影響子女緣，阻擋子女運，難以有孕，或令胎兒不穩定。

南方—正財位

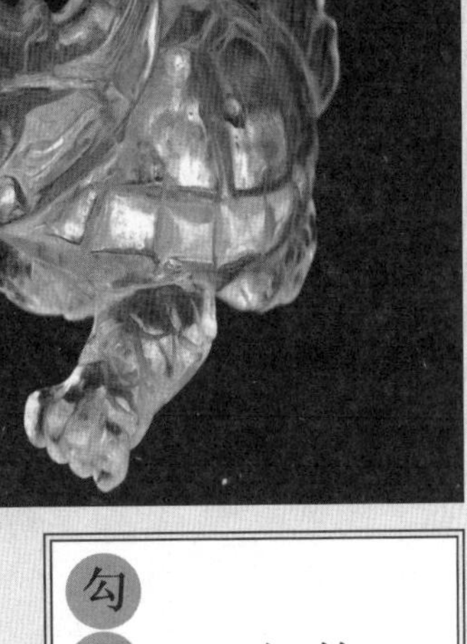

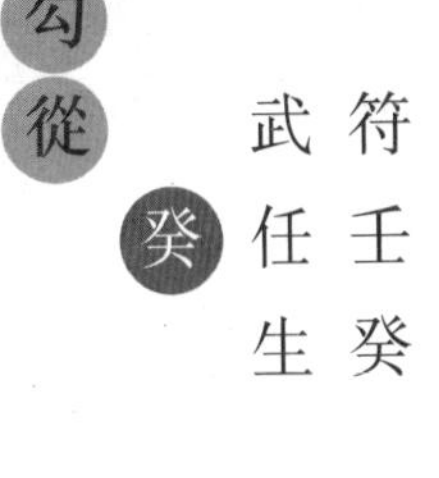

催旺方法

「生門」主錢財、資金、豪宅，「天任星」主財星、金銀珠寶。在南方放置一隻「白水晶龍龜」便可催旺財運、增加利潤。

如此處有窗門、窗簾要盡量長開，才能引財入屋，令財源滾滾而來。

西南方

己墓
蛇乙丙刑
九沖傷迫
丙己
合河雀明

化解方法

「傷門門迫」主口舌是非、攻擊，「朱雀」為衝突、吵架，在西南方放置一對「黑曜石貔貅」可化解是非，帶來和諧。

不宜在此處放置轉動形態、自轉形式的擺設，如風水輪、風車、風扇、時鐘。以免招惹是是非非，引來小人纏身。

西方——偏財位

催旺方法

「甲子戊」主投資資金，「騰蛇」主投機、賭博。在西方放置一隻「粉晶龍龜」，可催旺偏財運。

避免在此處放置任何香薰蠟燭，火會虛耗財勢，減弱財運，招來破財機會。容易影響投資觸角，偏財失利。

西北方——桃花位

合癸庚
符英景
庚
迫
神大天功

催旺方法

「六合」主愛情、桃花，「天英星」為吸引力、魅力，在西北方放置一隻「粉晶象」便可催旺桃花，令感情發展順利。

切忌在此處放置大電器，如電視、電子產品、影音器材等，以免阻擋桃花運，擾亂人緣氣場，招來假桃花，減弱異性緣。

北方──病災煞位

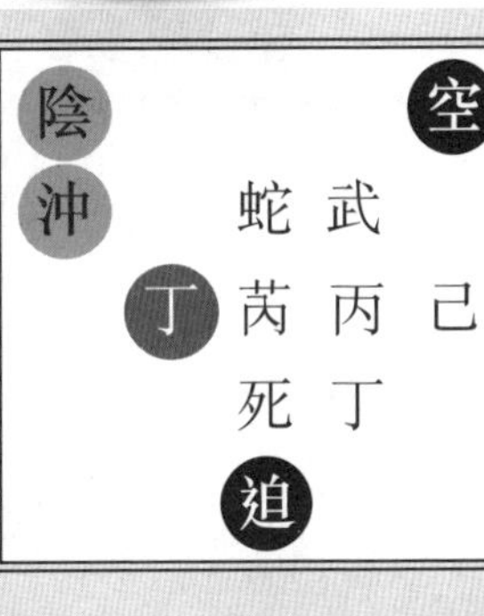

化解方法

「天芮星」主病灶、病菌，「死門」主疾病、刑傷、災禍。在北方放置一個「黑曜石葫蘆」，有助吸收病氣或負能量，化解災煞。睡床在北方的朋友，今年也特別容易病倒或有所損傷，可把黑曜石葫蘆放在床頭。

如廚房爐灶位於此處，可盡量多在此處用明火煮食，能有助化解病氣，令身體更強壯。

東北方──文昌位

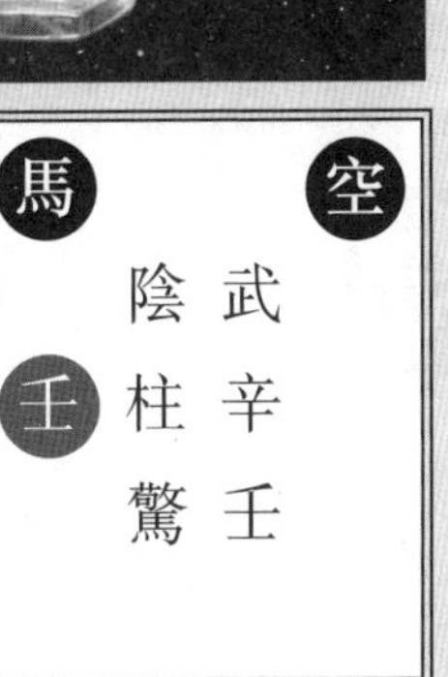

催旺方法

「太陰星」主思維清晰、心思細密、精明。「玄武」主聰明、腦筋靈活。在東北方放置一個「白水晶文昌塔」，可增強文昌位，有助讀書、學習能力、考試運。

書枱可放置在書房東北方，或在屋內東北位置溫習，便可增強學習和思考能力。

切忌在此處放置文竹、文昌竹、富貴竹、泥種植物，會減弱文昌運，學習精神不集中，思路不連貫，出現斷層，考試運波折重重。

雲文子奇門遁甲 2024 龍年生肖運程

作　　者：雲文子
出　　版：真源有限公司
地　　址：香港柴灣豐業街 12 號啟力工業中心 A 座 19 樓 9 室
電　　話：（852）3620 3116
電　　郵：contact@real-root.com
書報攤及
便利店發行：同德書報發行代理有限公司
地　　址：九龍官塘大業街 34 號楊耀松第五工業大廈一字樓
電　　話：（852）3551 3388
書店發行：一代匯集
地　　址：香港九龍大角咀塘尾道 64 號龍駒企業大廈 10 字樓 B 及 D 室
電　　話：（852）2783 8102
初版一刷：2023 年 10 月
如有破損或裝訂錯誤，請寄回本社更換。

特別鳴謝：
Photography & Art Direction: Paul Tsang @UN Workshop
Hair Styling: Matt Chiu @ Xenter
Make-up: Vinci Tsang Yuu Man
Personal Fitness Coach: Reeve Ching

ISBN : 978-988-76535-5-4